LA POÉTIQUE
DE VALÉRY

DU MÊME AUTEUR

Le plaisir poétique. *Étude de psychologie.*
Les Presses Universitaires de France.

Les techniques modernes du vers français.
Les Presses Universitaires de France.

L'activité poétique et l'activité esthétique. In **L'Art et la Pensée.** Alcan.

Les romans de l'individu. Collection "Le XIXᵉ siècle".
Les Arts et le Livre.

Œuvres de Pascal. 5 volumes. Collection "Les grands classiques de France". Piazza.

L'Iran de Gobineau. Éditions Cafre.

André Gide. Charlot.

Les arts de littérature. Charlot.

L'époque contemporaine. In **Littérature française** de
J. Bédier et P. Hazard, nouvelle édition de P. Martino.
Larousse.

———

JEAN HYTIER

La Poétique
de
VALÉRY

Voici nos mythes, nos erreurs
que nous eûmes tant de peine à
dresser contre les précédentes.

PAUL VALÉRY, *Projet de préface.*

LIBRAIRIE ARMAND COLIN
103, Boulevard Saint-Michel, Paris-V•
1953

A KATHARINE

LA POÉTIQUE DE VALÉRY

CHAPITRE PREMIER

A LA RECHERCHE DE VALÉRY

Il serait intéressant de savoir comment se sont formées les idées de Valéry sur la poésie. On n'y parviendra jamais tout à fait, puisqu'il est impossible de connaître avec exactitude la vie, ne disons pas d'une âme, il n'aimait pas ce mot, mais d'un esprit. On pourra pourtant, un jour, voir un peu plus clair dans l'histoire de cette pensée qui s'est voulue si personnelle. Les deux cent cinquante cahiers inédits du poète, quand ils seront accessibles, permettront d'en préciser la chronologie. Sa correspondance apportera également des indications précieuses ; on s'en rend déjà compte par la publication de quelques-unes de ses lettres à Mallarmé, à Louÿs, à Gide, à Thibaudet... Pour l'instant, force est de se borner à des généralités.

Si la poésie de Valéry est imbue de conscience critique et suppose de longues réflexions sur son art, toutefois la quasi-totalité de ses écrits où il traite de poétique a paru après ses recueils de vers. Ce n'est même qu'après 1926 qu'il donne des vues d'ensemble et des exposés quelque peu étendus. Ces essais contiennent souvent des confidences qui expliquent pourquoi il avait abandonné très tôt la poésie et comment il y est revenu tardivement. Ils nous renseignent abondamment sur ce qu'on pourrait appeler sa doctrine et un peu moins sur les liens de celle-ci avec son expérience poétique. On comprend cependant qu'elles se sont nourries réciproquement. Valéry s'est regardé faire ses vers, et il a tiré de cette observation des conclusions qui dépassaient le cadre de sa poétique pour s'épanouir en vues générales sur le fonctionnement de l'esprit, mais il a aussi appliqué systématiquement à la compo-

sition de ses poèmes des méthodes de travail particulières. On
doit se demander, de plus, si parfois la doctrine ne s'est pas simplement surajoutée à l'œuvre, par l'effet d'une méditation indépendante, plus ou moins théorique. L'esthétique formulée par un
écrivain a des attaches avec son œuvre, mais l'esthétique pro-
clamée ne coïncide pas toujours avec l'esthétique infuse. Il y a un
écart énorme entre le théâtre de Hugo et ses idées sur le drame.
C'est la même chose en morale : la conduite de Rousseau est assez
différente de son idéal de vertu. L'étude des poèmes de Valéry
(ce serait un autre livre que celui-ci) décèlerait certainement un
décalage partiel entre sa doctrine et sa pratique. On peut cependant estimer que l'art classique réduit au minimum l'écart de la
théorie et de la création : chez Molière, chez Racine, même chez
Baudelaire et Mallarmé, peut-être aussi chez Valéry, la lucidité
des vues rejoint assez fortement l'exactitude de l'exécution.

On aura déjà quelque idée du rôle joué chez Valéry par cette
réflexion en marge de son œuvre en jetant un coup d'œil rapide
sur les périodes qu'on peut distinguer dans sa vie littéraire. J'en
vois quatre :

I. — LA PÉRIODE DES POÈMES DE JEUNESSE.

Valéry, qui faisait déjà des vers au lycée, en publie pour la première fois le 1ᵉʳ octobre 1889 (il aura dix-huit ans le 30 de ce mois)
dans le *Courrier libre* : c'est un sonnet, *Élévation de la Lune*, suivi
en novembre de *La Marche impériale*. A la même époque, ayant
découvert Poe dans la traduction de Baudelaire, et frappé par
La Genèse d'un Poème, il envoie à Charles Boès, le directeur du
Courrier libre, un article *Sur la Technique littéraire*, que la disparition de ce périodique empêche de paraître, mais qui sera retrouvé
un demi-siècle plus tard par M. Henri Mondor [1]. Il permet de
constater que, dès le début de sa production poétique, Valéry
a doublé celle-ci de réflexions théoriques. Cette attitude, assez
fréquente au reste, est encore attestée par le peu qui a été révélé
jusqu'ici de sa correspondance avec ses jeunes amis Pierre Louis
(plus tard Pierre Louÿs) et André Gide, pendant les années 1890-

1. Il a été cité partiellement par M. Berne-Joffroy, *Présence de Valéry*, p. 69,
et publié intégralement par M. Henri Mondor, à la suite de son étude, *Le premier article de Paul Valéry*, in *Dossiers*, 1, p. 13-30.

1892, où il écrit les poèmes qui paraissent dans *La Petite Revue maritime* de Marseille, *La Revue indépendante*, *La Plume*, *L'Ermitage*, *La Syrinx*, *La Chimère*, et surtout *La Conque* (treize poèmes dans les onze numéros parus de mars à décembre 1891). Le principal intérêt pour nous de cette correspondance est de nous montrer, à travers de légères et éphémères concessions aux modes littéraires du temps, la précocité de certaines idées de Valéry, l'ancienneté de quelques positions qu'il prendra publiquement après 1917 et dont il ne déviera jamais. Une seconde révélation de cet échange passionné de lettres juvéniles consiste dans la rapidité de la révolution interne qui s'opère dans l'esprit de Valéry sur la valeur de la poésie et de la littérature en général. Quel chemin parcouru entre le 2 juin 1890, où il écrit à Pierre Louis : « Mais avant tout, pour vous comme pour moi, la littérature, la Magie du Verbe ! [1] » et le mois de septembre 1891 où il confie à André Gide son désabusement :

... j'ai lu les plus merveilleux, Poe, Rimbaud, Mallarmé, analysé, hélas ! leurs moyens, et toujours j'ai rencontré les plus belles *illusions*, à leur point de genèse et d'enfantement... les plus géniaux d es nôtres, Wagner, Mallarmé s'inclinent — et *imitent* [2].

L'esprit de M. Teste commence à souffler. La crise de la nuit de Gênes, en août 1892, décidera de l'orientation intellectuelle de Valéry, de sa nouvelle échelle de valeurs, dont la *Soirée avec Monsieur Teste* (écrite en 1895, publiée en 1896) est comme le manifeste.

II. — LA PÉRIODE DITE DU SILENCE.

Silence relatif, qui n'est pas niable, mais qu'on a exagéré. On date souvent de cette année 1892 l'abandon par Valéry de toute ambition poétique. Il faut l'entendre avec quelques nuances. En fait, Valéry écrira encore des poèmes : *Été* et *Vue*, publiés en 1896, dans *Le Centaure* ; *Valvins*, dans l'album offert à Mallarmé en 1897 ; *Anne*, dans *La Plume* en décembre 1900 ; *Profusion du soir*, *poème abandonné* (vers 1899, si l'on en croit la note de l'éditeur au tome C des *Œuvres complètes*). Il est douteux que Valéry, en travaillant à ces poèmes ou à d'autres, ait cessé de

1. Cité par Henri Mondor, *Le Vase brisé de Paul Valéry*, in *Paul Valéry, Essais et témoignages recueillis par Marc Eigeldinger*, p. 14.
2. *Lettres,* dans *L'Arche*, octobre 1945, p. 20.

s'interroger sur leur fabrication. Les légendaires cahiers de notes, qu'il semble commencer à tenir dès 1892, contenaient certainement des remarques sur la littérature. Les recueils composés d'extraits de ces cahiers, qui paraîtront de 1924 à 1930 (*Cahier B 1910, Rhumbs, Analecta, Autres Rhumbs, Littérature, Choses tues, Moralités, Ébauches de pensées, Suite*) [1], abondent en observations touchant aux problèmes littéraires et artistiques, et le seul qui se présente comme conforme à l'original, le *Cahier B 1910* (publié d'abord en fac-similé), atteste que Valéry, avant de revenir à la poésie, n'avait pas cessé de s'y intéresser. Ce qui est vrai, c'est qu'il étudiait de préférence le fonctionnement de son propre esprit, ce qui, de proche en proche, l'amenait à réfléchir à peu près sur tout. Les quelques écrits qu'il a publiés entre 1892 et 1900, sans viser directement la doctrine poétique, sont cependant riches en indications, et tout d'abord l'*Introduction à la méthode de Léonard de Vinci* (1895) et la *Soirée avec Monsieur Teste* (1896), mais il y a à retenir plus qu'on ne croirait dans *La Conquête allemande* (1897) et dans sa collaboration du *Mercure de France* : «*Durtal*» en 1898, et les trois articles de la rubrique *Méthodes* en 1897, 1898 et 1899. A partir de 1900, le silence est à peu près complet. Cependant, en 1904, Valéry donne à G. Walch le curieux texte en prose *L'Amateur de poèmes* pour le joindre aux poèmes repris dans *L'Anthologie des poètes français contemporains*, ce qui, malgré la déclaration de Valéry sur son oubli de ses propres poèmes, ne marque pas un désintérêt total. Et on est assez surpris de voir que la *Nouvelle Revue Française*, dans sa première année, a eu Valéry pour collaborateur ; il y donne, en décembre 1909, quelques pages sur le rêve, puisées sans doute aux cahiers, intitulées *Études*. L'examen des manuscrits laissés par Valéry, quand il sera autorisé, et la publication de ses lettres à Gide (plusieurs centaines) et à d'autres correspondants, permettront sans doute d'éclairer cette période obscure, la plus importante de sa biographie intellectuelle. Jusqu'ici les documents les plus intéressants sont quelques lettres ou fragments de lettres à Mallarmé, à Pierre Louÿs, à André Gide, à Jules Valéry... quatre lettres à Henri Albert, de 1901 à 1907, au sujet de Nietzsche, deux lettres à Thibaudet, de 1912, sur Mallarmé, deux lettres de 1915 à Albert Coste.

1. Ils ont été réunis dans les deux volumes de *Tel quel*.

III. — LA PÉRIODE DU RETOUR A LA POÉSIE.

Commencée vers 1912, elle est marquée par la publication, en fin avril 1917, de *La Jeune Parque*, de poèmes dans diverses revues, d'*Odes* et du *Cimetière marin* (1920), de l'*Album de vers anciens* (1920), du recueil *Charmes ou poèmes* (fin juin 1922). Valéry ajoutera quelque peu, par la suite, à ses *Poésies* : deux poèmes de 1917 et 1918 dans le volume des *Œuvres complètes*, douze *Pièces diverses* « de divers âges » dans l'édition de 1942 (dont une déjà publiée dans les *Œuvres complètes*, quatre dans *Mélange* et une fable en tête du commentaire de *La Jeune Parque* par Alain), auxquelles on peut ajouter cinq autres poèmes dans *Mélange*, sans compter les pièces pour les amis qu'on s'amusera plus tard à réunir comme les adresses et « œufs de Pâques » de Mallarmé. Cependant, la forme versifiée continuera à tenter Valéry (*Cantate du Narcisse*, mélodrames d'*Amphion* et de *Sémiramis*), jusque dans le *Dialogue de l'arbre*, où le vers se dissimule sous la prose, et dans certaines scènes de la féerie dramatique, *Le Solitaire*, qui fait partie du cycle inachevé *Mon Faust*. Pour compléter, quelques morceaux à mi-chemin entre prose et vers intitulés *Poésie brute* (dans *Mélange*) et *L'Ange*, poème en prose, un de ses tout derniers écrits. Mais l'étonnant renouveau poétique de Valéry, ou plutôt la véritable éclosion de son lyrisme, se termine avec la réédition de *Charmes* en 1926, qui comporte les fragments II et III du *Narcisse*. Pendant la période active de composition, de 1913 à 1921, celle-ci est accompagnée de réflexions concomitantes, sur lesquelles Valéry s'est assez abondamment expliquée, à de nombreuses reprises, dans des textes qu'il est inutile d'énumérer ici, puisqu'on les retrouvera tout le long de cette étude. Quelques lettres du temps de *La Jeune Parque* et de *Charmes*, surtout à Pierre Louÿs, sont riches de renseignements. Mon but n'est pas de tracer l'évolution de la pensée esthétique de Valéry, mais ce qu'on en peut deviner semble indiquer que la reprise du travail de la versification a obligé Valéry à se reposer à neuf les problèmes de 1890-1891. Une lettre à André Fontainas de 1917, revenant sur l'élaboration de *La Jeune Parque*, est significative de cette prise de conscience :

Vingt ans sans faire de vers, sans jamais s'y mettre, sans presque en lire... Puis, ces problèmes revenus ; s'apercevoir qu'on ignore le métier ; que les petits poèmes d'antan escamotaient toutes les

difficultés, taisaient ce qu'ils ne savaient pas dire ; usaient d'une
langue enfantine [1]...

Une lettre à Pierre Louÿs, peu après *La Jeune Parque*, qui
abonde pourtant en tropes, montre Valéry encore fort peu au
fait des définitions des figures et demandant « le livre à consulter
sur l'ancienne théorie de la rhétorique » [2]. Valéry a raconté plus
tard les secours qu'il tira de diverses rencontres, la lecture d'un
feuilleton d'Adolphe Brisson sur Rachel, qui citait des commentaires du prince Georges de Hohenzollern sur la diction de la tra-
gédienne [3], et surtout la découverte de Racine qu'il n'avait plus
guère fréquenté depuis le lycée [4]. La lettre à Fontainas apporte
une amusante confirmation de ce recours à Racine :

> Chose rigolote. L'influence des études des enfants. Faire réciter
> le songe d'Athalie m'a appris des choses insoupçonnées, — qui
> m'éclairaient une fois pour toutes les difficultés précisément
> auxquelles j'étais en proie [5].

IV. — LA PÉRIODE DES « COMMANDES ».

La période des « commandes » est aussi celle des « demandes »,
car la bonne grâce de Valéry a été terriblement sollicitée. On sait
qu'après la mort d'Édouard Lebey, dont il était le secrétaire,
lecteur, conseiller et ami, Valéry vécut de sa plume et de sa voix.
De 1922 à 1945, son inépuisable ressource fournit aux exigences
les plus variées. Il est superflu de rappeler les chefs-d'œuvre que
cette contrainte suscita depuis les dialogues de 1921, à travers
tant d'essais sur l'art, la littérature, la politique et les mythes,
les problèmes les plus divers de la civilisation et de la vie de l'esprit,
jusqu'à — chose étrange — ce commencement pathétique à
l'âge de soixante-neuf ans, d'une œuvre enfin libérée pour la première fois de l'esclavage de la plume : l'entreprise spontanée et
frémissante de son cycle faustien. Dans cette production abondante, les écrits traitant directement de poésie sont nombreux et
importants. Mais plus révélateurs sont des textes moins stylisés :
conférences, communications à des sociétés savantes, préfaces,

---

1. *Réponses*, p. 17.
2. Et il ajoute en marge : « A ne pas laisser sans réponse » (*O. C.*, t. B, p. 139).
3. *Le Prince et la Jeune Parque*, in *Variété V*, p. 119-125.
4. Voir le *Journal* de Charles Du Bos, 30 janvier 1923, p. 228 : « les éléments
que je pouvais retenir de Mallarmé ont tous été passés au crible racinien ».
5. *Réponses*, p. 18.

propos personnels, etc... Grand moraliste, Valéry a accumulé
bien des réflexions piquantes sur la création artistique dans
Mélange, Mauvaises pensées et autres ; l'impossibilité de dater les
remarques de ces nouveaux recueils, si elle interdit pour l'instant
l'étude rigoureuse du cheminement de ses idées, n'altère pas sen-
siblement l'image d'ensemble qu'on peut se faire de son esthétique
poétique : on verra plus loin pourquoi. Enfin, le cours de poétique
que Valéry fit au Collège de France, de 1937 à 1945, intéresse directement notre sujet. Malheureusement, sauf la leçon d'ouverture,
discours d'apparat et programme général, qui, comme d'usage,
a été imprimée, cet enseignement a laissé peu de traces. De temps
à autre, un article reproduit quelques notes prises, en passant,
par un auditeur. Le seul effort un peu sérieux pour fixer une partie
du cours de Valéry, dans la mesure où on pouvait suivre une pensée
capricante qui semble avoir procédé par digressions autour de
thèmes de prédilection, avec de brusques fusées d'improvisation,
et qui était bien éloignée de la préparation méthodique habituelle,
a été la publication des notes prises, la plupart du temps par
Georges Le Breton, pendant les dix-huit premières leçons du cours
(en 1937-1938) ; elles ont été publiées par la revue *Yggdrasill*.
On y reconnaît assez souvent le ton même de Valéry. Mais on
sent bien que seule la revision par le maître, avec les modifications
et surtout les compléments nécessaires, aurait pu leur conférer
l'authenticité. On ne peut donc utiliser ces notes, pourtant précieuses, qu'avec prudence. Toutes les fois qu'on y reconnaîtra
la confirmation de propos tenus ailleurs par Valéry, ce qui est,
du reste, fréquent, et du même coup console un peu de n'avoir
pas le texte intégral et revu, on renverra brièvement en note à la
leçon intéressée. Il nous manque, de toute façon, le plus personnel,
ce que Valéry, au cours de ces huit années, a pu ajouter de nouveau à ses considérations antérieures. Quoi qu'il en soit, c'est
l'ensemble des idées exprimées par Valéry sur la poésie, dans la
dispersion extrême d'une quantité de textes souvent brefs, pendant cette période d'un quart de siècle environ, qui fournit la
contribution la plus importante de beaucoup à la connaissance
de sa poétique.

L'interprétation de toute cette littérature sur un genre de
littérature soulève des difficultés préalables. D'abord la chronologie, ensuite les contradictions. En fait, la pensée de Valéry, si
elle s'est enrichie, a assez peu varié, — sauf, peut-être, dans les
années mal connues de son silence (période de maturation) ;

encore une partie des confidences et des souvenirs de Valéry
atteste-t-elle que beaucoup des opinions qu'il a formulées publiquement dans les vingt-cinq dernières années de sa vie (période
d'exploitation), avaient leurs répondants dans les périodes antérieures. Une des impressions qu'on retire de sa lecture est celle
d'innombrables redites, selon peut-être l'habitude de M. Teste :
« Il veillait à la répétition de certaines idées ; il les arrosait de
nombre. » Valéry n'était pas mal fondé, en ce qui le concernait,
mais en généralisant la maxime, à nier l'importance de la chronologie dans la pensée :

> Le désordre qui « règne » (comme on dit) dans *Mélange* s'étend
> à la chronologie. Telle chose a été écrite il y a près de cinquante
> ans. Telle autre est d'avant-hier... Cette quantité de temps ne
> signifie rien en matière de production de l'esprit [1].

Il y a chez lui le sentiment d'une permanence, qui s'associe
très bien à la mobilité du moi. Les « écarts » de la réflexion ne
l'empêchent pas d'avoir un axe. Peu de temps avant sa mort,
il disait à Gide : « Les principaux thèmes autour desquels j'ai
ordonné ma pensée depuis cinquante ans demeurent pour moi
INÉBRANLABLES ! [2] »

Pour les contradictions, je veux dire les visibles, — celles qui
ne tiennent pas à la constitution même d'un tempérament qui
finit toujours par inscrire dans son système ses désaccords ou
ses incohérences fondamentales, — elles se laissent souvent réduire
par des considérations extérieures : public, occasion, humeur,
biais particulier par lequel un problème est abordé... Chez Valéry,
elles tiennent aussi, outre son esprit de boutade bien connu et
sa vive nervosité d'esprit, à une espèce d'expérimentation mentale : voir ce qu'une idée surgie peut donner quand on la pousse
dans un certain sens pour son seul bénéfice, sans préoccupation
de l'accorder au tout fait de la pensée acquise. Une telle pensée
est essentiellement impulsive, ponctuelle et insoucieuse de relations. Si Valéry a répugné au système (en dépit de quelques
velléités), ce n'est pas seulement par ennui et paresse, c'est à
cause de la nature sporadique de ses réflexions. Ses cahiers sont
un fouillis d'éclairs. L'unité relative de sa pensée tient à quelques
points fixes, à quelques thèmes invétérés, à quelques cercles qu'il
parcourra inlassablement, à ce qu'on pourrait appeler ses *mordicus*.

---

1. *Mélange*, Avis au lecteur, p. 7.
2. André Gide, *Paul Valéry*, in *L'Arche*, octobre 1945, p. 14.

En dehors de ces entêtements, la plus grande liberté et le plus grand hasard dans l'agilité. Les beaux développements suivis de quelques textes officiels sont un effet de discours, une modulation habile, non la conséquence d'une croissance organique, à laquelle du reste il ne croyait pas en matière de pensée. On comprend donc qu'il se soit accommodé des inconséquences naturelles de l'esprit :

MONTRE EN MAIN. — Il n'y aurait qu'à attendre pour voir le sceptique se changer en croyant ; le croyant en sceptique, le classique en *fauve*, et réciproquement. Affaire de patience [1].

Il a même établi à son usage une petite théorie ingénieuse, dont il ne serait pas impossible de retrouver des applications dans certains de ses vers, sur la transformation des idées. Il prévient les lecteurs d'*Analecta* [2] de ne pas oublier

... qu'il y a une différence incalculable, un *intervalle indéterminé*, entre l'embryon d'une idée et l'entité intellectuelle qu'elle peut enfin devenir.
Cette différence peut aller jusqu'au maximum de contraste, qui est la contradiction.
Si j'écris promptement, un matin, que *A est B*, je sais bien que le jugement *A est non B*, qui annule le précédent, pourrait s'en suivre d'une réflexion prolongée, d'une contemplation plus précise, ou d'un *grossissement par la durée* un peu plus fort. La note que j'aurai prise ne signifiera donc à mes yeux que ceci : il y a un *rapprochement* (A, B).
Ce n'est qu'un acte fécondant.
ANTINOÜS, ou un monstre, ou l'être le plus vulgaire en peuvent sortir...

Vers la fin de sa vie, il a noté qu'il ne trouvait « pas d'unité dans sa nature » et qu'il avait « une tendance et une grande facilité à tenir pour des accidents (qui me sont, au fond, assez étrangers) mes goûts, dégoûts et opinions ». Il a confessé

l'espèce de mépris naturel que toute opinion sur quelque sujet que ce soit m'inspire, dès que j'y pense un peu. La mienne est la première à se déclarer vaine et pur expédient. Quand l'opinion se traite elle-même de *conviction*, le cas me semble grave, et il m'arrive de désespérer de l'intelligence de celui qui s'établit en force sur le fond de désordre initial et de variété irrégulière qui est (et même, qui doit être) caractéristique de l'esprit. Mais ceci est encore une opinion [3].

1. *Analecta*, LXXXVI.
2. *Analecta*, L'auteur à ses amis, p. 17-18.
3. *Propos me concernant*, p. 9-10.

On reconnaît le scepticisme généralisé de Valéry. Le refus est pour lui le mouvement même, et la définition, de l'esprit. Il n'est donc pas facile, à moins de la réduire à son instabilité, d'accorder avec elle-même une pensée qui se récuse dans son principe [1]. Heureusement, il y a une compensation à cette annihilation systématique ; pratiquement, le retour d'opinions bien définies, et même curieusement affirmatives, agressives, nées, peut-être, d'un arbitraire plein de décision seul capable d'écarter le doute, permet très suffisamment d'asseoir l'esthétique de Valéry.

A côté de ces désinvoltures mitigées d'obstinations, on rencontre assez souvent dans les idées de Valéry sur la poésie des thèses en opposition violente avec celles ou du public, ou des amateurs, ou des spécialistes, psychologues, esthéticiens, qui se sont occupés de ces questions (sans jamais, du reste, que Valéry entre en discussion avec une personne nommée). Ces paradoxes sont un des charmes de sa spéculation. Ils sont nés, sans doute, d'une assez longue pratique de la poésie et renseignent par là sur le tempérament esthétique de Valéry (plus artiste que poète, ce dont il fait d'ailleurs un éloge), mais témoignent encore plus de sa nature foncière, qui n'est jamais si à l'aise que dans un courtois mais radical désaccord. La clef de cette attitude spontanée se trouve dans une vieille lettre à André Gide, du 10 novembre 1894 : « Te rappelles-tu : je te disais abandonner les idées que j'avais dès que d'autres me semblaient les avoir. C'est toujours vrai. Je veux être maître chez moi. [2] » Voilà le chemin direct du paradoxe. Valéry a affirmé à plusieurs reprises ce réflexe d'auto-défense. Il y voyait l'exercice d'une sorte de raison d'État, et la seule façon dont il ait jamais pu être directement influencé. « Une opinion qui me paraît trop semblable à la mienne me fait douter de la mienne. [3] » Et pas seulement semblable, mais aussi bien « directement contraire », car il a décelé très vite les effets de la contre-imitation. Il s'est reconnu dans cette phrase du P. Hardouin : « Croyez-vous que je me sois donné la peine de me lever tous les jours de ma vie à quatre heures du matin pour penser comme tout le monde ? [4] » Cette passion de la différence est un grand facteur d'originalité, elle n'est sans doute pas sans danger dans la

---

1. Il a dit : « Je me permets de penser qu'il y a de la pauvreté d'esprit à être toujours d'accord avec soi-même » (*Lettre-Préface* à Émile Rideau, *Introduction à la pensée de Paul Valéry*, p. 3).
2. *L'Arche*, octobre 1945, p. 22.
3. *Propos me concernant*, p. 10-11.
4. *Ibid.*, p. 60.

recherche de la vérité. « J'aime croire que je vois des choses que personne n'a vues dans celles que tout le monde voit... [1] »

Il reste à lever un dernier obstacle qui réside dans l'attitude de Valéry à l'égard de la poésie même et de la littérature en général. Il a raconté à plusieurs reprises comment, à vingt ans, il avait commencé à mettre en doute leur valeur. « Je suspectais la littérature, et jusqu'aux travaux assez précis de la poésie. L'acte d'écrire demande toujours un certain " sacrifice de l'intellect ". [2] » « J'avais cessé de faire des vers ; je ne lisais presque plus... Les lettres... m'avaient souvent scandalisé par ce qui leur manque de rigueur, et de suite, et de nécessité dans les idées. [3] » Poe lui avait communiqué le « délire de la lucidité ». L'art des vers était « devenu impossible à moi de 1892 ». C'était le moment, où, après avoir subi l'influence de Mallarmé, il fit sa connaissance, et où il « guillotinait intérieurement la littérature ». Il cherchait autre chose : « Pourquoi ne pas développer en soi cela seul qui dans la genèse du poème m'intéresse ? [4] » Pour Mallarmé, au contraire, la littérature était tout ; Valéry ne l'a jamais prise à ce degré de sérieux ; homme de l'esprit, et non faiseur de vers, tel il se considère, selon Charles Du Bos dans son *Journal* du 30 janvier 1923. A la même époque, Gide note son agacement devant la réputation que *La Jeune Parque* et *Charmes* lui ont faite :

> On veut que je représente la poésie française. On me prend pour un poète ! Mais je m'en fous, moi, de la poésie. Elle ne m'intéresse que par raccroc. C'est par accident que j'ai écrit des vers. Je serais exactement le même si je ne les avais pas écrits. C'est-à-dire que j'aurais, à mes propres yeux, la même valeur. Cela n'a pour moi aucune importance [5].

Si l'on passe des déclarations dans le privé à l'expression publique des sentiments, ceux-ci ne sont guère moins nets. Il a toujours regardé les Lettres « avec de grands doutes sur leur vraie valeur » [6]. La littérature est une espèce de charlatanisme : « Il y a toujours, dans la littérature, ceci de louche : la considération d'un public » [7] ; maintes remarques dans *Littérature* noircissent

1. *Propos me concernant*, p. 14-15.
2. *Préface*, in *Monsieur Teste*, p. 8.
3. *Au sujet d'« Eurêka »*, in *Variété*, p. 112-113.
4. *Deux lettres inédites à Albert Thibaudet*, in revue *Fontaine*, été 1945, p. 555-562.
5. *Journal*, 30 décembre 1922, p. 749.
6. *Lettre sur Mallarmé*, in *Variété II*, p. 232.
7. *Cahier B*, in *Tel quel*, I, p. 201.

encore ce tableau. Même note, à la fin de sa vie, dans *Propos
me concernant* : « J'ai fait de la *littérature* en homme qui, au fond,
ne l'aime pas trop pour elle-même... [1] » et le retour au vieux grief :
« le premier sacrifice à la littérature viable est le ''sacrifizio dell'intelletto '' » [2]. Malgré cette défiance, l'œuvre entière de Valéry
témoigne tout de même d'un goût plus profond qu'il ne l'avoue.
Il a reconnu du moins qu'on pouvait adorer ce qu'il croyait avoir
brûlé, et, en réalité, sa position n'a cessé d'être ambivalente, de
passer du déni théorique à l'exercice passionné. Sa lettre à Thibaudet de 1912 donne, à ce point de vue, la note la plus juste :
« La littérature, *ad libitum*, est tout ou rien. Donc, elle n'est rien,
ou un rien... Quant à moi, entre ce tout et ce rien, j'ai oscillé. »
Cette oscillation l'amènera à enfermer la poésie dans l'alternative
du néant et du divin : « L'existence de la poésie est essentiellement niable ; de quoi l'on peut tirer de prochaines tentations
d'orgueil. — Sur ce point, elle ressemble à Dieu même » [3], et à
formuler l'exigence majeure : « En toute chose inutile, il faut être
divin. Ou ne point s'en mêler. [4] »

Ce que la poésie a été pour Valéry, ou, du moins, ce qu'il a cru
qu'elle était pour lui, car, comme dans l'amour et la haine, l'objet
peut être bien différent dans la tendance et dans la représentation,
ce qu'il a voulu surtout que la poésie fût à ses yeux quand, niant
son attrait profond, il tentait de la réduire à une activité secondaire, subordonnée, et provisoire de son esprit, il l'a résumé
bien des fois par le mot d'*exercice*. C'est ce que proclame au public
de 1917 la dédicace fameuse de *La Jeune Parque* à André Gide
et que confirme plus d'une déclaration relative à ce poème [5].
Entière est la sincérité de cette attitude, qui n'est pas nouvelle
pour Valéry, car elle remonte à 1892 : « Cet art... je le tenais déjà
pour un exercice, ou application de recherches plus importantes. [6] »
Et, généralisant, il était conduit « à ne plus accorder qu'une valeur
de pur exercice à l'acte d'écrire » [7]. La poésie n'est, en effet, qu'un
cas particulier, assez privilégié à certains égards, du fonctionnement général de l'esprit, quand il réussit à prendre cette « attitude
centrale » que Valéry a vantée dans l'*Introduction à la méthode*

---

1. P. 32.
2. P. 17.
3. *Littérature*, in *Tel quel*, I, p. 141.
4. *Choses tues*, in *Tel quel*, I, p. 14.
5. Lettre à Fontainas de 1917, in *Réponses*, p. 16 : « C'est bien un exercice.... »
6. Lettre à Albert Thibaudet, in *Fontaine*, été 1945, p. 560.
7. Lettre sur Mallarmé, in *Variété II*, p. 233.

de Léonard de Vinci. Cette attitude, on le verra, commande en
principe toute production, scientifique ou artistique. Il n'est donc
pas surprenant que ce ne soit pas seulement la poésie, mais toute
création esthétique que Valéry ait pu considérer de ce biais :
« ... je rapporte tout ce que je pense de l'art à l'idée d'*exercice*,
que je trouve la plus belle du monde. [1] » Plus qu'à l'œuvre, il
s'intéresse au « travail mental » qui la produit ; alors que, « d'ordinaire, elle est l'objet capital du désir », pour lui, elle est « application » [2]. On sait que Mallarmé avait rêvé d'un grand œuvre,
d'un livre orphique, sorte de livre absolu auquel le monde lui
semblait fait pour aboutir. Le rêve de Valéry a été différent :
« ... le *Grand-Œuvre* est pour moi la connaissance du travail en
soi — de la transmutation la plus générale, dont les œuvres sont
des applications locales, des problèmes particuliers.. [3] » Il ne
s'agit pas de faire de l'or, sinon par occasion, mais de trouver la
loi générale permettant de faire toutes choses. Après quoi, il
serait inutile de les faire. M. Teste ne recherche que le pouvoir
qui dispense et dédaigne de vouloir. Ce rêve de jeunesse n'a jamais
été mieux exprimé que dans une lettre de 1894 : « J'ai agi toujours
pour me rendre un individu potentiel. C'est-à-dire que j'ai préféré
une vie stratégique à une vie tact'que. Avoir à ma disposition
sans disposer. [4] » On conçoit que le jeune Valéry, qui, par la bouche
de M. Teste, allait mépriser le « génie », n'ait eu que pitié pour
l'appellation de « poète » [5]. Une ambition aussi totale, dont l'idée
que se forgeait Valéry d'un Léonard pouvait lui fournir une image
exaltante moins chimérique que celle d'un idéal M. Teste, était
vouée à l'échec. Sans doute, « un homme qui n'a jamais tenté de
se faire semblable aux dieux, c'est moins qu'homme » [6], mais la
pratique des pouvoirs de l'esprit ne peut pas opérer en se fondant
sur un état d'omnipotence définitive qu'il conçoit comme but,

1. *Propos me concernant,* p. 49.
2. *Ibid.,* p. 20-22.
3. *Ibid.,* p. 22.
4. Lettre à Gide, 10 novembre 1894, in *L'Arche,* octobre 1945, p. 22. Ce doit
être vers ce moment que Valéry prend les notes et entame les mémoires de Dupin
qui lui serviront, l'été suivant, à rédiger rapidement la *Soirée.* Un curieux jet
de lumière sur cette psychologie qui peut sembler orgueilleuse, mais qui est
peut-être surtout désarmée, est jeté par la phrase qui suit : « Ceci avait un but
d'équilibre intime, imaginatif. »
5. Dès 1891, il écrivait à Gide : « Je te prie de ne plus m'appeler Poète, grand
ou petit. Je ne suis pas un poète, mais le monsieur qui s'ennuie » (André Gide,
Paul Valéry, p. 64).
6. *Choses tues,* in *Tel quel,* I, p. 34.

mais ne possède pas comme moyen. Ce qui prend humblement
la place de cette domination intellectuelle, c'est la quête perpétuelle, la recherche de la pierre philosophale, ou, plus simplement,
la recherche. Valéry s'en était aperçu et il félicite en 1924 un de
ses exégètes, M. René Fernandat, de s'en être rendu compte :

> Vous avez parfaitement compris que je ne suis   que *Recherche*.
> Qu'est-ce qu'un homme qui ne cherche pas ? Je vais si avant dans
> le sens de cette involontaire volonté que je ne puis même concevoir
> qu'on ait trouvé, et que quelqu'un se fixe [1].

Seulement, l'idée si importante d'*exercice*, c'est-à-dire d'*application*, prend, dans ces circonstances, un tout autre sens. Alors
qu'elle était au début l'emploi d'une espèce de mathématique
infaillible et universelle, elle n'est plus que l'usage de procédés
repérés empiriquement, de *recettes* (ces recettes auxquelles Valéry
réduira le valable de la science), c'est-à-dire, en poésie, de conventions, de règles, de « secrets de métier », qui ont fait leurs
preuves, et de conditions, plus personnelles parfois, que le poète
s'impose. On est loin de la méthode qui régirait tout système
possible de relations et imposerait ses effets à coup sûr. « Ce poète
orgueilleux trébuché de si haut », comme disait le prudent Boileau,
devait donc, lorsqu'il parlait d'*exercice*, à propos de ses poèmes,
l'entendre dans un sens bien plus restreint que ne le laisserait
croire la mythologie de sa vingt-cinquième année, celle des fabuleux Teste et Léonard. Ils sont bien des applications, mais d'une
volonté de fabrication qui dispose de moyens aléatoires, non
d'une superscience fulgurante. Cependant, cette volonté de
métier, cette conscience d'art plutôt que de science, a gardé à
l'égard des produits qu'elle élabore un certain détachement.
Elle se regarde faire et prend, du moins Valéry le croit-il, plus
d'intérêt à ce qu'elle en peut tirer comme enseignement sur son
propre fonctionnement qu'à la beauté du résultat. Chez lui, le
critique est le contemporain, le spectateur, et le collaborateur
du poète. « Je me suis toujours regardé faire mes vers, en quoi
je n'ai peut-être été jamais seulement poète. [2] » Cette double
attitude n'est pas aussi rare qu'on pourrait le croire chez les
poètes, nécessairement assez conscients d'une partie de leur

---

1. *Réponses*, p. 37.
2. *Calepin d'un poète*, in *O. C.*, t. C, p. 195. Dans le même sens, Valéry écrit
en mars 1940 à M. Maurice Bémol, qui cite ce fragment de lettre dans sa thèse
sur Valéry, p. 289 : « ... le long travail de *La Jeune Parque* m'a donné de nombreuses observations latérales. »

travail. Ce qui est exceptionnel, c'est de traiter le poème en sous-produit, ou en prétexte d'une activité plus haute. Pourtant, cette *exécution* du poème, sur laquelle Valéry émettra ses idées les plus originales, n'est pas sans prix à ses yeux. Il y verrait volontiers une œuvre d'art en elle-même, une espèce de danse opératoire. Mais ce n'est là encore qu'une fiction qu'il rejette, car le travail est trop discontinu pour revêtir cette perfection d'allure. Plus modestement, Valéry a fini par se représenter son *exercice* comme une gymnastique, un sport ou un dressage. La littérature est « un sport, parfois sévère, qui exige l'exercice de presque toutes les qualités de l'esprit » [1].

Je regarde la poésie comme le genre le moins idolâtre. Elle est le *sport* des hommes insensibles aux valeurs fiduciaires du langage commun... Le véritable amateur de poèmes les considère comme les connaisseurs en chevaux regardent les chevaux, comme d'autres regardent les manœuvres des navires... C'est le grand art pour moi en matière de poésie que de dresser l'animal *Langage*, et de le mener où il n'a pas coutume aller [2]...

Il y a un bénéfice en retour, c'est que l'auteur est transformé « en quelqu'un de plus indépendant à l'égard des mots, c'est-à-dire, plus maître de sa pensée » [3]. Voilà comment, sous une forme assagie, le vieux rêve de domination intellectuelle persiste dans l'accroissement de la liberté intérieure, et comment l'art de poésie contribue à entraîner la pensée abstraite.

Malgré la propension de Valéry, qu'il a d'ailleurs érigée en méthode, à centrer sur son *moi* l'étude des questions qui l'intéressaient, il n'a pas pu, quand il traitait de poésie, en parler toujours en se référant exclusivement à son expérience personnelle. Il n'a pas pu, surtout, maintenir dans l'éclairage négatif du scepticisme des valeurs et au niveau réducteur de l'activité latérale de l'esprit l'intérêt que le public, et que lui-même prenait aux plus belles manifestations de la création poétique. Quand il parle de La Fontaine, de Racine, du Hugo de la fin, de Baudelaire, de

1. *Sur la chose littéraire et la chose pratique*, in *O. C.*, t. D, p. 188. Valéry, qui ne voulait pas être appelé philosophe, s'est nommé une fois « Philosophe Sportif » (*Lettres à Albert Coste*, in *Cahiers du Sud*, mai 1932, p. 249).

2. *Propos me concernant*, p. 49.

3. *Ibid.*, p. 49. La page suivante pourrait intéresser qui tenterait un portrait de Valéry ; on y voit s'y opposer son dégoût du prosélytisme et son goût du dressage intellectuel : « Pensez comme vous voudrez ! Cependant, à plus d'une reprise me séduisit l'idée de composer une manière de *Traité de l'entraînement de l'esprit*. Je l'appelais : *Gladiator* du nom d'un cheval de course... J'en ai quantité d'éléments. »

Mallarmé... il fait taire, ou il laisse dans l'ombre, la grande réserve de principe et l'utilitarisme instrumental de la production. Assez souvent, la poésie elle-même, à propos des problèmes qu'elle soulève, semble considérée par lui comme une fin en soi. Il y a donc, compte tenu de l'attitude complexe de Valéry, sinon une doctrine à proprement parler, du moins un corps d'idées, plus ou moins homogène, qu'il est légitime de tenir pour l'expression de l'esthétique poétique de Valéry. Comment saisir, comment présenter, comment articuler surtout, cette pensée peu systématique et si dispersée ? On pourrait lui poser des questions, comme il voulait qu'on le fît aux ouvrages des philosophes. De sa part, les obliger à répondre avait surtout pour but de découvrir leur carence. Si l'on procédait de cette façon, l'on s'apercevrait de la difficulté à remplir certains chapitres ; il y a des aspects de l'esthétique de la poésie auxquels il a peu touché (particulièrement, si curieux que cela paraisse, les problèmes d'expression, de métrique, de musique verbale : il eût été trop vite amené à éclairer indirectement sa manière propre, ce qu'il ne souhaitait pas) On pourrait encore partir d'une sorte d'état présent des connaissances, s'appuyer sur ce qu'on regarderait comme acquis dans ce genre d'études ; mais, outre qu'il s'agit de matières très controversées où les conclusions ne s'imposent pas avec une force incontestable, il y a un pédantisme assez déplaisant dans cet appel à la barre des réflexions d'un grand poète qui, pour nous, ont malgré tout moins d'importance que sa poésie même. Il ne saurait être question d'opposer théorie contre théorie. Il s'agit de savoir ce que le poète Valéry, réfléchissant sur la poésie, croyait pouvoir penser de celle-ci ; il s'agit de le suivre sympathiquement pour le mieux comprendre, et de ne cesser de le suivre que là où c'est lui-même qui cesse de se suivre ou bien ne réussit pas à nous entraîner. On a donc été naturellement amené à adopter un ordre qui se modèle le plus possible sur les connexions que Valéry a établies entre les éléments les plus importants de son sujet. Ce jeu de notions, qui s'associent chez lui avec une régularité et une fréquence rassurantes, permet de distribuer assez clairement ce qu'il présente d'ordinaire en un vivant désordre. Si l'on prend soin de ne pas logifier, par des omissions abusives ou des justifications spécieuses, les « écarts » de sa spontanéité, on peut espérer donner une image fidèle de la poétique qu'il a esquissée. Les groupements d'idées qu'elle comporte ne sont pas tous également apparents. Certains s'imposent d'eux-mêmes, et ce sont ceux

qu'il a mis lui-même en relief, sur lesquels il est revenu volontiers :
on sait bien que l'inspiration, le langage, la composition, la diction
ont été des thèmes favoris de Valéry. D'autres schèmes de sa
réflexion esthétique n'ont été qu'indiqués par lui, n'ont pas fait
l'objet d'une présentation soutenue ; mais leur importance,
peut-être plus grande, se révèle à la multitude des détails qu'ils
lui ont dictés : c'est surtout le cas pour ce que j'ai cru pouvoir
appeler sa théorie des effets. On a donc examiné tour à tour les
séries d'idées de Valéry, dans l'ordre que l'on verra, en commen-
çant par celles qui ont trait à la nature de la poésie et en continuant par celles qui se rapportent à la création poétique. On
espère que cette étude, d'un « lecteur actif » mais non « de mauvaise
volonté », comme il l'eût souhaité, aidera à voir plus exactement
sa conception d'un art où il a excellé et, peut-être, à éclairer indirectement l'admiration que nous avons pour ses poèmes.

CHAPITRE II

L'INTELLIGENCE ET LES « CHOSES VAGUES »

Valéry passe, et non sans raisons, pour avoir forgé une théorie très intellectualiste de la poésie. Mais si, comme on le verra, l'intelligence joue à ses yeux un rôle capital dans l'élaboration du poème, il serait faux de croire que pour lui le plaisir poétique n'est qu'un plaisir d'intelligence comme serait, par exemple, le plaisir de comprendre une belle démonstration mathématique, — plaisir dans lequel il n'est pas sûr d'ailleurs que tout soit rationnel. Valéry a plusieurs fois considéré la poésie comme « un certain genre d'émotion »[1], « un état émotif particulier »[2], « une émotion singulière »[3], un « état psychique et affectif »[4]. Partant de ce point de vue, il a distingué deux sens et même « deux ordres de notions » : l'état poétique et l'art poétique, ce dernier consistant dans « une étrange industrie dont l'objet est de reconstituer cette émotion »[5].

L'état émotif essentiel « est celui que nous éprouvons dans certaines circonstances » et « qui peut être provoqué par les causes les plus diverses »[6], dont Valéry nous a donné une liste bien intéressante : couchers de soleil, clairs de lune, forêts, mers, grands événements, points critiques de la vie affective, troubles de

1. *Poésie pure. Notes pour une conférence*, in *O. C.*, t. C, p. 202.
2. *Propos sur la poésie*, in *Conferencia*, 1928, p. 465.
3. Frédéric Lefèvre, *Une heure avec Paul Valéry*, in *Les Nouvelles Littéraires*, 28 février 1931.
4. *L'Invention esthétique*, in *L'Invention*, Centre international de Synthèse, 1938, p. 149.
5. *Propos sur la poésie*, p. 465.
6. Frédéric Lefèvre, *Une heure avec Paul Valéry*.

l'amour, évocations de la mort [1]. « Nous disons d'un paysage, d'une situation, et quelquefois d'une personne, qu'ils sont poétiques. [2] » « Tout homme pourrait voir la poésie de ce qu'il fait, ressent, etc... Et bien des hommes ressentent poétiquement ce qu'ils rencontrent et dans leur vie et dans leur métier. [3] » Valéry a tenu à distinguer ce genre d'émotions de toutes les autres émotions humaines. La séparation lui semble cependant assez délicate à opérer, parce que, dans les faits, « on trouve toujours mêlé à l'émoi poétique essentiel la tendresse ou la tristesse, la fureur ou la crainte ou l'espérance », et qu'il s'y combine « les intérêts et les affections particuliers de l'individu » [4]. On sent ici — comme dans la théorie mystique de l'abbé Bremond, mais pour d'autres raisons — l'intention d'éliminer le sentiment de la poésie. Chez Bremond il reparaissait dans l'élan mystique lui-même. On peut se demander s'il ne se dissimule pas également dans l'explication de Valéry, quand il décrit l'émotion poétique comme « cet ébranlement spécial » que « tout le monde connaît » et qu'il compare

... à l'état dans lequel nous sommes lorsque nous nous sentons, par l'effet de certaines circonstances, excités, enchantés. Cet état est entièrement indépendant de toute œuvre déterminée et il résulte naturellement et spontanément d'un certain accord entre notre disposition interne, physique et psychique, et les circonstances (réelles ou idéales) qui nous impressionnent [5].

Cette excitation et cet enchantement ressemblent fort à l'éveil et à la satisfaction d'un sentiment ; cet accord entre l'être et les circonstances réelles ou idéales, à la rencontre d'une disposition affective avec les prétextes qui lui permettent de se satisfaire.

Mais Valéry a surtout cherché la caractéristique de l'impression poétique dans un état de la sensibilité générale. On sait combien ce terme de sensibilité est équivoque [6], puisqu'il peut aussi bien exclure ou comprendre les états affectifs. Valéry s'en est beaucoup servi, ce qui ne laisse pas d'étonner quand on songe à ses diatribes contre l'imprécision du vocabulaire philosophique, et il en a même élargi encore l'extension. Il fait entrer dans la sensibilité, non seulement les sensations, le plaisir et la douleur, la joie et la tris-

1. *Propos sur la poésie*, p. 465.
2. *Poésie pure. Notes pour une conférence*, in *O. C.*, t. C, p. 202.
3. *Calepin d'un poète*, in *O. C.*, t. C, p. 189.
4. *Propos sur la poésie*, p. 466.
5. *Poésie pure. Notes pour une conférence*, in *O. C.*, t. C, p. 202-203.
6. Voir le mot dans le *Vocabulaire de la philosophie*, par André Lalande.

tesse [1], toute la vie affective [2], mais des éléments intellectuels [3]. Elle comprend tout ce qui est réponse spontanée à une excitation quelconque, et elle ne se distingue que de ce qui se sépare d'elle-même pour s'y opposer [4]. Quoi qu'il en soit, c'est dans un régime particulier de cette sensibilité générale que Valéry a placé le fondement de l'émotion poétique. Celle-ci, dans son analyse, prend une double forme sensible : elle y est une sensation ou une perception très particulière, que Valéry appelle une « sensation d'univers », et une impression, à la fois indéfinissable et précise, qui consiste dans un double accord : l'accord mutuel des éléments représentatifs mis en jeu et l'accord de ces éléments avec notre sensibilité. Valéry est revenu au moins à trois reprises sur cette description capitale du fait poétique, et à peu près dans les mêmes termes [5]. En voici l'énoncé le plus complet :

J'ai dit : *sensation d'univers*. J'ai voulu dire que l'état ou émotion poétique me semble consister dans une perception naissante, dans une tendance à percevoir un *monde* [6], ou système complet de rapports, dans lequel les êtres, les choses, les événements et les actes [7],

1. Voir *Petites études*, in *Mélange*, p. 103, et *Suite*, in *Tel quel*, II, p. 311-315.
2. Voir *Notion générale de l'art*, in *N. R. F.*, 1er novembre 1935, p. 690-691, ou comme avant-propos aux tomes XVI et XVII de l'*Encyclopédie française* (*Arts et Littératures dans la Société contemporaine*). Voir aussi *Suite*, in *Tel quel*, II, p. 334 : « *Sois ému.* Il y a donc des devoirs pour la sensibilité... »
3. Cf. infra, p. 29.
4. Nombreuses indications en ce sens dans le *Cours de poétique* : « Notre sensibilité est tout, excepté ce que nous avons essayé d'en tirer, comme les notions de monde extérieur ou d'objectivité » (leçon 3). « Nous sommes en état... de sensibilité continuel. Et le difficile est bien de savoir, non ce qu'elle est, mais ce qu'elle n'est pas. Elle est à la fois événement, durée, milieu où se trouve l'événement... Le moi n'est au fond qu'un produit de sensibilité » (leçon 4). « Je tente d'organiser ce qui n'est pas organisable, de définir ce qui n'est pas définissable : le domaine de la sensibilité » (leçon 6). « ... une disponibilité spéciale sans but exprimable que j'ai appelée sensibilité... Tandis que le nom de sensibilité n'est couramment appliqué qu'aux phénomènes des sens, j'ai cru pouvoir annexer à ce sens restreint d'autres domaines... tout ce qui se présente dans certaines conditions de spontanéité et de réponse à un besoin, à une lacune, à une excitation. Dans l'acception habituelle, la sensibilité ne comprend guère que des phénomènes sensoriels, j'y adjoins des phénomènes d'ordre intellectuel... Je retrouve partout la sensibilité, la difficulté est d'arriver à définir ce qui n'est pas sensibilité » (leçon 15).
5. Dans *Propos sur la poésie*, in *Conferencia*, 1928, p. 466 ; — dans *Poésie pure. Notes pour une conférence*, publié d'abord dans le recueil d'essais *Poésie*, 1928, repris in *O. C.*, t. C, p. 202-203 ; — dans *Poésie et pensée abstraite* (Zaharoff lecture, à Oxford, en 1939), repris dans *Variété V*, p. 137.
6. Dans *Poésie pure*, il dit : « le sentiment d'une illusion ou l'illusion d'un monde ».
7. L'énumération est un peu différente dans *Poésie pure* : « les événements, les images, les êtres, les choses », et dans *Poésie et pensée abstraite* : « les êtres, les événements, les sentiments et les actes ».

s'ils ressemblent, *chacun à chacun*, à ceux qui peuplent et composent le monde sensible, le monde immédiat duquel ils sont empruntés, sont, d'autre part, dans une relation indéfinissable, mais merveilleusement juste, avec les modes et les lois de notre sensibilité générale [1]. Alors, ces objets et ces êtres connus changent en quelque sorte de valeur. Ils s'appellent les uns les autres, ils s'associent tout autrement que dans les conditions ordinaires. Ils se trouvent — permettez-moi cette expression — *musicalisés*, devenus commensurables, résonnants l'un par l'autre [2].

Il ne serait pas difficile de traduire cette analyse dans le langage de la psychologie courante. La « sensation d'univers » y deviendrait un monde de représentations et la « résonance » de celles-ci l'orchestration du jeu des images ; mais Valéry ne fait intervenir à aucun degré l'imagination, ce qui est assez curieux puisqu'il va aussitôt comparer la poésie et le rêve. Quant au mystérieux accord avec les modes de notre sensibilité, il se refuse à lui chercher une explication (il faut qu'il soit indéfinissable ; c'est, on le verra, une condition de sa beauté) ; on peut penser que le prolongement de l'analyse eût conduit Valéry où il ne voulait pas aller, c'est-à-dire, une fois de plus, à trouver dans l'affectivité profonde de l'être les tendances qui se satisfont dans la fabulation poétique.

Comme beaucoup de psychologues, Valéry a rapproché cet état de celui du rêve, — mais avec des hésitations. Il avait dit, dans *Propos sur la poésie* : « L'univers poétique... présente de grandes analogies avec l'univers du rêve » [3], et dans *Poésie pure* :

Le monde poétique... soutient de grandes ressemblances avec l'état de rêve, du moins avec l'état produit dans certains rêves. Le rêve nous fait comprendre, quand nous revenons sur lui par la mémoire, que notre conscience peut être éveillée ou emplie, et satisfaite, par un ensemble de productions, remarquablement différentes dans leurs lois, des productions ordinaires de la perception. Mais ce monde émotif que nous pouvons connaître parfois par le rêve, il n'est pas au pouvoir de notre volonté d'y pénétrer ou d'en sortir à notre gré. *Il est enfermé en nous et nous sommes enfermés en lui*, ce qui signifie que nous n'avons aucun moyen d'agir sur lui pour le modifier... Il paraît et disparaît capricieusement, mais l'homme a fait pour ceci ce qu'il a fait ou tenté de faire pour toutes les choses précieuses et périssables : il a cherché et il a trouvé les moyens de

1. Même formule, mais sans « les lois », in *Poésie et pensée abstraite* ; « inexplicable mais intime, avec l'ensemble de notre sensibilité », in *Poésie pure*.
2. *Propos sur la poésie*, p. 466. Dans *Poésie pure*, la phrase est complétée par : « et comme accordés avec notre propre sensibilité », et dans *Poésie et pensée abstraite* par : « et comme harmoniquement correspondants ».
3. P. 466.

reconstituer cet état à volonté... Or, parmi ces moyens de produire un monde poétique... le plus ancien... c'est le langage [1].

En somme, le langage permet de reproduire dans la poésie l'état du rêve. Notons que c'est moins avec le rêve (du sommeil) qu'avec la rêverie (éveillée) que l'imagination poétique peut être légitimement comparée. Mais Valéry, parfois dans les mêmes textes où il acceptait cette analogie, a protesté contre l'assimilation de la poésie à ces deux modes de l'imagination :

> ... il s'est fait dans les temps modernes, à partir du romantisme, une confusion assez explicable, mais assez regrettable, entre la notion de rêve et celle de poésie. Ni le rêve ni la rêverie ne sont nécessairement poétiques ; ils peuvent l'être : mais des figures formées *au hasard* ne sont que *par hasard* des figures harmoniques [2].

Rien ne lui a paru plus différent de l'état du poète que l'état du rêveur ; il l'a dit à propos de La Fontaine [3] et dans sa belle série de remarques sur les rêves, dans *Autres Rhumbs* : « Si le poète était vraiment un rêveur, comme une légende toute moderne le prétend, il est à parier qu'il ne pourrait jamais se relire sans gémir. [4] » Les vers rêvés, trouvés « extraordinairement beaux », « au bout de quelques heures, ou de quelques instants, sont reconnus détestables » [5].

On peut douter que les psychologues ou les esthéticiens qui ont rapproché la poésie du rêve ou de la rêverie aient simplement confondu ces états comme des littérateurs ou des critiques avaient pu le faire. Ils ont, au contraire, essayé de respecter l'originalité du fait poétique. Et c'est, au fond, la même attitude qu'adopte Valéry. Une fois de plus, son opposition à des opinions qu'il repousse en bloc sans les exposer ni les discuter, paraît plus verbale que réelle. Son tempérament a besoin de préserver, par une apparence irréductible, une conception personnelle, qui, à la regarder de près, ne diffère pas essentiellement d'idées assez répandues. Ainsi, après avoir admis l'analogie du rêve et de la poésie, puis rejeté la « légende » qui les rapproche, il concède qu'accidentellement rêve et rêverie peuvent être poétiques, laissant entendre que l'art seul est capable de donner une nécessité

1. P. 204-205. Et encore dans *Poésie et pensée abstraite*, p. 137 : « L'univers poétique... présente de grandes analogies avec ce que nous pouvons supposer de l'univers du rêve ».
2. *Propos sur la poésie*, p. 466.
3. *Au sujet d' « Adonis »*, in *Variété*, p. 56.
4. In *Tel quel*, II, p. 113.
5. *Ibid.*, p. 113.

et une organisation interne à ces formations de hasard (ce qu'aucun psychologue ne songerait à nier) ; il ne lui reste plus qu'à insister sur la ressemblance que présentent rêve et poésie dans leur saisie de la conscience, pour que nous ne sachions plus en quoi l'attitude de Valéry se distingue de celle qu'il attaquait :

Toutefois, nos souvenirs de rêves nous enseignent... que notre conscience peut être envahie, emplie, entièrement saturée par la production d'une *existence* dont les objets et les êtres paraissent les mêmes que ceux qui sont dans la veille... C'est à peu près de même que l'*état poétique* s'installe, se développe, et enfin se désagrège en nous. C'est dire que cet état de poésie est parfaitement irrégulier, inconstant, involontaire, fragile, et que nous le perdons comme nous l'obtenons par accident [1].

L'état poétique ne suffit pas à faire des poètes.

Ceux qui le croient ne font qu'une confusion entre les effets produits et les effets à produire, entre la vision singulière ou intense et les moyens de la provoquer ou reproduire. — L'ingénieur n'est pas fort comme sa machine. Il l'est autrement et tout autrement [2].

Bien entendu, le poète peut « ressentir l'état poétique », mais «*ceci est une affaire privée*». Sa fonction, c'est de le « créer chez les autres » : le poète « change le lecteur en "inspiré" ». L' « effet de poésie » est obtenu par une « synthèse artificielle », qui diffère de l'état, comme une action diffère d'une sensation [3]. L'art poétique consiste à « restituer l'émotion poétique à volonté, en dehors des conditions naturelles où elle se produit spontanément et au moyen des artifices du langage » [4], mais elle peut être créée aussi « par des moyens tout autres que ceux du langage comme l'architecture, la musique, etc... » [5] ; « tous les beaux-arts cherchent cette *Poésie* » [6]. Il y a donc une poésie au sens large, que tous les arts sont susceptibles d'atteindre, et une poésie au sens étroit, qui dépend d'un traitement particulier du langage.

1. *Poésie et pensée abstraite*, in *Variété V*, p. 137-138. Ce passage reprend et développe quelque peu le passage, cité partiellement plus haut, de *Propos sur la poésie*, p. 466.
2. *Calepin d'un poète*, in *O. C.*, t. C, p. 189-190.
3. *Poésie et pensée abstraite*, in *Variété V*, p. 138.
4. *Propos sur la poésie*, p. 465. Cf. également *Poésie pure*, in *O. C.*, t. C, p. 203.
5. *Poésie pure*, in *O. C.*, t. C, p. 202-203.
6. Frédéric Lefèvre, *Une heure avec Paul Valéry.*

***

Valéry a mis la sensibilité à la base de toute l'activité mentale [1],
et il en a fait le principe, le guide et la fin de l'art. Parmi nos impressions, beaucoup ne correspondent pas à une nécessité vitale,
elles sont inutiles, mais parmi celles-ci « il arrive que certaines...
s'imposent à nous et nous excitent à désirer qu'elles se prolongent
ou qu'elles se renouvellent ». Elles créent « une manière de besoin »,
qui induit à agir pour accroître les impressions des sens en intensité
ou en durée. « Cette action qui a la sensibilité pour origine et pour
fin », en même temps que pour guide dans le choix de ses moyens,
« se distingue nettement des actions de l'ordre pratique ». Ici,
« la *satisfaction* fait renaître le *désir* ; la *réponse* régénère la *demande* ; la *possession* engendre un *appétit* croissant de la chose
possédée ; en un mot, la *sensation* exalte son *attente* et la reproduit... » L'art consiste « à conférer... une sorte d'*utilité* à ces "*sensations inutiles* " », à « organiser un système de choses sensibles »
possédant la propriété de « réciproque excitation » [2], de « régéné-
ration indéfinie » [3]. L'expérience confirme cette analyse :

Le besoin de revoir, de ré-entendre, d'éprouver indéfiniment
est caractéristique. L'amateur de la forme caresse sans se lasser
le bronze ou la pierre qui enchante son sens du toucher. L'amateur
de musique bisse ou chantonne l'air qui l'a séduit. L'enfant exige
la redite du conte et crie : *Encore !* [4]

C'est à cause de ce besoin qu' « un beau vers renaît indéfiniment
de ses cendres » [5].

1. Il y aurait à dégager, comme l'avait fait Charles Blondel pour Proust,
une « psychographie » de Valéry, c'est-à-dire sa conception personnelle du fonctionnement psychologique. Sur la sensibilité, les textes sont nombreux. Con-
tentons-nous d'indiquer que Valéry a surtout été frappé par son état naturel
d'incohérence et de dispersion, et par son régime de variabilité et d'instabilité.
« La formule de la sensibilité, dit le *Cours de poétique*, serait une formule d'éternelle inégalité. L'esprit est la variable par excellence. Ce qui représenterait le
mieux la sensibilité en sa variabilité, c'est l'image des Enfers. L'esprit est Sisyphe,
Tantale, tonneau des Danaïdes... La variabilité de la sensibilité est notre transcen-
dance par rapport aux autres choses » (leçon 6) ; — « La plupart des hommes
sont et doivent être indifférents devant la plupart des phénomènes du monde...
Les choses, en leur plus grand nombre, nous sont plus ou moins égales... Égal
signifie insensible... Sensible signifie inégal... la plus grande affaire de notre vie
est de nous remettre au zéro-sensibilité, de nous rendre un certain maximum de
liberté, de disponibilité à l'égard du monde extérieur » (leçon 5).
2. *Notion générale de l'art*, p. 686-687.
3. *Ibid.*, p. 690.
4. *Ibid.*, p. 690.
5. *Commentaires de Charmes*, in *Variété III*, p. 82.

Jusqu'ici l'esthétique de Valéry est un sensualisme pur, mais, outre que la sensibilité renferme bien à ses yeux des éléments affectifs, plus d'un texte permettrait d'ajouter des valeurs sentimentales aux valeurs sensorielles qui font pour lui l'origine et le but de ce cercle infini de la jouissance artistique.

L'acte de l'artiste supérieur est de restituer par voie d'opérations conscientes la valeur de sensualité et la puissance émotive des choses — acte par lequel s'achève dans la création des formes le cycle de l'être qui s'est entièrement accompli [1].

Il faut, de plus, et toujours sans sortir de la sensibilité valéryenne, inclure dans le processus des éléments intellectuels, ce qu'il a appelé la « sensibilité intellectuelle » [2]. Sans doute l'intelligence intervient-elle surtout dans la fabrication, à côté de la volonté, mais elle a sa part aussi dans le plaisir. Bien plus, Valéry, dont on sait qu'il eût sacrifié la littérature par dégoût de son manque de rigueur, a cédé au moins une fois à la tentation de considérer la création artistique (sinon littéraire) comme l'achèvement de la pensée pure et de son activité. Il est vrai que c'était à propos de son cher Léonard. Le passage de la Préface aux carnets du Vinci que je viens de citer est, en effet, précédé de la constatation, chez les plus grands, du retour au sensible par la création :

De cet homme complet la connaissance intellectuelle ne suffit pas à épuiser le désir, et la production des idées, même les plus précieuses, ne parvient pas à satisfaire l'étrange besoin de créer : l'exigence même de sa pensée le reconduit au monde sensible, et sa méditation a pour issue l'appel aux forces qui contraignent la matière.

Le poète, malgré l'incertitude de son art, est donc aussi un artiste de la sensibilité. Ou plutôt, c'est la sensibilité même qui est poète en lui, et en chacun.

Le plus grand poète — c'est le système nerveux.
L'inventeur du tout — mais plutôt le seul poète [3].

Il n'est pas très facile de discerner le jeu de deux facteurs quand on répugne à les séparer. Mais il est clair que pour Valéry la sensibilité, indistincte de l'intelligence, n'en joue pas moins par rapport à cette dernière un rôle spécifique ; elle est son moteur,

1. *Préface* aux *Carnets de Léonard de Vinci*, in *Vues*, p. 211.
2. *La création artistique*, in *Bulletin de la Société française de philosophie*, 1928, p. 4.
3. *Mélange*, p. 87.

son excitant et son aliment. Il a protesté contre « la distinction
grossière... que l'on enseigne... entre la "sensibilité" et l' "intelligence", deux termes qui... ne se divisent bien qu'à l'école » [1].
En réalité, la sensibilité est une « faculté fondamentale et qu'on
oppose à tort à l'intelligence, dont elle est, au contraire, la véritable puissance motrice » [2]. Elle a des propriétés non seulement
« réceptives ou transitives », mais « productives » [3]. « La sensibilité
fournit à l'esprit les étincelles initiales... l'esprit emprunte à la
sensibilité l'instabilité nécessaire qui met en train sa puissance
de transformation. [4] » « La loi fondamentale de la sensibilité :
introduire dans le système vivant un élément d'*imminence*,
d'instabilité toujours prochaine. [5] » Cependant, Valéry ne se
refuse pas toujours, moyennant certaines précautions, à mettre
en opposition l'intelligence et la sensibilité [6]. L'activité de l'individu, quand la sensibilité créatrice est son principe et sa fin,

s'oppose... à l'activité intellectuelle propre, car elle consiste dans
un développement de sensations qui tend à répéter ou à prolonger
ce que l'intellectuel tend à éliminer ou à dépasser, — comme il
tend à abolir la substance auditive et la structure d'un discours
pour parvenir à son sens [7].

C'est l'opposition, que nous retrouverons, du langage courant
et du langage poétique, et plus généralement, du *fini* et de l'*infini
esthétique*. Réciproquement,

l'intellect et ses voies abstraites... s'opposent quelquefois à la
sensibilité, puisqu'ils procèdent toujours, contrairement à elle,
vers une limite, poursuivent un but déterminé — une formule,
une définition, une loi — et tendent à épuiser ou à remplacer par
des signes de convention toute l'expérience sensorielle [8].

Voyons donc le rôle dévolu par Valéry à l'intelligence dans
l'art, et surtout dans la poésie. Dès 1892, il ne pouvait souffrir
« que l'on opposât l'état de poésie à l'action complète et soutenue
de l'intellect ». Cette distinction lui paraissait « aussi grossière »

1. *Mémoires d'un poème*, p. xxxv. Même idée dans le *Cours de poétique*, leçon 18.
2. *Le bilan de l'intelligence*, in *Variété III*, p. 281-286.
3. *Notion générale de l'art*, p. 690.
4. *La politique de l'esprit*, in *Variété III*, p. 224.
5. *Ibid.*, p. 223.
6. Cf. *Cours de poétique* : « ... la distinction entre intelligence et sensibilité
me paraît illusoire quand elle est présentée sans précision » (leçon 15) ; — « La
sensibilité est tout, moins ce que nous avons pu lui soustraire : alors nous sommes
dans l'état d'intellectualisme pur » (leçon 16).
7. *Notion générale de l'art*, p. 689.
8. *Ibid.*, p. 691.

que celle de la sensibilité et de l'intelligence [1]. Dans un de ses plus anciens écrits sur la poésie, l'*Avant-propos à la Connaissance de la déesse*, l'admirateur de Léonard de Vinci protestait que « la poésie n'exige pas le " sacrifizio d'ell'Intelletto "... Minerve, Pallas, Apollon... n'ont pas de goût pour les victimes incomplètes »[2]. Nous savons le culte voué par Valéry à l'intellect, dont il nous a confié qu'il n'avait pas trouvé de « meilleure idole »[3]. Nous savons qu'il a essayé de figurer dans le personnage de M. Teste le pur héros de l'intelligence rigoureuse [4]. Ce culte est lié à celui de l'effort et du travail, au mépris même des dons naturels.

Un homme est du type intellectuel le plus prononcé lorsqu'il ne peut être content de soi que moyennant un effort « intellectuel ». — Tout ce qu'il peut accomplir et qui ne requiert pas d'effort d'attention, ne lui donne pas la sensation de *valoir*. Les compliments qu'on lui en fait ne le touchent pas, et il se moque intérieurement de ceux qui les lui font. Ce qui ne lui a rien coûté ne compte pas [5].

Il a le « mépris du don gratuit et de ce qui n'a pas été élaboré »[6]. Valéry a fait allusion à « l'étude approfondie » que « mériterait... le rôle de l'intellect dans l'art », à son apport (« logique, méthodes, classifications, analyses des faits et critique »), au « concours (plus ou moins heureux) de la pensée reprise et reconstruite, constituée en opérations distinctes et conscientes, riche de notations et de formes d'une généralité et d'une puissance admirables », et à son « intervention » — sans doute moins heureuse — dans les « diverses Esthétiques, qui, considérant l'Art comme problème de la connaissance, ont tenté de le réduire en idées »[7]. Il a affirmé que

La littérature n'est rien de désirable si elle n'est un exercice supérieur de l'animal intellectuel.

Il faut donc qu'elle comporte l'emploi de toutes les fonctions mentales de cet animal [8]...

Que le poème soit un tel exercice, c'est ce que *La Jeune Parque* a bien prouvé.

Mais Valéry a également considéré le poème sous l'aspect d'une

1. *Mémoires d'un poème*, p. xxv.
2. *Variété*, p. 103.
3. *La crise de l'esprit*, in *Variété*, p. 22.
4. A distinguer de ce qu'on appelle couramment les « intellectuels », sur qui Valéry a écrit des pages féroces. Voir *Lettre d'un ami*, dans *Monsieur Teste*, p. 90-92.
5. *Analecta*, XXXII.
6. *Ibid.*, XXXII.
7. *Notion générale de l'art*, p. 691.
8. *Rhumbs*, in *Tel quel*, II, p. 72.

cérémonie fastueuse en l'honneur de l'intelligence, et cela n'est pas sans rappeler le côté hiératique de certaines œuvres de Mallarmé, ou même de Leconte de Lisle.

Un poème doit être une fête de l'Intellect. Il ne peut être autre chose.

Fête : c'est un jeu, mais solennel, mais réglé, mais significatif ; image de ce qu'on n'est pas d'ordinaire, de l'état où les efforts sont rythmés, rachetés.

On célèbre quelque chose en l'accomplissant ou la représentant dans son plus pur et bel état.

Ici, la faculté du langage, et son phénomène inverse, la compréhension, l'identité de choses qu'il sépare. On écarte ses misères, ses faiblesses, son quotidien. On *organise* tout le *possible* du langage.

La fête finie, rien ne doit rester. Cendres, guirlandes foulées [1].

Cette antinomie apparente de l'exercice et de la fête manifeste simplement l'aboutissement du dur travail conscient dans le plaisir pompeux et raffiné que doit offrir le poème. C'est l'intelligence qui met en œuvre, et c'est l'intelligence qui jouit d'une œuvre intelligente. Ce primat accordé ici par Valéry à la plus haute faculté de l'esprit ne doit pas nous égarer sur son rôle. Valéry, bien entendu, n'est pas tombé dans l'erreur de prôner l'étalage des idées. Rien de plus éloigné de ses intentions que le didactisme, la pédagogie ou la poésie dite philosophique. Pour lui, dans la poésie, l'intelligence a d'abord une fonction d'auxiliaire et de contrôle. « L'*idée* habite la *prose* ; mais assiste, surveille, guide la poésie. [2] » Elle a, bien plus, une fonction secrètement directrice : « L'intelligence doit être présente ; soit cachée, soit manifestée. Elle nage en tenant la poésie hors de l'eau. [3] » Mais elle ne saurait fournir, au moins sans élaboration et sans métamorphose, la matière même du poème. La philosophie a sa forme propre, qui en fait aux yeux de Valéry un art particulier, un art des idées.

Elle ne peut se séparer de ses difficultés propres, qui constituent sa *forme* ; et elle ne prendrait la *forme* du vers sans perdre son être, ou sans corrompre le vers. Parler aujourd'hui de poésie philosophique (fût-ce en invoquant Alfred de Vigny, Leconte de Lisle, et quelques autres), c'est naïvement confondre des conditions et des applications de l'esprit incompatibles entre elles [4].

1. *Littérature*, in *Tel quel*, I, p. 142.
2. *Autres rhumbs*, in *Tel quel*, II, p. 162.
3. *Rhumbs*, in *Tel quel*, II, p. 73.
4. *Avant-propos*, in *Variété*, p. 98-99.

Si l'on considère le cas des poètes appelés philosophes (dont Lucrèce est le type), on est amené à constater chez le lecteur de leurs ouvrages un partage fâcheux entre l'attention qu'il doit accorder à la pensée et celle que réclame la poésie elle-même, ou un désaccord entre l'emprise du fond et celle de la forme. C'est ce que Valéry a excellemment précisé dans *Poésie et Pensée abstraite* :

Il est cependant arrivé bien des fois, comme nous l'apprend l'histoire littéraire, que la poésie s'est employée à énoncer des thèses ou des hypothèses, et que le langage *complet* qui est le sien, le langage dont la *forme*, c'est-à-dire l'action et la sensation de la *voix*, est de même puissance que le *fond*, c'est-à-dire la modification finale d'un *esprit*, ait été utilisé à communiquer des idées « abstraites », qui sont au contraire des idées indépendantes de leur forme — ou que nous croyons telles. De très grands poètes s'y sont parfois essayés. Mais, quel que soit le talent qui se dépense dans ces entreprises très nobles, il ne peut faire que l'attention portée à suivre les idées ne soit pas en concurrence avec celle qui suit le chant. Le *De natura rerum* est ici en conflit avec la nature des choses. L'état du lecteur de poèmes n'est pas l'état du lecteur de pures pensées. L'état de l'homme qui danse n'est pas celui de l'homme qui s'avance dans un pays difficile dont il fait le levé topographique et la prospection géologique [1].

L'homme qui spécule a pour but, selon Valéry, « de fixer ou de créer une notion — c'est-à-dire un *pouvoir* et un *instrument de pouvoir* », tandis que le poète « essaie de produire en nous un "état" et de le porter "au point d'une jouissance parfaite" »[2]. On brouille le jeu à vouloir combiner ces deux activités. « Philosopher en vers, ce fut, et c'est encore, vouloir jouer aux échecs selon les règles du jeu de dames. [3] » Parler de « poètes-philosophes... c'est confondre un peintre de marines avec un capitaine de vaisseau »[4]. D'ailleurs, la pensée ne compte guère en poésie ; Valéry l'a dit à propos de *La Jeune Parque* : « Le fond importe peu. Lieux communs. La vraie pensée n'est pas adaptable au vers.[5] »

Valéry a vu « un très véritable *progrès* » dans l'effort des poètes modernes et dans le goût moderne (comme c'est un des rares cas où il loue les modernes et où il parle de progrès en art, il vaut la peine de le signaler) pour débarrasser les œuvres en vers de la

1. *Poésie et pensée abstraite*, in *Variété V*, p. 158.
2. *Avant-propos*, in *Variété*, p. 99.
3. *Autres rhumbs*, in *Tel quel*, II, p. 154-155.
4. *Rhumbs*, in *Tel quel*, II, p. 82.
5. *Lettre à André Fontainas*, in *Réponses*, p. 16.

« philosophie » et de la « morale », et il a noté très justement
qu'elles ont tendu à « se placer dans les réflexions qui les précèdent » ; « la pensée abstraite... exilée d'une poésie qui voulait
se réduire à son essence propre » s'est transportée « dans la phase
de préparation et dans la théorie du poème » [1]. Il y avait là également de quoi satisfaire son goût des opérations bien séparées,
et un acheminement vers une sorte de science de la poésie. Ce
n'est donc pas faire plaisir à Valéry que de le traiter de poète-phi-
losophe, au moins en ce sens. Mais, dans un autre sens, peut-être
accepterait-il le baptême.

J'ai dit cependant que le poète a sa pensée abstraite, et, si l'on
veut, sa philosophie ; et j'ai dit qu'elle s'exerçait dans son acte
même de poète. Je l'ai dit parce que je l'ai observé, et sur moi
et sur quelques autres. Je n'ai, ici, comme ailleurs, d'autre référence,
d'autre prétention ou d'autre excuse, que mon recours à ma propre
expérience, ou bien à l'observation la plus commune [2].

Il y a donc, tout de même, une philosophie du poète, mais elle
n'est pas enfermée dans l'exposé en vers de ses idées : « il ne faut
pas chercher sa philosophie réelle dans ce qu'il a dit de plus ou
moins philosophique » [3] ; elle réside dans la spéculation qui commande son travail proprement artistique, et même moins dans
les théories qui commandent ce travail ou peuvent s'en extraire
que dans la pensée pratique infuse dans l'activité poétique. Il
y a à l'œuvre dans la création du poème une vigilance tout intellectuelle, lucide, critique et volontaire, pleine d'initiative, et
sans laquelle la composition serait impossible. Elle est pour Valéry tout aussi importante, peut-être plus, que l'émotion poétique
nécessaire, mais non suffisante. L'inspiration, pour employer un
mot que Valéry n'aime pas, n'est rien sans l'attention la plus
sévère.

J'ai remarqué, aussi souvent que j'ai travaillé en poète, que
mon travail exigeait de moi, non seulement cette présence de l'univers poétique dont je vous ai parlé, mais quantité de réflexions,
de décisions, de choix et de combinaisons, sans lesquelles tous les
dons possibles de la Muse ou du Hasard demeuraient comme des
matériaux précieux sur un chantier sans architecte [4].

C'est dans ce sens, très particulier, analogue à celui qu'on attache
au mot intelligence quand on parle de l'intelligence dont fait

1. *Avant-propos*, in *Variété*, p. 96-98.
2. *Poésie et pensée abstraite*, in *Variété V*, p. 159.
3. *Ibid.*, p. 157.
4. *Ibid.*, p. 158-159.

preuve une œuvre d'artisan, qu'il faut interpréter la formule de
Valéry :

« Tout véritable poète est bien plus capable que l'on ne le sait
en général de raisonnement juste et de pensée abstraite. [1] »

Valéry a essayé, dans une très curieuse analyse portant sur des
exemples personnellement vécus, de saisir l'origine commune
des deux activités de l'esprit qui aboutissent tantôt à un poème,
tantôt à une pensée. Dans les deux cas, un «incident insignifiant»,
« quelconque », a causé, ou semblé causer des développements,
ou, comme il dit, des écarts, des excursions, bien différentes l'une
de l'autre et du régime normal. Et des deux états, c'est le second,
l'abstrait, que Valéry a décrit avec le plus de poésie. Voici le
passage, qu'il faut citer tout entier :

J'ai donc observé en moi-même tels états que je puis bien appeler
poétiques puisque quelques-uns d'entre eux se sont finalement
achevés en poèmes. Ils se sont produits sans cause apparente, à
partir d'un incident quelconque ; ils se sont développés selon leur
nature, et, par là, je me suis trouvé écarté pendant quelque temps
de mon régime mental le plus fréquent. Puis, je suis revenu à ce
régime d'échanges ordinaires entre ma vie et mes pensées, mon
cycle étant achevé. Mais il était arrivé qu'un *poème avait été fait*
et que le cycle, dans son accomplissement, laissait quelque chose
après soi. Ce cycle fermé est le cycle d'un acte qui a comme soulevé
et restitué extérieurement une puissance de poésie...

J'ai observé d'autres fois qu'un incident non moins insignifiant
causait — ou semblait causer — une excursion toute différente,
un écart de nature et de résultat tout autre. Par exemple, un rapprochement brusque d'idées, une analogie me saisissait, comme un
appel de cor au sein d'une forêt fait dresser l'oreille et oriente vir-
tuellement tous nos muscles qui se sentent coordonnés vers quelque
point de l'espace et de la profondeur des feuillages. Mais, cette
fois, au lieu d'un poème, c'était une analyse de cette sensation
intellectuelle subite qui s'emparait de moi. Ce n'étaient point des
vers qui se détachaient plus ou moins facilement de ma durée dans
cette phase ; mais quelque proposition qui se destinait à s'incorporer
à mes habitudes de pensée, quelque formule qui devait désormais
servir d'instrument à des recherches ultérieures [2]...

Il faut rapprocher ce passage des pages où Valéry compare
l'artiste et le savant. Selon lui, à l'examen, « la distinction du

1. *Poésie et pensée abstraite*, in *Variété V*, p. 158-159.
2. *Ibid.*, p. 135. Un type plus curieux d'incident — nous dirions d'inspiration — a été aussi noté par Valéry : l'excitation de la marche, au lieu de produire un rythme ou une idée utilisable, a fait surgir en lui une combinaison de
rythmes trop complexe qui n'aurait pu servir qu'un musicien. Cf. *Mémoires d'un
poème*, p. xx-xxii, et *Poésie et pensée abstraite*, in *Variété V*, p. 139-141.

savant et de l'artiste s'évanouit » ; il y a de « grandes similitudes
dans les mouvements essentiels de ces deux modes de produire »,
il ne conçoit pas « de différence en profondeur entre le travail de
l'esprit dit scientifique, et le travail de l'esprit dit poétique ou
artistique. Dans l'un et l'autre cas, il s'agit de transformations
assujetties à certaines conditions, voilà tout ». Certes, il y a des
différences dans les résultats matériels, « mais l'acte personnel du
savant, mais l'effet d'excitation et d'illumination dû à son œuvre
sont tous comparables aux actes de l'artiste et aux effets de
l'œuvre d'art » et, « dans les deux cas, il y a restitution d'énergie
spirituelle ». Valéry rappelle opportunément que « des tempéraments scientifiques... se sont rencontrés parfois parmi les
artistes et les écrivains », et que « des natures singulièrement artistiques... se trouvent chez les savants »[1]. On peut rappeler la
position privilégiée occupée par Léonard, que caractérise l'in-
différenciation préalable à toute spécialisation. Léonard « avait
trouvé l'attitude centrale à partir de laquelle les entreprises de la
connaissance et les opérations de l'art sont également possibles »[2].
Dans le travail même de l'esprit, les œuvres de l'art ne se distinguent pas nettement du point de vue de la production.

   Je trouve un peu partout, dans les esprits, de l'attention, des tâtonnements, de la clarté inattendue et des nuits obscures, des impro-
visations, des essais, ou des reprises très pressantes. Il y a, dans tous
les foyers de l'esprit, du feu et des cendres ; la prudence et l'impru-
dence ; la méthode et son contraire ; le hasard sous mille formes.
Artistes, savants, tous s'identifient dans le détail de cette vie
étrange de la pensée. On peut dire qu'à chaque instant la différence
fonctionnelle des esprits en travail est indiscernable[3].

   La différence foncière entre l'art et la science réside dans leur
degré de complexité :

   Il y a *science* des choses simples, et *art* des choses compliquées.
Science, quand les *variables* sont énumérables et leur nombre petit,
leurs combinaisons nettes et distinctes.
   On tend vers l'état de science, on le désire. L'artiste se fait des
recettes. L'intérêt de la science gît dans l'*art* de faire la science[4].

   1. Frédéric Lefèvre, *Entretiens avec Paul Valéry*, p. 129-141.
   2. *Introduction à la méthode de Léonard de Vinci. I. Note et digression*, in *Variété*,
p. 165. Voir encore dans la *Préface* aux *Carnets de Léonard de Vinci*, in *Vues*,
p. 224 : « Léonard est indifférent... à nos distinctions scolaires entre l'œuvre
scientifique et la production artistique ».
   3. *Leçon inaugurale du cours de poétique*, in *Variété V*, p. 317.
   4. *Rhumbs*, in *Tel quel*, II, p. 52.

Si le poète pouvait saisir toutes les variables de son art, celui-ci deviendrait une science, et l'on pourrait faire à coup sûr un beau poème comme on est sûr de réussir une synthèse chimique. Mais la poésie est le plus difficile, le plus compliqué des arts.

Ce rêve avait été celui de Poe,

le premier écrivain qui ait songé à introduire dans la production littéraire... et jusque dans la poésie, le même esprit d'analyse et de construction calculée [1],

et, d'un autre point de vue, celui de Mallarmé :

Mallarmé, génie essentiellement formel, s'élevant peu à peu à la conception abstraite de toutes les combinaisons de figures et de tours... le premier écrivain qui ait osé envisager le problème littéraire dans son entière universalité... il a conçu comme algèbre ce que tous les autres n'ont pensé que dans la particularité de l'arithmétique [2]...

Mais chez Poe, plutôt qu'une mathématique, on trouve une logique et une mécanique des effets ; il réduit le problème de la littérature à un problème de psychologie [3]. Valéry a dit à M. Jean de Latour ce qu'il devait à Mallarmé dans cette recherche :

Mallarmé avait porté à leur extrême limite les conséquences correctes d'une analyse profonde de la poésie. Je n'admettais pas toutes ses idées (j'étais même, par ma nature, tout à fait opposé à sa doctrine de l'importance capitale de l'expression poétique) ; mais j'avais vu cette limite, et je rêvais de parvenir à me donner de ses procédés une explication qui me permît de les adapter à ma propre *fabrication* [4].

Pour sa part, Valéry a essayé de préserver à la fois son penchant pour la poésie et le besoin bizarre, comme il dit, de satisfaire à l'ensemble des exigences de son esprit [5]. Il en est résulté qu'il a aimé considérer son travail d'écrivain ou de poète sous l'aspect le plus proche du travail scientifique, spécialement des mathématiques :

... *Écrire* (au sens littéraire) prend toujours pour moi figure d'une sorte de *calcul*. C'est dire que je rapporte ce qui me vient, mon immédiat, à l'idée de problème et d'opérations ; que je reconnais le domaine propre de la *littérature* dans un certain mode de travail combinatoire qui se fait conscient et tend à dominer et à

1. *Propos sur le progrès*, in *Regards sur le monde actuel et autres essais*, p. 168.
2. *Passage de Verlaine*, in *Variété II*, p. 182.
3. *Situation de Baudelaire*, in *Variété II*, p. 159-161.
4. *Examen de Valéry*, p. 45, en note.
5. *Lettre sur Mallarmé*, in *Variété II*, p. 233.

s'organiser sur ce type ; que je distingue donc fortement ce qui se donne de ce qu'il peut devenir par travail ; que ce travail consiste en transformations... Je me justifie par l'exemple du musicien qui traite par calculs d'harmonie, développe et transforme. — Je tiens ceci du travail des vers, qui oblige à disposer des *mots*, tout autrement que dans l'usage [1]...

Malheureusement, l'analyse complète des moyens qui rendraient infaillible le calcul du poète s'avère impossible. Il ne reste donc plus qu'à se contenter d'une approximation de rigueur qui mette le plus d'intelligence possible au service des opérations de l'art. C'est ainsi que la méthode fait place au comportement moins ambitieux de la critique. Valéry a insisté sur l'urgence pour le poète d'être le critique de sa propre activité. Il a signalé, à la fois, la rareté de l'alliance de la « vertu de poésie » et de l' « intelligence critique », qu'il salue chez Baudelaire [2], et l'identité nécessaire du « véritable poète » et du « critique de premier ordre » [3].

Pour en douter, il faut ne pas concevoir du tout ce que c'est que le travail de l'esprit, cette lutte contre l'inégalité des moments, le hasard des associations, les défaillances de l'attention, les diversions extérieures. L'esprit est terriblement variable, trompeur et se trompant, fertile en problèmes insolubles et en solutions illusoires. Comment une œuvre remarquable sortirait-elle de ce chaos, si ce chaos qui contient tout ne contenait aussi quelques chances sérieuses de se connaître soi-même et de choisir en soi ce qui mérite d'être retiré de l'instant même et soigneusement employé [4] ?

C'est dans cette faculté de se critiquer soi-même que Valéry a été jusqu'à voir l'assurance de la durée de l'œuvre poétique : « Tout poète vaudra *enfin* ce qu'il aura valu comme critique (de soi). [5] » Tel est l'aboutissement logique d'une conception très haute et fondée sur la dignité de l'esprit. Nous avons vu que cette conception, qui fait une si belle place à l'intelligence dans la création, éliminait ses produits du contenu de l'œuvre. Il nous reste à montrer comment Valéry a réussi à les y réintroduire. Si la poésie doit ne pas être philosophique, si elle se ruine à présenter des idées, ce n'est pas que la pensée ne puisse lui fournir une matière émouvante. Nous nous bornerons ici à la théorie, mais on

1. *Propos me concernant*, p. 20-21.
2. *Situation de Baudelaire*, in *Variété II*, p. 143.
3. *Poésie et pensée abstraite*, in *Variété V*, p. 157.
4. *Ibid.*, p. 157.
5. *Choses tues*, in *Tel quel*, I, p. 28. C'est de la même façon qu'il définit l'écrivain classique, celui « qui porte un critique en soi-même, et qui l'associe intimement à ses travaux » (*Situation de Baudelaire*, in *Variété II*, p. 155).

sait que Valéry a été salué bien des fois du titre de poète de la connaissance ou de poète de l'intelligence, et cette réussite inouïe pose, à mon avis, le problème de la poétisation de la pensée : paradoxe proprement valéryen, si l'on admet, et comment s'y refuser, que l'idée par elle-même est objet de prose et obstacle à la poésie. Valéry s'était plaint que la *Comédie Intellectuelle* (comme on dit la *Comédie Humaine* et la *Divine Comédie*) n'eût pas rencontré son poète ; Léonard en eût été, à son goût, le principal personnage [1]. C'était là une vue très excitante, qui ne réclamait pas spécialement l'œuvre en vers et qui ne comportait pas nécessairement l'émotion poétique. Mais Valéry nous a fait concevoir aussi que la connaissance pouvait être matière à un certain lyrisme.

Remarquant que nous n'avions « pas de poètes de la connaissance en France », comme Lucrèce ou Dante, il note que « notre poésie ignore, ou même redoute, tout l'épique et le pathétique de l'intellect » ; « quand elle s'y est risquée », elle a été « morne et assommante ».

Nous ne savons pas faire chanter ce qui peut se passer de chant. Mais notre poésie, depuis cent ans, a montré de si riches ressources, et une puissance si rare de renouvellement, que l'avenir lui donnera peut-être assez vite quelques œuvres de grand style et d'une noble sévérité qui dominent le sensible et l'intelligible [2].

On peut bien dire que cette promesse avait déjà été magnifiquement tenue par l'auteur de *La Jeune Parque* et de *Charmes*. Dans son discours sur Descartes, Valéry a tracé le programme non seulement d'une poésie, mais de toute une littérature, qui puiserait sans fin dans les « combinaisons et fluctuations de l'intellect ».

Pas de matière poétique au monde qui soit plus riche que celle-ci ;... la vie de l'intelligence constitue un univers lyrique incomparable, un drame complet, où ne manquent ni l'aventure, ni les passions, ni la douleur (qui s'y trouve d'une essence toute particulière), ni le comique, ni rien d'humain... il existe un immense domaine de la sensibilité intellectuelle, sous des apparences parfois si dépouillées des attraits ordinaires que la plupart s'en éloignent comme de réserves d'ennui et de promesses de pénible contention... ; le monde de la pensée... est aussi varié... émouvant, surprenant... admirable... que le monde de la vie affective dominé par les seuls instincts [3].

1. *Introduction à la méthode de Léonard de Vinci*. I. *Note et digression*, in *Variété*, p. 165.
2. *Au sujet d' « Eurêka »*, in *Variété*, p. 113.
3. *Descartes*, in *Variété IV*, p. 215.

Il y a, en particulier, « une poésie aux ressources inépuisables », proposée par « la soif de comprendre, et celle de créer ; celle de surmonter » ou d'égaler ; « l'abnégation » et « le renoncement à la gloire »,

> ... le détail... des instants de l'action mentale : l'attente du don d'une forme ou d'une idée ; du simple mot qui changera l'impossible en chose faite ; les désirs et les sacrifices, les victoires et les désastres ; et les surprises, l'infini de la patience et l'aurore d'une « vérité » ; et tels moments extraordinaires comme l'est, par exemple, la brusque formation d'une sorte de solitude qui se déclare tout à coup, même au milieu de la foule, et tombe sur un homme comme un voile sous lequel va s'opérer le mystère d'une évidence immédiate... La sensibilité créatrice, dans ses formes les plus relevées et ses productions les plus rares, me paraît aussi capable d'un certain art que tout le pathétique et le dramatique de la vie ordinairement vécue [1].

Valéry ouvre ici la grandiose perspective, non seulement d'une littérature et d'une poésie de la vie de l'esprit, mais d'une poésie de la poésie. Et, de fait, certains poèmes de Valéry ont précisément pour sujet cette ivresse qui se saisit elle-même. Elle suppose toujours un observateur de soi-même. Elle tend au monologue lucide, si caractéristique du lyrisme de Valéry. S'il refuse d'être appelé un poète philosophe, ce n'est pas sans raison, mais il n'en est pas moins un poète de la pensée ; seulement, il a compris, et fait sentir dans les plus beaux de ses poèmes, que ce ne sont pas les objets de la pensée, les notions pures, qui sont susceptibles de poétisation, mais sa vie même incarnée, c'est-à-dire, en définitive, ce en quoi la pensée redevient sentiment. Il n'aurait pas aimé le dire.

*   *
*

Nous avons vu la place faite par Valéry, dans sa conception de la poésie, à la sensibilité et à l'intelligence. Il reste à déterminer ce qu'il accorde au sentiment. Nous savons déjà que l'état poétique est bien une émotion, quoique d'une nature très particulière, et que le sentiment se laissait deviner dans la sensibilité créatrice et dans le pathétique de la création intellectuelle. Plus qu'un effort théorique pour délimiter le rôle du sentiment, l'attitude de Valéry est une tendance spontanée à restreindre son impor-

---

1. *Descartes*, in *Variété IV*, p. 216-217. Voir un développement analogue sur le poétique de la sensibilité dans *La Tentation de (saint) Flaubert*, in *Variété V*, p. 206-207.

tance. Il ne nie pas son existence dans la poésie : il le déprécie à chaque occasion. Ce n'est pas seulement par l'effet de cette pudeur qu'il louait chez Mallarmé ni par dégoût de la sentimentalité dont trop d'œuvres faciles lui offraient le spectacle, c'est qu'il y voit l'ennemi majeur de l'intellect, le terme commun sous lequel on peut englober toutes les idoles qui s'opposent à la seule idole qu'il ait reconnue. Sans doute, nul n'est indemne de ces faiblesses, mais un esprit libre les condamne. M. Teste disait : « Je ne suis pas bête, parce que toutes les fois que je me trouve bête, je me nie — je me tue. [1] » Et que les bêtises de M. Teste soient surtout d'ordre affectif, c'est ce que prouve, entre autres, le petit programme que lui prête Valéry dans un des fragments ajoutés à la dernière édition du volume consacré à son héros :

Considérer ses émotions comme sottises, débilités, inutilités, imbécillités, imperfections — comme le mal de mer et le vertige des hauteurs, qui sont humiliants.
... Quelque chose en nous, ou en moi, se révolte contre la puissance inventive de l'âme sur l'esprit [2].

Mais Valéry lui-même a confié, à plus d'une reprise, qu'il partageait la même répugnance : « Quoi de plus sot que la tristesse » [3] ; — « Je subis, je crains, et même je désire ; mais avec mépris. [4] » Les origines de cette attitude remontent à sa vingtième année, à la crise sentimentale qui s'est mêlée à la crise intellectuelle de 1892 ; alors qu'il s'est exprimé assez librement sur la seconde, il n'a fait que des allusions voilées et tardives à la première. C'est alors qu'il fut « contraint d'entreprendre une action très sérieuse contre les " Idoles " en général », mais, dit-il,

il ne s'agit d'abord que de l'une d'elles qui m'obséda, me rendit la vie presque insupportable. La force de l'absurde est incroyable. Quoi de plus humiliant pour l'esprit que tout le mal que fait ce rien : une image, un élément mental destiné à l'oubli ?... Cette crise me dressa contre ma « sensibilité » en tant qu'elle entreprenait sur la liberté de mon esprit... Je devins alors un drame singulier [5].

1. *Extraits du Log-Book*, in *Monsieur Teste*, p. 74.
2. *Quelques pensées*, in *Monsieur Teste*, p. 129.
3. *Propos me concernant*, p. 17. La tristesse n'est pas absente des poèmes de Valéry, et pour sa valeur poétique dans la prose, on n'aura qu'à lire la fin si pénétrante du portrait de *Laure*, in *Mauvaises pensées et autres*, p. 232 : « ... et je tombe de tout mon cœur dans une tristesse magique. »
4. *Ibid.*, p. 36.
5. *Ibid.*, p. 12-13. Pour la généralisation rapide de cette attitude, voir encore p. 52 : « Il m'est arrivé vers 18... de considérer vulgaires, trop connus, tous les sentiments naturels, ou quasi tels — ou plutôt leur expression... »

Il n'est pas difficile de donner son nom à l'idole qui accablait alors le jeune tourmenté [1]. Valéry ne changera pas : il souhaitera de réduire toujours plus cette main-mise sur la liberté de l'esprit par les puissances vagues, irraisonnées ou mal raisonnées, de l'être. Cette attitude est elle-même sentimentale. Le refus est très souvent une émotion. Valéry s'en est bien aperçu. On n'échappe pas à l'affectif, mais la dignité de l'esprit consiste à le repousser.

Dans une page très importante de *Suite*, qu'il a reproduite dans *Mélange*, Valéry a bien mis en valeur ce mouvement de l'esprit pour rejeter la sottise de l'émotion et, en même temps, par cette réponse même, l'impossibilité de l'éviter complètement :

> Toute émotion tend à voiler le mécanisme toujours niais et naïf de sa genèse et de son développement. Mais plus l'esprit est complexe, moins il accepte que son homme soit ému ; il en résulte des luttes intestines intéressantes.
>
> Comment souffrir de se voir en proie à un sentiment ? De se voir séduit, jaloux, vexé, furieux ou honteux ou fier — de se voir *tenant à quelque chose*, à l'argent, à un être, à une place à table, à une image de soi ?... Obéir à ceci... Comment est-ce possible ? Se sentir rougir, s'entendre rugir, se trouver fauché par une image ou porté à l'extrême de l'agitation, quels tableaux insoutenables à la conscience !
>
> Mais ce réveil lui-même et ce retirement en font partie, et se vont aussitôt ranger dans les réflexes, catégorie de l'orgueil. On n'y échappe point. Impossible de ne pas *répondre* [2]...

La condamnation de Valéry est très générale, mais il est intéressant de noter une forme de sensibilité qui y échappe ; c'est, en dépit de ses retentissements affectifs, la sensibilité sensorielle, parce qu'au lieu d'être une puissance diffuse elle est munie d'organes précis, qui lui donnent la netteté des opérations intellectuelles :

> Tout ce qui est affectif est obtus, pensai-je. Affectif est tout ce qui nous atteint par des voies simples, au moyen d'organes qui n'ont les finesses ni les multiples *coordonnées* des organes spéciaux des sens [3].

Devant l'affectif, l'esprit est désarmé, alors que devant le sensoriel, il se reconnaît :

> ... nous essayons de comparer ces *valeurs* brutes, puissantes, indistinctes, aux connaissances nettes et aux correspondances pré-

---

1. Sur l'objet de cette cause de trouble, voir Henri Mondor, *Les premiers temps d'une amitié.*
2. *Suite*, in *Tel quel*, II, p. 354 ou *Petites études*, in *Mélange*, p. 104-105.
3. *Autres rhumbs*, in *Tel quel*, II, p. 144.

cises de nos perceptions organisées. Nous ne savons y parvenir, nous sommes devant elles comme le géomètre devant des grandeurs irrationnelles ou transcendantes quand il s'essaie à traduire en nombre le continu [1].

L'intelligence a dans notre être un ennemi. Et quand Valéry cherche un nom pour cet ennemi, c'est au mot de sentiment qu'il s'arrête : « ... ce qui abaisse le raisonnement ce ne peut être que... ? On ne risque rien de l'appeler *sentiment*. [2] » Il a violemment protesté contre la remarque de Pascal sur le raisonnement qui se réduit à céder au sentiment ; il y a vu « une idée de Pythie, l'idole de l'oracle ». Il s'est élevé contre l'attitude qui fait « le spontané, l'irréfléchi plus précieux, plus digne de foi que le « réfléchi » [3]. Et il a accusé de cette défaite la volonté, dans la dernière pensée d'*Analecta* :

Si tout raisonnement se réduit à céder au sentiment, c'est celui qui cède qu'il faut plaindre... Mais ce n'est pas le raisonnement qui cède. C'est *moi*. — Qui, *MOI* ? — Celui qui agit. Car l'autre est variation illimitée ; il reviendra sur son sentiment ; il se reprendra au raisonnement. Et ainsi de suite [4]...

Il n'y a pas pour Valéry de ces raisons du cœur que la raison ne connaît pas. Le cœur joue certes un rôle considérable, trop considérable. Si l'on suit bien Valéry, on verra qu'il le considère comme introduisant un choix injustifié dans l'ordre exact des choses ; c'est un principe absurde de préférence, un facteur de sélection sans précision.

Le « cœur » est ce qui donne des valeurs instantanées et toutes puissantes aux impressions et aux choses. Il est en chacun l'arbitre des différentes *importances*. Il est résonateur central qui choisit dans l'équivalence des choses.
Superstitions, — pressentiments, — impulsions, répulsions, — organisation brusque de l'inégalité intérieure des idées...
Que prouve ce cœur, et que valent ces valeurs [5] ?

Valéry ne semble pas s'être posé le problème d'une rectification des sentiments. Il semble bien que le rôle de l'intelligence dans la vie affective doive consister dans un effort pour incliner les sentiments dans un sens acceptable aux yeux de la raison et non dans une vaine tentative de mutilation ou d'extirpation.

1. *Autres rhumbs*, p. 144.
2. *Analecta*, CXXI.
3. *Ibid.*, CXXI.
4. *Ibid.*, CXXI.
5. *Moralités*, in *Tel quel*, I, p. 102-103.

Il a dit dans *Rhumbs* et répété dans *Suite* que « nos plus importantes pensées sont celles qui contredisent nos sentiments »[1]. C'est l'un des principes de l'éthique valéryenne. Cette « critique des désirs »[2] aboutirait à un état de sagesse désabusée, dont il a fait le tableau en s'interrogeant sur sa signification définitive :

Sentiments chassés de l'esprit.

Un temps peut venir où ce qui aura été pudeur, honte, regret, remords, etc., chez l'homme d'hier et d'aujourd'hui, seront réduits à leurs rudiments réflexes et devenus incapables d'importance psychologique — incapables de soutenir l'examen et la conscience ; — mais curiosités fonctionnelles, survivances dont on connaît bien la naïve machine.

L'homme incrédule quant à ses sentiments, et sans illusion sur son MOI ; qui se regarderait rougir comme il regarderait un réactif colorer une solution, — ce sage — il devra donc subir sa vie comme une étrange nécessité — aimer, souffrir, pâtir, vouloir, — comme on accueille les jours et les fluctuations du temps.

Cynique — sceptique — stoïque[3] ?

Comme beaucoup de psychologues, Valéry a vu dans l'émotion une défectuosité de notre nature, un trouble fonctionnel dans ses rapports avec le milieu[4] : « Toute émotion, tout sentiment marque un défaut d'adaptation.[5] » C'est « un choc non compensé » qui traduit un « manque de ressorts ou leur altération »[6]. Cependant une « adaptation artificielle »[7] s'opère par « ce qu'on nomme conscience et intelligence », qui « s'implante et se développe dans ces interstices »[8]. Il en est résulté une étrange conséquence :

Le comble de l'humain, c'est que l'homme y a pris goût : recherche de l'émotion, fabrication de l'émotion, désir de perdre la tête, de la faire perdre, de troubler et d'être troublé[9].

Ces insuffisances de son système, « les troubles de son accommodation, l'obligation de subir ce qu'il a appelé *irrationnel* »[10], l'homme « les a sacrés, il y a trouvé des profondeurs, et ce bizarre

---

1. In *Tel quel*, II, p. 87 et p. 328.
2. *Suite*, in *Tel quel*, II, p. 328.
3. *Ibid.*, p. 323-324.
4. La théorie est exposée en des termes souvent identiques dans *Analecta*, XLIII, et dans *Mauvaises pensées et autres*, p. 147-148.
5. *Mauvaises pensées*, p. 148 ; in *Analecta*, XLIII : « ... de construction ou d'adaptation. »
6. *Analecta*, XLIII.
7. *Ibid.*, XLIII.
8. *Mauvaises pensées*, p. 148.
9. *Ibid.*, p. 148.
10. *Analecta*, XLIII.

produit, " la mélancolie " ; parfois, l'indice d'un âge d'or disparu,
ou le pressentiment d'une indéfinissable destinée » [1]. Une concession est faite seulement en faveur de « la nécessité physiologique de perdre l'esprit, de voir faux, de former des images fan-
tastiques, pour que s'accomplisse l'amour, sans quoi le monde
finirait » [2].

Si Valéry n'aime pas les émotions, il déteste encore plus leurs
manifestations extérieures. Mais il a été amené par son expérience
artistique à faire une exception remarquable. En opposition à
l'expression vulgaire de la basse sentimentalité, il a distingué une
émotion épurée, « sèche », comme il dit, et il a consenti une fois
à la pudeur le droit à quelques larmes devant le spectacle de ce
qu'on peut rencontrer de plus sublime. Il a, dans une page très
belle, établi une « critique du don des larmes » :

Pour me tirer des pleurs, il faut que vous pleuriez.
C'est plus bête que faux.
Je ne vois pas l'intérêt qu'il y a à pleurer.
Sinon le plaisir même de pleurer.
Ce plaisir de faire fonctionner artificiellement telles glandes et
amener tous les mouvements annexes et connexes qui les décrochent,
qui justifient, achèvent le fonctionnement.
La vieille « beauté pure » tenait à honneur d'éviter les chemins
des glandes. Elle laissait glander les porcs. Produire une espèce
d'émotion qui ne trouve pas sa glande ni haute ni basse, une émotion
sans jus, sèche, c'était son affaire.
Si elle tirait des pleurs, c'était par ses propres moyens ; par des
moyens qui n'existent pas dans l'expérience forcée de la vie : et que
la vie n'a pas prévus par des organes particuliers. Personne en
général n'était forcé de *pleurer*. Là où tout le monde *doit* pleurer
elle s'abstenait. Elle n'accablait que quelques-uns. Et tous les autres
devaient se demander sans pouvoir comprendre, pourquoi ceux-là
pleuraient [3].

Il faut donc distinguer des « larmes de divers ordres » :

Les larmes montent de la douleur, de l'impuissance, de l'humi-
liation, toujours d'un manque.
Mais il en est d'une espèce divine, qui naissent du manque de

1. *Mauvaises pensées*, p. 147-148. In *Analecta*, XLIII, la fin de la phrase
précisait : « ... le pressentiment de la divinité et de la promesse ».
2. *Mauvaises pensées*, p. 148. Voir dans le même sens *Analecta*, XLIII, et
L'Idée fixe, p. 42 : « Il faut perdre la tête ou perdre sa race. » Dans un passage de
La Jeune Parque, Valéry a utilisé ce renouvellement surprenant du thème de
l'amour ; et dans tout le poème, l'idée que « les fonctions finies conscientes »
vont « contre la vie » (*Analecta*, XLIII).
3. *Analecta*, XI.

la force de soutenir un objet divin de l'âme, d'en égaler et épuiser l'essence.

Un récit, une mimique, un drame du théâtre peuvent faire pleurer par l'imitation de choses lamentables de la vie.

Mais, si une architecture, qui ne ressemble, quant à la vue, à rien de l'homme (ou bien quelque autre harmonie, si exacte qu'elle est presque déchirante à l'égal d'une dissonance) te porte au bord des pleurs, cette effusion naissante que tu sens vouloir venir de ta profondeur incompréhensible, est d'un prix infini, car elle t'apprend que tu es sensible à des objets entièrement indifférents et inutiles à ta personne, à ton histoire, à tes intérêts, à toutes les affaires et circonstances qui te circonscrivent en tant que mortel [1].

Pour Valéry, la seule émotion admissible se produit au contact de quelque chose qu'on peut appeler aussi bien divin, surhumain, inhumain.

En dehors de ces cas rares, Valéry, peut-être parce qu'on pourrait déceler chez lui une sensibilité frémissante, une tendresse chatouilleuse, se refuse à toute contagion des émotions. La lecture de *Lucien Leuwen* lui a laissé une impression « tendre et vivante » ; il opérait en lui « le miracle d'une confusion qu'il abhorre » : ne plus distinguer nettement ses affections propres de celles que l'artifice d'un auteur lui communique [2]. Il a diagnostiqué dans « tous les hommes qui ont exercé une puissance d'espèce affective sur des nombres d'hommes », des tarés nerveux ou psychiques, dont la puissance se tirait de « l'action extérieure » de leur tare, dans la conscience de laquelle ils voyaient « un indice de leur singularité ». « Ils font une doctrine de leurs faiblesses et ils ont l'éloquence de leurs penchants. » D'où chez eux, la ruse de la confession publique et l'exploitation de la « sincérité » [3]. On pourrait examiner sous cet aspect de la contagion du sentiment l'action exercée sur les lecteurs par les poètes, les romanciers, les dramaturges et même quelques philosophes. Valéry, pour sa part, n'a nullement été disposé à accepter cette emprise.

Tout ce qui vise la sensibilité nº 2, romances, Musset, mendiants, les pauvres gens de Hugo, Jean Valjean, etc., m'inspirent du dégoût, sinon de la colère. Pascal qui joue de la mort, Hugo de la misère, virtuoses qu'ils sont sur ces instruments émouvants, me sont essentiellement antipathiques. Le calcul de tirer des larmes, de fondre les cœurs, d'exciter par le trop beau, le trop triste, me rendrait

1. *Mélange*, p. 94.
2. *Stendhal*, in *Variété*, p. 77-79.
3. *Mélange*, p. 78.

impitoyable. L'émotion me parut un moyen défendu. Rendre faible quelqu'un est un acte non noble.

Ne pas user de ces armes basses m'a été reproché [1].

M. Teste disait : « Je ne me sens aucun besoin des sentiments d'autrui, et je n'ai point plaisir à les emprunter. [2] » Ni lui, ni Valéry ne conçoivent cette fonction de soulagement, qu'ils eussent jugée ignoble, qu'on a souvent invoquée comme source de la création littéraire :

« Confier sa peine au papier. » Drôle d'idée. Origine de plus d'un livre, et de tous les plus mauvais [3].

Faire participer autrui à l'intimité de la conscience est une indécence, une illusion ridicule et une faiblesse impardonnable.

Combien je répugne à écrire mes « sentiments », à noter ce que tant se plaisent à mettre sur le papier ! D'abord, il n'y a pas de mots valables pour ces choses avec soi. — Ce qu'on en dit, même à soi, cela sent *les tiers*. — Je n'ai jamais pu tracer des mots que pour travailler ma pensée ou agir sur celle des autres, — ce qui est fort différent, moyen de calcul ou préparation d'une action. Mais point pour revivre — cette faiblesse !

Et ceci en accord avec ma sensibilité qui a et a toujours eu une sainte horreur d'elle-même. Sans quoi j'aurais pu faire un romancier ou un poète.

— Mais ma sensibilité est mon infériorité, mon plus cruel et détestable don, puisque *je ne sais pas l'utiliser* [4].

Valéry a cependant admis que des chefs-d'œuvre avaient pu être accomplis en suivant cette tendance, mais il a marqué nettement son intention, comme poète, de se diriger dans une autre voie :

... Comme je ne m'intéresse pas à modifier les sentiments des autres, je me trouve, de mon côté, assez insensible à leur dessein de m'émouvoir. Je ne me sens aucun besoin des passions de mon prochain, et l'idée ne m'est jamais venue de travailler pour ceux qui demandent à l'écrivain qu'il leur apprenne ou leur restitue ce que l'on éprouve simplement en vivant. Du reste, la plupart des auteurs s'en chargent, et les plus grands poètes ont accompli à miracle la tâche de nous représenter les émotions immédiates de la vie. Cette tâche est de tradition. Les chefs-d'œuvre abondent en ce genre. Je me demandais s'il y avait autre chose à faire [5].

1. *Propos me concernant*, p. 54.
2. *Quelques pensées*, in *Monsieur Teste*, p. 132.
3. *Mauvaises pensées et autres*, p. 47.
4. *Propos me concernant*, p. 42.
5. *Mémoires d'un poème*, p. xvi.

J. HYTIER. — *La poétique de Valéry*.   4

Si Valéry se refuse à représenter ou à exciter dans son œuvre les émotions que la vie suffit à faire éprouver, ce n'est pas que leur puissance lui paraisse sans emploi. Quand on étudie le sentiment, on est fatalement amené à le considérer tantôt sous son aspect de connaissance confuse, tantôt sous son aspect de force ou de tendance. On le rapproche soit de l'intelligence soit de la volonté. Si le sentiment est une force, on peut en tirer quelque profit. On peut utiliser l'émotion, ou la capacité d'émotion. Valéry, qui a proposé de comparer le « système psychique... avec le monde de la physique »[1], a, comme d'autres psychologues modernes, une théorie énergétique de la psychologie, et, comme eux encore, il a emprunté aux opérations bancaires des analogies pour expliquer le placement, l'investissement ou le transfert des forces psychiques. Ainsi « tout sentiment est le solde d'un compte dont le détail est perdu », et il ajoute drôlement : « le péché originel est une intégrale, sans doute.[2] » De même, « la croyance est un virement.[3] » Le « virement de crédits nerveux » est un « fait général », et Valéry en donne pour exemple qu'un certain « 17 mars 191... », il fait « profiter un petit travail poétique de l'excitation provoquée par un scandale public, par les cris des aboyeurs de journaux »[4]. Il a donc proposé de dériver l'exaltation due aux émotions : « Quant à l'enthousiasme, cette foudre stupide, apprenez à le mettre en bouteilles, à le faire courir sur des fils dociles. Séparez-le des objets ridicules où la foule l'éprouve et l'attache.[5] » Le plus fructueux de ces remplois est celui de la passion amoureuse :

La valeur vraie (c'est-à-dire utilisable) de l'amour est dans l'accroissement de vitalité générale qu'il peut donner à quelqu'un.
Tout amour qui ne dégage pas cette énergie est mauvais.
L'indication est d'utiliser ce ferment sexuel à d'autres fins. Ce qui croyait n'avoir à faire que des hommes tourné à faire des actes, des œuvres[6].

C'est « la "production" dérivée de la "reproduction" »[7], théorie des origines de l'art, qui n'est pas nouvelle. Comme tout à l'heure l'émotion excitée par le scandale, l'accumulation de force chez

1. *Analecta*, XCII.
2. *Rhumbs*, in *Tel quel*, II, p. 28.
3. *Analecta*, XCIII, en note.
4. *Ibid.*, XCIII.
5. *Dialogue*, in *Monsieur Teste*, p. 109.
6. *Suite*, in *Tel quel*, II, p. 309.
7. *Ibid.*, p. 309, en note.

l'amoureux fournit un potentiel de création, de création poétique en particulier. Un petit poème non rimé, intitulé *Sagesses*,
résume ce programme :

> Une Sagesse fuit l'Amour
> Comme la bête fuit le feu ;
> Elle craint d'être dévorée.
> Elle a peur d'être consumée.
>
> Une Sagesse le recherche,
> Et comme l'être intelligent,
> Loin de la fuir, souffle la flamme
> La fait sa force et fond le fer,
>
> Ainsi l'Amour lui prête ses puissances [1].

Le sentiment perd ainsi sa qualité et se réduit à sa quantité
d'énergie disponible : c'est, au fond, encore un moyen de détruire
sa valeur propre et son originalité. Valéry a noté ce « prodige
de transformation chez le poète ou le musicien : la transposition
des affections, et jusqu'aux tristesses et détresses, en poèmes,
en moyen de préserver et répandre leur vraie sensibilité totale... »
Il s'agit de « changer ses douleurs en œuvres... [2] » Mais Valéry
a encore diminué, dans le labeur poétique, l'importance de cette
force émotive. Sans nier tout à fait sa nécessité, il en a réduit
la charge au strict minimum, en remplaçant son action par celle
de l'intelligence.

L'homme exalté ou ému croit que son verbe est un vers, et que
tout ce qu'il place par le ton, la chaleur et le désir dans sa parole
s'y trouve et se communique. Mais c'est l'erreur commune en fait
de poésie. Les mauvais vers sont faits de bonnes intentions. C'est
cette illusion qui pousse aux vers sans lois préétablies. Il y a plus
de bons vers faits froidement qu'il n'en est de chaudement faits ;
et plus de mauvais faits chaudement. On dirait que l'intelligence
est plus capable de suppléer à la chaleur, que la chaleur à l'intelligence. Une machine peut marcher à faible pression, mais une pression sans machine n'entraîne rien [3].

Dans son *Calepin d'un Poète*, avec la même comparaison mécanique, il a mis l'artiste, le fabricateur, au-dessus du poète, de
l'homme de sentiment :

« X... est plus poète qu'artiste. » Est-ce à dire que X... a plus

---

1. *Mauvaises pensées et autres*, p. 66.
2. *La politique de l'esprit*, in *Variété III*, p. 217.
3. *Autres rhumbs*, in *Tel quel*, II, p. 156.

d'énergie à sa discrétion que d'opérations ou de machines pour l'utiliser [1] ?

N'empêche que, par là, Valéry réduisait, sans l'avouer, le poétique au sentiment, cette force indispensable, cette pression sans laquelle la machine, même bien construite, même bien dirigée, ne marcherait pas. Et, si on abandonne la comparaison, trop favorable à sa thèse, de la machine, on peut se demander si la chaleur et aussi la qualité du sentiment n'ont pas une importance injustement diminuée par Valéry au profit des artifices. Au reste, cette importance du sentiment, Valéry, en dépit de ses dénégations, n'a pu s'y soustraire, et nous la retrouverons affirmée quand nous étudierons sa conception des rapports du fond et de la forme dans la poésie. On y verra, dans le contenu du vers, la pensée sacrifiée à la « résonance » affective : « Le vers ne souffre guère ce qui se borne à signifier quelque chose, et qui ne tente pas plutôt d'en créer la valeur de sentiment. [2] »

On pourrait, de plus, relever çà et là dans l'œuvre de Valéry des indications sur le rôle créateur des sentiments dans l'art. Création de l'œuvre : c'est la crainte qui a élevé des temples, « merveilleuses supplications de pierre » [3], et création, si l'on peut dire, de l'amateur de l'œuvre : Eupalinos, par l'action de l'intelligence, certes, mais toute pénétrée d'affectivité, « élaborait les émotions et les vibrations de l'âme du futur contemplateur de son œuvre » [4]. « Il faut, disait cet homme de Mégare, que mon temple meuve les hommes comme les meut l'objet aimé... » [5], et il lui avait fallu certainement à lui-même beaucoup d'amour, en plus de sa raison, pour élever « ce temple délicat » qui était, à l'insu de tous, « l'image mathématique d'une fille de Corinthe » dont il « reproduit fidèlement les proportions particulières ». Eupalinos y avait mis « le souvenir d'un clair jour de sa vie » [6]. Or, nous savons que les souvenirs, comme les présages, ont pour Valéry une « résonance qui engage l'âme dans l'univers poétique » [7]. Ce mélange d'intellectualité et d'émotivité, Valéry en avait lui-même été frappé, quand il relevait cette déclaration de Wagner : « J'ai composé *Tristan* sous l'em-

1. *Calepin d'un poète*, in *O. C.*, t. C, p. 192.
2. « *Cantiques spirituels* », in *Variété V*, p. 169.
3. *La politique de l'esprit*, in *Variété III*, p. 218.
4. *Eupalinos*, p. 91.
5. *Ibid.*, p. 92.
6. *Ibid.*, p. 104.
7. « *Cantiques spirituels* », in *Variété V*, p. 169.

pire d'une grande passion et après plusieurs mois de méditation théorique. » Cette « antinomie » répondait en lui à une « attente » et à une « conviction ».

Quoi de plus rare, me disais-je, et de plus enviable que cette coordination singulière de deux modes d'activité vitale, communément considérés comme indépendants, et même incompatibles ; — d'une part, agitation profonde du « sentiment », toute puissance des troubles affectifs, exaltation sensuelle d'une *idole* psychique ; — de l'autre, *méditation théorique* complexe... dans laquelle devaient se trouver composés les problèmes et les innovations prochaines de l'harmonie [1]...

Voilà donc le sentiment admis à égalité avec le calcul, dans une combinaison « enviable » et qu'on nous présente comme exceptionnelle, alors qu'elle est plutôt de règle chez les créateurs passionnés, qui ont toujours mêlé à la fougue la spéculation technique.

Si Valéry ne nous donne pas en poésie d'exemple analogue de cette alliance paradoxale qu'il a trouvée en architecture et en musique, c'est qu'il est retenu par la position qu'il a prise. Il ne tient pas à nous montrer un grand poète dont la sensibilité déchirée ait collaboré avec un métier raffiné. Mais il a du moins reconnu que la tâche du poète était d'exciter délibérément l'émotivité de l'amateur :

... le langage contient des ressources émotives... le devoir, le travail, la fonction du poète sont de mettre en évidence et en action ces puissances de mouvement et d'enchantement, ces excitants de la vie affective et de la sensibilité intellectuelle [2].

Sans doute, Valéry n'admet-il ici qu'une manœuvre du sentiment, à laquelle il peut ne rien correspondre chez l'auteur. Du *Si vis me flere...* d'Horace, il n'accepte, en dernière instance et sous condition de sublimité, que la première partie : Fais-moi pleurer, pourvu que ce soit d'admiration ; mais, pour cela, il est inutile que tu pleures toi-même. Émeus-moi, si tu le peux, bien que j'y répugne, mais tu le feras beaucoup mieux en ne frémissant pas toi-même. Ce n'est pas pour Valéry que le tremblement est le meilleur de l'homme. Comme Verlaine, au temps de sa soumission au credo parnassien, il aurait pu proclamer qu'il faisait « des vers émus très froidement ». Voire. Ne s'agirait-il

---

1. *La création artistique,* in *Bulletin de la Société française de philosophie,* 1928, p. 5.
2. *Situation de Baudelaire,* in *Variété II*, p. 170.

pas plutôt pour le poète de nous communiquer, sans être ému pendant son travail, une émotion qu'il aurait néanmoins ressentie avant de se mettre à l'œuvre ? On sait depuis toujours que les poètes exploitent leur mémoire affective. L'espèce et le degré de sentiment qui accompagnent la composition même du poème ne préjugent rien de l'émotion initiale qui a produit l'ébranlement de l'imagination. S'il en est bien ainsi, l'opposition de Valéry au sentiment serait grandement diminuée ; elle porterait moins sur le point de départ du poème, sur le sentiment originel, que sur une conception confuse et simpliste du travail poétique, qui ferait du poète un agité ou un possédé. Cela laisserait de côté, d'ailleurs, le problème très difficile de l'action de ce sentiment méthodiquement mis de côté pour plus de lucidité : dans quelle mesure cette affectivité réservée intervient-elle, à quels moments, avec quels effets ? En tout cas, Valéry aurait une fois de plus exagéré l'écart entre sa propre théorie et des vues, sinon courantes, du moins connues, sur le rôle de l'esprit dans la création poétique. Nous verrons de même que sa théorie de l'inspiration a exagéré à plaisir, pour la mieux détruire, une explication naïve, la même, au fond, que celle qui fait du poète un être exclusivement soumis à la voix de son cœur. Nous verrons qu'en définitive Valéry admet l'inspiration comme il admet le sentiment.

Autrement, de quel nom nommer ce qu'il se refuse à préciser dans cette définition capitale :

La Poésie. Est l'essai de représenter, ou de restituer, par les moyens du langage articulé, *ces choses* ou *cette chose*, que tentent obscurément d'exprimer les cris, les larmes, les caresses, les baisers, les soupirs, etc., et que *semblent vouloir* exprimer les objets, dans ce qu'ils ont d'apparence de vie, ou de dessein supposé.

Cette chose n'est pas définissable autrement. Elle est de la nature de cette énergie qui se dépense à répondre à ce qui est [1]...

Si cet indéfinissable, qui se trouve ici expressément rapproché de la sensibilité (« répondre à ce qui est »), qu'expriment tous les signes de l'émotion (cris, larmes, caresses, baisers, soupirs) [2],

1. *Littérature*, in *Tel quel*, I, p. 144.
2. Ces marques et quelques autres sont données, dans *Mauvaises pensées et autres*, p. 202, comme des approximations créées par l'homme faute de savoir le « langage des Dieux ». « La poésie la plus élevée essaie de balbutier ces choses, et de substituer à ces *effusions*, des expressions. » Faust amoureux dit à Lust : « Nous serions comme des Dieux, des harmoniques... n'est-ce pas là... l'accomplissement de la promesse, en quoi consiste la poésie qui n'est après tout que tentative de communion ? » (Fragments inédits de « *Mon Faust* », publiés par Jean Ballard, *Celui que j'ai connu*, in *Paul Valéry vivant*, p. 242.)

et que notre anthropomorphisme retrouve dans la nature, n'est pas l'élan affectif spontané, il ne reste qu'à le ranger parmi les « choses vagues » et sans nom. Mais n'est-ce pas, du même coup, le redésigner comme sentiment ?

**

On sait l'horreur de Valéry pour les choses vagues. Il a dit sur le ton de La Bruyère : « Ceux qui ne savent pas dire ou répugnent à dire des choses vagues sont souvent muets et toujours malheureux. [1] » Ce n'est pas qu'à l'occasion il ne se soit laissé aller, comme tout le monde, à leur séduction. Quoique « impatient des choses vagues », son « humeur assez rigoureuse... se relâche pourtant » quelquefois « et se laisse séduire à certains mots » auxquels il trouve « un charme » : Nature, Philosophie... Le mot Orient lui a suggéré une évocation colorée, due précisément à son ignorance : « il faut n'y avoir jamais été... Cet Orient de l'esprit offre à la pensée enivrée le plus délicieux désordre et le plus riche mélange de noms, de choses imaginables, d'événements et de temps fabuleux, etc... [2] » On prend ici Valéry en flagrant délit de rêverie, tout comme lorsqu'il désirait de vivre au temps de Montesquieu [3] ou qu'il s'arrêtait sur le pont de Londres à regarder la Tamise [4]. De ce vague, il semble que la poésie ne puisse se défendre ni se défaire, et cela excuse quelque peu ceux à qui Valéry a reproché de n'avoir pas su la définir : « La plupart des hommes ont de la poésie une idée si vague que ce vague même de leur idée est pour eux la définition de la poésie. [5] » La révolution la plus profonde serait celle qui remplacerait « l'ancien langage et les idées *vagues*, par un langage et des idées *nets* » [6]. Ne serait-ce pas alors la mort de la poésie ? C'est bien ce que Valéry semble croire : « La littérature est à l'état sauvage. Elle en sortira, et périra. [7] » Le vague n'est pas seulement la condition de la littérature, mais de toute la vie de l'esprit : « Mais peut-être le vague est indestructible, son existence nécessaire au rayonne-

1. *Instants*, in *Mélange*, p. 160.
2. *Orientem versus*, in *O. C.*, t. J, p. 175 et suiv.
3. *Préface aux Lettres persanes*, in *Variété II*, p. 63.
4. *Choses tues*, in *Tel quel*, I, p. 78-80.
5. *Littérature*, in *Tel quel*, I, p. 143.
6. *Analecta*, CXX.
7. Lettre du 6 juin 1917 à Pierre Louÿs, in *O. C.*, t. B, p. 134.

ment psychique », « car l'esprit se meut dans le vague, du vague au précis » [1]. Impuissant à supprimer les choses vagues, Valéry leur a concédé une existence substantielle et éternelle. La poésie figure dans l'énumération de ces « notions très vagues et très grossières, qui, d'ailleurs, vivent de nous... temps, univers, race, forme, nature, poésie, etc... » [2], et le poète parmi les personnages qui ont la charge de les perpétuer :

Dans toute société paraît un homme préposé aux Choses Vagues. Il les distille, les ordonne, les pare de règlements, de méthodes, d'initiations, de pompes, symboles, mètres, exercices « spirituels », jusqu'à leur donner l'aspect de lois primordiales. — C'est le prêtre, le mage, le poète, le maître des cérémonies intimes ; — encore le démagogue ou le héros. Ils construisent de vapeurs des édifices qui ne sont pas solides, mais en revanche qui sont éternels. Toute attaque les dissipe, nulle ne les détruit [3].

Au fond, Valéry n'estime la poésie qu'en tant qu'art, à cause des « travaux assez précis » qu'elle exige, mais la méprise en tant qu'émanation de la puissance confuse du sentiment. Lorsqu'il s'est amusé à ébaucher une démonologie des ennemis de la pensée, il n'a pas oublié de lancer l'anathème sur le pire de ces esprits malins : « J'ai laissé de côté le pâle démon des Choses-Vagues, maître des êtres tendres, des molles mélancolies... *Fange-d'Ame* est son nom. [4] » En un sens, la poésie est sottise, car elle tolère mal l'intelligence, et, pis encore, elle est bêtise, car elle nous ravale au plus bas de notre échelle humaine.

BÊTISE ET POÉSIE. Il y a des relations subtiles entre ces deux ordres. L'ordre de la bêtise et celui de la poésie [5].

Cette remarque choquante ne manque pas de profondeur, et elle perd son injustice, si on la replace dans l'attitude générale d'un esprit qui s'élève partout contre les causes d'asservissement de l'intelligence. Valéry n'a pas pensé différemment de l'amour, qui consiste « à pouvoir être bêtes ensemble », selon M. Teste [6]. Ce n'est pas seulement l'imprécision des états de sentiment qui horripile Valéry, ni leur niveau d'abaissement intellectuel, c'est aussi leur insupportable individualité, leur attachement fatal

1. *Analecta*, CXX.
2. *Propos sur l'intelligence*, in O. C., t. D, p. 86-87.
3. *Rhumbs*, in Tel quel, II, p. 47.
4. *Mauvaises pensées et autres*, p. 223.
5. *Calepin d'un poète*, in O. C., t. C, p. 190.
6. *Lettre de Madame Émilie Teste*, in Monsieur Teste, p. 49.

et vain à une personne, à son histoire intime, à ses événements banals, insignifiants et transitoires, sans valeur en regard de l'universalité de la vraie connaissance. Il a donné une définition très énergique de la bêtise : « Bêtise, c'est-à-dire particularité opposée à la généralité. [1] » On comprend que l'intrusion de la personnalité du poète ait gâché à Valéry une bonne partie de la poésie, spécialement de la poésie romantique. Dès 1891, « la niaiserie presque inévitable des poésies » [2] le hérissait. C'est en raison inverse que Mallarmé le « saisit » [3]. De même, M. Teste « ne pouvait souffrir les prétentions bêtes des poètes — ni les grossières des romanciers » [4]. Valéry, qui a prévu que la mode pourrait remettre un jour en faveur les poètes si décriés du xviiie siècle [5], a remarqué qu'à cette époque « la poésie elle-même essayait d'être nette et sans sottises ; mais c'est une impossibilité, elle ne parvint qu'à s'amaigrir » [6]. Ces sottises, qui manquent le plus aux versificateurs élégants et secs du xviiie siècle, c'est la poésie.

Lorsqu'au lieu de l'insulter Valéry voudra tenir compte de ce vague inéluctable dans sa poétique, il l'appellera l'indéfinissable. Et il le trouvera à toutes les étapes de la création, au début, au cours de l'exécution, dans les rapports du fond et de la forme, dans la fin même de l'œuvre, son effet sur le public. C'est ce mélange du vague incoercible et de la précision des opérations intellectuelles qui caractérise le travail du poète. Dans la leçon inaugurale du *Cours de poétique*, on trouve cette formule-résumé qui peut paraître d'abord obscure : « dans la production de l'œuvre, l'action vient au contact de l'indéfinissable. [7] » Le texte qui l'explique ne se comprend bien que si l'on suit attentivement l'opposition qu'y établit Valéry entre l'état de sensibilité dont part l'artiste et l'action complexe qu'il applique à cet état dans son travail. L'action dont il s'agit, dit Valéry, est « volontaire », « très composée », « peut exiger de longs travaux », mais a pour caractère d'être « nécessairement finie » ; elle est « la détermination essentielle, puisqu'un acte est une

1. *Pour un portrait*, in *Monsieur Teste*, p. 116.
2. *Propos me concernant*, p. 16.
3. *Ibid.*, p. 16.
4. *Pour un portrait*, in *Monsieur Teste*, p. 120.
5. Frédéric Lefèvre, *Entretiens avec Paul Valéry*, p. 277-278.
6. *Préface aux Lettres persanes*, in *Variété II*, p. 64.
7. *Variété V*, p. 320. La formule était en majuscules dans la première édition, *Introduction à la poétique*, p. 57.

échappée miraculeuse du monde fermé du possible, et une introduction dans l'univers du fait ». L'état de l'être, auquel cette action « vient s'adapter dans l'opération de l'art », est, lui, au contraire, « tout à fait irréductible en soi à une expression finie », il « ne se rapporte à aucun objet localisable » ; il est constitué parfois par « une seule sensation productrice de valeur et d'impulsion » ; son seul caractère « est de ne correspondre à aucun terme fini de notre expérience » [1]. Plus clairement, un passage des *Mémoires d'un poème* distingue les deux facteurs de la création, dans une analyse qui rappelle l'exégèse de la phrase de Wagner sur *Tristan*. On y voit mieux la part qu'il fait aux éléments spontanés, affectifs, irrationnels et aux éléments volontaires et réfléchis :

... je me faisais une sorte de définition du « grand art », qui défiait toute pratique ! Cet idéal exigeait impérieusement que l'action de produire fût une action complète qui fît sentir, jusque dans l'ouvrage le plus futile, la possession de la plénitude des pouvoirs antagonistes qui sont en nous : d'une part, ceux qu'on pourrait nommer « transcendants » ou « irrationnels », qui sont des évaluations « sans cause », ou des interventions inattendues, ou des transports, ou des clartés instantanées, — tout ce par quoi nous sommes à nous-mêmes des foyers de surprises, des sources de problèmes spontanés, de demandes sans réponses, ou de réponses sans demandes ; tout ce qui fait nos espoirs « créateurs » aussi bien que nos craintes, nos sommeils peuplés de combinaisons très rares et qui ne peuvent se produire en nous qu'en notre absence... D'autre part, notre vertu « logique », notre sens de la conservation des conventions et des relations, qui procède sans omettre nul degré de son opération, nul moment de la transformation, qui se développe d'équilibre en équilibre ; et enfin, notre volonté de coordonner, de prévoir par le raisonnement les propriétés du système que nous avons le dessein de construire, — tout le « rationnel ».
Mais la combinaison du travail réfléchi et « conservatif » avec ces formations spontanées qui naissent de la vie sensorielle et affective (comme les figures que forme le sable ému par des chocs sur une membrane tendue) et qui jouissent de la propriété de propager les états et les émotions, mais non celle de communiquer les idées, ne laisse pas d'être fort difficile [2].

Ainsi le vague, qui est déjà au départ dans la sensibilité instable, collabore à sa façon avec le précis. Il reparaît enfin dans l'action exercée sur l'amateur. L'œuvre doit aboutir à un effet tel qu'il soit indéfinissable, inanalysable, inexprimable, ineffable.

1. *Variété V*, p. 320.
2. *Mémoires d'un poème*, p. XXXIX-XL.

Une page de *Mélange*, intitulée *Le Beau est négatif*, développe cette vue, où l'intellectualiste aboutit au langage du mystique :

Le Beau implique des effets d'indicibilité, d'indescriptibilité, d'ineffabilité. Et ce terme lui-même ne dit RIEN. Il n'a pas de définition, car il n'y a de vraie définition que par construction.

Or, si l'on veut produire un tel *effet au moyen de CE QUI DIT*, — du langage, — ou si l'on ressent, causé par le langage, un tel effet, il faut que le langage s'emploie à produire ce qui rend muet, exprime un mutisme.

« Beauté » signifie « inexprimabilité » — (et désir de rééprouver cet effet). Donc, la « définition » de ce terme ne pourrait être que la description et les conditions de production de l'état de ne pouvoir exprimer, dans tels cas particuliers et de tel genre.

« Inexprimabilité » signifie, non qu'il n'y ait pas des expressions, mais que toutes les expressions sont incapables de restituer ce qui les excite, et que nous avons le sentiment de cette incapacité ou « irrationnalité » comme de véritables propriétés de la chose-cause.

La propriété cardinale de ce beau tableau est d'exciter le sentiment de ne pouvoir en finir avec lui par un système d'expressions [1].

L'œuvre d'art parfaite nous rend semblable au personnage du petit poème de *La Ceinture*, « le muet de surprise ». L'expression de l'admiration est nécessairement déficiente :

Aimer, admirer, adorer ont pour expression de leur vérité les signes négatifs du pouvoir de s'exprimer. Du reste, tout ce qui est fort dans le sentiment et tout ce qui excite une réaction brusque venue de loin démonte sur le moment le mécanisme complexe du langage : le silence, l'exclamation ou le cliché sont l'éloquence de l'instant [2].

Dans l'état d'ineffabilité, « "les mots manquent" ». La littérature essaye par des " mots " de créer l' " état du manque de mots " » [3].

C'est sans doute pourquoi il ne saurait y avoir science de la poésie. Valéry n'avait pas comme d'autres postulé le mystère dans sa méthode, mais il a fini par le rencontrer dans les faits et il lui a fait sa place dans son esthétique. La science finit par avoir raison de son objet, et, en quelque sorte, par le faire disparaître. Avec la beauté, on n'en a jamais fini, et il est de sa définition qu'il en soit ainsi.

1. *Instants*, in *Mélange*, p. 161.
2. *Mauvaises pensées et autres*, p. 83.
3. *Instants*, in *Mélange*, p. 162.

CHAPITRE III

UN ART DU LANGAGE

Nous avons vu le rôle attribué par Valéry à la sensibilité et à l'intelligence dans la poésie ; mais la poésie est essentiellement pour lui un art du langage [1]. Sans faire œuvre de linguiste ou de philosophe, il a longuement médité sur ce sujet. Son point de départ a été une vive défiance à l'égard du langage ; néanmoins, il en a admiré la puissance et constaté l'importance dans les divers domaines de l'esprit et de l'action ; enfin, il a réfléchi à l'utilisation possible et méthodique de ses propriétés.

L'idée de se faire une science du langage a certainement hanté Valéry. Elle transparaît çà et là dans nombre de ses réflexions, mais il l'a surtout exprimée dans un article peu connu, jamais réédité depuis sa publication en janvier 1898 dans *Le Mercure de France* [2]. Sous le titre symptomatique de *Méthodes*, Valéry avait commencé à y tenir une rubrique, où il ne donna, à intervalles éloignés, que trois petites études. La seconde, celle qui nous intéresse, prenait prétexte du livre, devenu célèbre depuis, de Michel Bréal : *La Sémantique (Science des significations)*. Valéry supposait que « toutes les transformations que le langage peut subir doivent laisser invariables un certain nombre de propriétés... Ce résidu contiendrait les relations fondamentales du langage avec ce qu'on nomme, par hypothèse, l'esprit ». Par ce moyen, il entrevoyait la résolution de problèmes « maintenant inabordables », tels que la définition du substantif, du verbe, de la

---

1. Il l'a répété maintes fois. Voir, par exemple, *L'Invention esthétique*, in *L'Invention*, p. 148.
2. P. 254-260.

phrase, et la construction d'une « loi de toutes les syntaxes qui
enfermerait dans une seule expression les nécessités multiples
de l'ordre des mots, de leur accord, et qui déterminerait l'unité,
— quant à la compréhension, — des phrases ». Mais ces problèmes
n'étaient, de l'avis de Valéry, ni abordés, ni même posés ; les
meilleures lois n'avaient que « la valeur de moyens mnémotech-
niques » ; on ne distinguait pas « dans leur contenu ce qui est
constamment supposé de ce qui ne l'est pas ». Cette impuissance
se déduisait « de la nullité de la psychologie [1] ». Cette juvénile
condamnation de la linguistique et de la psychologie du langage,
qui ne nommait personne, épargnait du moins Bréal, qui avait
replacé « justement le langage dans son unique lieu » et qui était
loué « d'avoir négligé... les mouvantes questions d'origine... dont
la recherche, au delà de notre expérience, est purement verbale ».
A la fin de l'article, Valéry envisageait une « généralisation » de
la sémantique, qui porterait « sur tous les systèmes symboliques,
en masse » : « l'algèbre, la musique écrite, certains genres d'ornementation, les cryptographies, etc... ». « Tous ces systèmes et le
langage » devaient « conduire à une distinction capitale parmi
les modes dont les états mentaux sont accouplés ».

Dans cet article, qui vise à la précision et à la formule, mais
qui est gauchement rédigé, Valéry distingue deux types d'associations : dans l'un, entre deux éléments *a* et *b*, il y a une « relation
de séquence » ; dans l'autre, « *b* pourra se construire à l'aide de *a*
et réciproquement ». « Toute variation de l'un des termes déter-
minera une variation dans l'autre. » Le langage est formé de relations du premier type, de simples relations de séquence, autrement dit d'associations « symboliques ou conventionnelles ».
On devrait alors rechercher « ce que deviennent ces symboles,
soumis à la répétition, à l'usage, mélangés aux groupements »
de l'autre « espèce, exposés à l'arbitraire de l'individu et portés
par lui à la dernière limite de leur valeur... ». Valéry promettait
d' « être plus clair, plus complet, plus long » dans un autre article
qui ne parut jamais. Cette promesse de « déterminer les hypothèses

---

1. Sur la façon dont Valéry concevait la psychologie, voir son article de l'année suivante, *Méthodes*, *Le Temps*, in *Mercure de France*, mai 1899 : « ... une
psychologie formelle, venant entourer et situer la logique formelle... si la psychologie peut devenir une science, c'est seulement quand nous connaîtrons
comment on ne pense pas à tout à la fois. Alors, cette nouvelle science sera,
en quelque sorte, la *Géométrie du Temps*, — c'est-à-dire le résumé des lois suivant lesquelles se substituent et se réfléchissent, les uns sur les autres, les états
de conscience » (p. 485).

fondamentales du langage » n'a jamais été tenue, mais certains
éléments de ces pages ont servi de germes à des réflexions ultérieures. Peut-être, entre temps, Valéry s'est-il aperçu que les
problèmes qui l'intéressaient n'avaient pas été aussi ignorés qu'il
le pensait ? En tout cas, son ambitieux projet paraît bien avoir
été abandonné. C'est peut-être le dernier grand rêve de sa jeunesse [1].

En fait, la plus grosse partie du programme a découragé Valéry.
Il reviendra à diverses reprises, mais d'une façon rapide et toute
négative, sur les rapports du langage avec l'individu et la société ;
il renoncera complètement, au moins dans ses publications, à
aborder les questions compliquées de la syntaxe et de ses rapports
avec la pensée ; il se cantonnera presque exclusivement dans
une critique générale du vocabulaire et dans l'essai d'analyse
de quelques termes. Il n'a gardé d'une entreprise démesurée
que ce qui pouvait lui servir immédiatement à préciser et à noter
ses idées personnelles.

Valéry, dans la préface pour la deuxième traduction en anglais
de *La Soirée avec M. Teste*, parlera de « cette étrange cervelle...
où le langage est toujours en accusation » [2]. Le héros de Valéry
a le comportement linguistique qui répond à l'idéal de son auteur :

Il parlait, et sans pouvoir préciser les motifs ni l'étendue de la
proscription, on constatait qu'un grand nombre de mots étaient
bannis de son discours. Ceux dont il se servait étaient si curieusement
tenus par sa voix ou éclairés par sa phrase que leur poids était
altéré, leur valeur nouvelle. Parfois, ils perdaient tout leur sens,
ils paraissaient remplir uniquement une place vide dont le terme
destinataire était douteux encore ou imprévu par la langue. Je
l'ai entendu désigner un objet matériel par un groupe de mots
abstraits et de noms propres [3].

Valéry lui-même s'est interdit pendant quelques années, dans
ses notes pour lui, l'usage de certains mots : « ... j'essayais de leur
substituer une expression qui ne dit que ce que je voulais dire.
Si je ne la trouvais point, je les affectais d'un signe qui marquait

1. Je ne crois pas que Valéry ait jamais fait allusion à la logistique, mais
il a dit à Charles Du Bos, *Journal*, 30 janvier 1923, p. 223, qu'il faudrait être au
moins un Leibniz pour oser aborder le plus grand des problèmes.
2. *Préface*, in *Monsieur Teste*, p. 12.
3. *La Soirée avec M. Teste*, in *Monsieur Teste*, p. 21-22. Sur la manière dont
la voix de Valéry mettait le mot *âme* entre guillemets, « avec un mélange de
grâce, de demi-gaminerie blagueuse et de pudeur », voir Charles Du Bos, *Journal*, 30 janvier 1923, p. 223.

qu'ils étaient mis à titre précaire. ¹ » Le coefficient de précarité
et la périphrase seraient donc des moyens de se défendre contre
l'insuffisance et l'imprécision des termes. Quant aux mots « si
curieusement tenus » par la voix de M. Teste, ne les sent-on pas,
dans les recueils de notes, soulignés par des italiques, détachés
par des tirets, cernés par des guillemets, altérés et mis en valeur
par des procédés de style qui les isolent, les opposent ou les rejettent dans une position singulière à l'intérieur du discours ?

« Je me méfie de tous les mots », dit, dans la *Lettre d'un ami*,
le correspondant de M. Teste ². Beaucoup de ces mots désignent
des notions vagues et, en quelque sorte, illustres. Valéry les a
désignés par deux images dénigrantes très pittoresques ; il les
a appelés tantôt des *trombones* ³ et tantôt des *perroquets* ⁴, selon
qu'il voulait stigmatiser leurs effets voyants ou leurs significations
imprécises. On pourrait dresser une belle liste de ceux que Valéry
incrimine particulièrement. Il reproche à beaucoup d'entre eux
d'être multivoques. Il écrit à Pierre Louÿs :

Songe qu'aujourd'hui encore, dans le parler usuel, le mot *force*
désigne à la fois et confusément dix notions très différentes, desquelles *une* seule garde ce sens dynamique.
Ainsi nous appelons force ce qui est suivant les cas : effort, intensité, énergie, force vive (qui n'est pas une force), accélération,
travail, puissance, durée même, etc... J'en oublie ⁵.
Il est impossible de s'assurer que des sens uniques, uniformes
et constants correspondent à des mots comme *raison, univers,
cause, matière* ou *idée* ⁶.

On pourrait essayer de «préciser la signification de tels termes»,
mais cet effort « aboutit à introduire sous le même nom un nouvel
objet de pensée qui s'oppose au primitif dans la mesure où il est
nouveau » ⁷. Le plus grave est qu'il suffit de considérer un mot
pour qu'il s'obscurcisse : « ... tel mot, qui est parfaitement clair
quand vous l'entendez ou l'employez dans le langage courant...
devient magiquement embarrassant... aussitôt que vous le retirez
de la circulation pour l'examiner à part... » Ainsi un mot comme
temps ou *vie* : « il se change en énigme, en abîme, en tourment

1. *Mémoires d'un poème*, p. XXIII.
2. In *Monsieur Teste*, p. 89.
3. *Cahier B*, in *Tel quel*, I, p. 221.
4. *L'Idée fixe*, p. 114-119 et 146-147. Il parle aussi de *gros mots* : vérité, dieu,
justice... et de *fausses notes* : âme... dans *Propos me concernant*, p. 27 et p. 18.
5. Lettre du 14 janvier 1916, in *O. C.*, t. B, p. 123.
6. *Svedenborg*, in *Variété V*, p. 272.
7. *Ibid.*, p. 272.

de la pensée... Ce phénomène facilement **observable** a pris pour moi une grande valeur critique. [1] » On pourrait encore tenter de décomposer le complexe mental que désigne le terme multivoque en éléments simples : « J'ai essayé », écrit-il à Pierre Louÿs, de faire pour la notion du *temps* une analyse qui le sépare en notions " pures ", qu'on ne puisse plus confondre. Je ne dis pas que j'y aie réussi. [2] »

> Le langage des choses de l'esprit est, par nature, désespérant. Des mots comme volonté, mémoire, idée, intelligence, temps, etc..., etc... !
> Cela suffit pour l'usage. Mais il faut chercher pour trouver des instruments plus déliés [3].

Nombre de *Rhumbs* et d'*Analecta* sont des essais d'analyse de cette sorte. Mais cette analyse se révèle infinie. C'est ce que Valéry expose par l'ingénieuse comparaison du microscope.

> Nécessaires, et mêmes suffisantes au mouvement rapide des échanges de pensées, toutefois, il n'est pas une seule de ces notions imparfaites et indispensables qui supporte d'être considérée en soi. Dès que le regard s'y attarde, aussitôt il y voit une confusion d'exemples et d'emplois très différents qu'il n'arrive jamais à réduire. Ce qui était clair au passage, et si vivement *compris*, se fait obscur quand on le fixe ; ce qui était simple se décompose ; ce qui était avec nous est contre nous. Un petit tour d'une vis mystérieuse modifie le microscope de la conscience, augmente le grossissement de notre attention par sa durée, suffit à nous faire apparaître notre embarras intérieur.
> Insistez, par exemple, le moins du monde, sur des noms comme *temps, univers, race, forme, nature, poésie*, etc., et vous les verrez se diviser à l'infini, devenir infranchissables [4].

Valéry a très finement mis en lumière le double régime des mots, selon qu'on les emploie couramment ou qu'on dirige sur eux le faisceau de lumière de la conscience. Dans une comparaison qui fait songer à Montaigne, il regarde le mot dont on use sans y prendre garde comme « une de ces planches légères que l'on jette sur un fossé, ou sur une crevasse de montagne... » ; que l'homme « passe sans peser... sans s'arrêter — et surtout, qu'il ne s'amuse pas à danser sur la mince planche pour éprouver sa

1. *Poésie et pensée abstraite*, in *Variété V*, p. 132-133.
2. Lettre du 14 janvier 1916, in *O. C.*, t. B, p. 123.
3. *Ibid.*, p. 123.
4. *Propos sur l'intelligence*, in *O. C.*, t. D, p. 86-87. La comparaison est reprise dans *L'Idée fixe*, p. 115-116.

résistance » [1] ! Ces mots, en effet, « souffrent le passage et point la station. L'homme en vif mouvement les emprunte et se sauve ; mais qu'il insiste le moins du monde, ce peu de temps les rompt et tout s'en va dans les profondeurs » [2].

Tout à l'heure, ils nous servaient à nous entendre ; ils se changent à présent en occasions de nous confondre. Ils étaient unis insensiblement à nos desseins et à notre acte comme des membres si dociles qu'on les oublie, et voici que la réflexion nous les oppose, les transforme en obstacles et en résistances. On dirait en vérité que les mots en mouvement et en combinaison sont tout autres choses que les mêmes mots inertes et isolés [3].

C'est évidemment la différence dans l'attention qui provoque cette impression ; mais Valéry la rapporte à la rapidité du discours : « ... Nous ne comprenons les autres, et... nous ne nous comprenons nous-mêmes, que grâce à *la vitesse de notre passage par les mots*. [4] » « Qui se hâte a compris ; il ne faut point s'appesantir : on trouverait bientôt que les plus clairs discours sont tissus de termes obscurs. [5] »

Valéry a proposé de renoncer catégoriquement à certains d'entre eux : « *Temps, espace, infini,* sont mots incommodes. Toute proposition qui se précise les abandonne. [6] » Mais, bien entendu, il n'a pu s'en passer (il a, par exemple, une théorie de ce qu'il appelle l' « infini esthétique »). « Je suis obligé par métier de me servir d'une foule de mots vagues et de faire montre de spéculer sur eux, par eux. Mais en moi ils ne valent rien. [7] » Ce sont des mots « bons pour causer », comme *nature, vie*, etc... : « A les entendre, j'ai la sensation de l'insuffisance, du provisoire ou de l'inachevé. Tout ce qu'on a pu dire en est tout affaibli. [8] » Dans une discussion à la Société française de philosophie, il s'est refusé à employer les mots beau, agréable, gracieux, comme n'étant pas objectifs [9]. Au Centre international de synthèse,

1. *Poésie et pensée abstraite*, in *Variété V*, p. 133.
2. *Lettre d'un ami*, in *Monsieur Teste*, p. 89.
3. *Propos sur l'intelligence*, in *O. C.*, t. D, p. 87.
4. *Poésie et pensée abstraite*, in *Variété V*, p. 133.
5. *Lettre d'un ami*, in *Monsieur Teste*, p. 89.
6. *Analecta*, CX.
7. *Propos me concernant*, p. 41.
8. *Ibid.*, p. 18.
9. *Réflexions sur l'art*, in *Bulletin de la Société française de philosophie*, 1935, p. 88. Voir encore dans *Rhumbs*, in *Tel quel*, II, p. 46 : « " Vérité, beauté ", ce sont là des notions très anciennes qui ne répondent plus à la précision exigible », et dans *Notes sur un tragique et une tragédie*, p. VIII : « quatre termes essentiels qui ne peuvent être définis : " Dieu, le DESTIN, la Liberté, le Hasard ". »

il a déclaré ne pas savoir ce que c'était que la subconscience [1].

Valéry a été plus loin que l'exclusion de termes courants, mais mal définis. Il a jugé que la réduction de son lexique était toujours souhaitable pour l'individu. « Un vocabulaire restreint, mais dont on sait former de nombreuses combinaisons, vaut mieux que trente mille vocables qui ne font qu'embarrasser les actes de l'esprit. [2] » Cette réflexion jette une lueur sur le vocabulaire poétique de Valéry. Il appartient à cette famille de poètes, comme Racine et Mallarmé, dont le choix de mots est exquisement restreint, mais la pauvreté du lexique compensée par le rayonnement magique de quelques mots mis en valeur, qui deviennent représentatifs et comme inséparables de leurs régénérateurs. Ce pouvoir n'est d'ailleurs pas interdit aux écrivains abondants qui puisent à pleines mains dans les réserves de la langue ; il y a des termes hugoliens, balzaciens, qu'on salue volontiers au passage dans le défilé de l'armée du verbe. Valéry est persuadé, en tout cas, que le langage intérieur évite spontanément un grand nombre de vocables :

La pensée ne se sert jamais avec elle-même de certains mots, qui ne lui paraissent bons que pour l'usage extérieur ; ni de certains autres, dont elle ne voit pas le fond, et qui ne peuvent que la tromper sur sa puissance et sa valeur réelles [3].

Il est, de plus, très limité :

L'âme bien seule avec elle-même... n'emploie jamais *qu'un petit nombre de mots*, et *aucun d'extraordinaire* [4].

A tout le moins, avant de traiter une question, il convient d'analyser les notions vagues. « Je ne comprends pas que l'on spécule sur ces matières avant ce travail, c'est pourtant l'usage. [5] » A plusieurs reprises, il est revenu sur cette précaution, qu'il a appelée « le nettoyage de la situation verbale » [6]. Devant un « système de mots » auquel correspond un ensemble de notions confuses, Valéry a l'habitude de nettoyer le « champ verbal » [7]. Il s'est

---

1. *L'Invention esthétique, Discussion*, in *L'Invention*, p. 156. Sur sa répugnance à employer le mot *subconscient*, voir toute la leçon 18 du *Cours de poétique*.
2. *Discours de l'histoire*, in *Variété IV*, p. 141.
3. *Poésie et pensée abstraite*, in *Variété V*, p. 135.
4. « *Cantiques spirituels* », in *Variété V*, p. 176.
5. Lettre à Pierre Louÿs du 14 janvier 1916, in *O. C.*, t. B, p. 123.
6. *Poésie et pensée abstraite*, in *Variété V*, p. 131.
7. *La création artistique*, in *Bulletin de la Société française de philosophie*, 1928, p. 7.

comparé « aux chirurgiens qui purifient d'abord leurs mains et préparent leur champ opératoire » [1]. Mais ce serait sur toute la terminologie qu'on se propose d'employer qu'il faudrait faire ce travail préliminaire : « Si je me mêlais de faire une philosophie (ce qu'à Dieu ne plaise), je commencerais par refaire entièrement mon dictionnaire. [2] » En fait, Valéry a poursuivi longtemps une entreprise de cette sorte : « J'ai essayé de me faire un langage "philosophique" [3] », c'est-à-dire essentiellement des définitions : « Une part immense de mon travail, à demi perdue, à demi utile, fut de me faire des définitions. Penser au moyen de mes propres définitions, ce fut pour moi une espèce de but. [4] » C'était la transformation de M. Teste en Sisyphe : « ... j'ai passé presque tout le temps de ma vie consciente à me faire une sorte de " dictionnaire philosophique " pour mon usage — en refonte perpétuelle plus ou moins heureuse... [5] »

Il est donc arrivé à Valéry d'essayer d'éclaircir et de fixer le sens de tel de ces mots qu'il incriminait. Ainsi, à propos du mot *esprit*, il a sans doute craint d'être accusé à son tour de faire parler un perroquet, car il a spécifié qu'il n'entendait « pas du tout une entité métaphysique », mais « ... une puissance de transformation... » dont il précisait les caractères, et il s'est accordé un satisfecit : « vous voyez qu'il y a une manière de définir l'esprit qui ne met en jeu aucune métaphysique, mais qui donne simplement à ce mot le sens irréprochable d'une constatation, qui en fait, en quelque sorte, le symbole d'un ensemble d'observations tout objectives. [6] » C'est ce qu'il faudrait faire pour des mots comme *temps*, *matière* ; c'est ce qu'il a fait, « sans rien publier d'ailleurs... pour le mot " point " dont il n'existe aucune définition satisfaisante » [7].

Quoi qu'en dise Valéry, l'exclusion systématique d'une partie du vocabulaire, la critique de certains termes prêtant à confusion, et la fixation préalable d'une terminologie précisée sont des

1. *Poésie et pensée abstraite,* in *Variété V,* p. 131. Voir aussi lettre à M. Jean de Latour, in *Examen de Valéry,* en note, p. 130-131.

2. Dernier texte cité.

3. *Propos me concernant,* p. 27.

4. Fragments d'une lettre à André Gide de mai 1921, in *L'Arche,* octobre 1945, p. 26.

5. *Propos me concernant,* p. 28.

6. *La Politique de l'Esprit,* in *Variété III,* p. 216-217.

7. Jean de Latour, *Examen de Valéry,* note des p. 130-131. Voir cependant *Analecta,* CVIII, sur le rapport du point et de l'espace.

pratiques bien connues, et même de tradition dans beaucoup de disciplines. Il en va de même d'un autre procédé, auquel Valéry a eu quelquefois recours, notamment dans *L'Idée fixe* : la création partielle d'une terminologie jugée utile, soit par néologisme, soit par reprise d'un terme auquel on donne une acception spéciale. L'*implexe*, la *nébuleuse mentale*, l'*à propos* et l'*omnivalence* nous sont d'ailleurs donnés par lui pour « des amusements sans conséquence », mais « la plupart des notions dont on use en Psychologie ne sont, en vérité, pas beaucoup plus " commodes " ni plus précises » [1].

Il existe cependant aux yeux de Valéry des définitions précises, de ces définitions qui « font nécessairement défaut » au « vocabulaire philosophique ordinaire » qui « offre ce vice d'affecter nécessairement les apparences d'un langage technique... il n'est de définitions précises qu'instrumentales (c'est-à-dire qui se réduisent à des actes, comme de montrer un objet ou d'accomplir une opération) » [2]. On retrouve ici la même exigence et la même limitation que dans sa théorie de la science ; seules valent les recettes, les actes qui réussissent. On est curieux, dès lors, de connaître quelques-uns de ces termes qui pour Valéry sont des outils auxquels on peut se fier. Dans son livre sur Degas, on voit qu'il prise particulièrement « le langage de la marine » ou « celui de la grande vénerie » ; il en fait un grand éloge, parce qu'on n'y trouve que les « noms de ce que l'on peut voir et faire », on y « sait ce que l'on veut », et rien n'y engage « dans la moindre métaphysique ». Aussi Valéry admire-t-il encore le vocabulaire des primitifs, « chez lesquels les facultés d'observation sont aux nôtres comme l'odorat du chien est à celui de l'homme », et dont tels d'entre eux « ne possèdent pas moins de quatorze verbes pour désigner les quatorze mouvements de tête de l'alligator » [3]. Tout à l'heure, on nous prêchait la restriction du vocabulaire ; maintenant on admire l'étendue de celui des sauvages, et il est arrivé à Valéry de se plaindre de la pauvreté de celui des civilisés :

Il ne faut jamais laisser échapper une occasion de souligner la grande misère du vocabulaire « psychologique ». Quoique un peu moins pauvre que la nôtre en termes de cet ordre, la langue anglaise

1. *L'Idée fixe*, p. 10-11. Noter la remarque du docteur, p. 104 : « Monsieur fabrique sa petite terminologie. »
2. *Svedenborg*, in *Variété V*, p. 272.
3. *Degas. Danse. Dessin*, p. 148-154. La richesse concrète du vocabulaire de certaines peuplades ne doit pas faire illusion ; elle est liée à l'incapacité d'abstraire.

ne permet pas mieux de distinguer ce que nous voudrions discriminer, — ce que nous essayons de discerner par les mots : psychique, mental, intellectuel [1]...

Quand il écrivait *La Jeune Parque*, il avait déjà déploré l'extrême pauvreté de notre langue psychologique, qu'il lui avait fallu « appauvrir encore, puisque le plus grand nombre des mots qui la composent est incompatible avec le ton poétique » [2].

Le véritable modèle d'un langage précis, Valéry le trouve naturellement dans les mathématiques. D'où cette prophétie : « l'avenir saura construire un langage pour l'intellect... sur le modèle de l'algèbre et de la géométrie. [3] » « Pas de révolution plus profonde que celle qui remplacera l'ancien langage et les anciennes idées *vagues* par un langage et des idées *nets*. [4] » C'est à l'avenir qu'est maintenant confié le rêve du jeune homme.

Tout insuffisant qu'il lui paraisse, le langage jouit d'un grand prestige auprès de Valéry. On devine, dans l'article ancien sur la *Sémantique* de Bréal, à quel point le jeune homme de vingt-six ans qui l'écrivait était sensible au pathétique d'une simple page. Lui, qui devait dire magnifiquement de Mallarmé, à propos du *Coup de dés*, dans une formule qui réunit le souvenir de Pascal et celui de Kant : « Il a essayé ... d'élever enfin une page à la puissance du ciel étoilé » [5], on le sent déjà saisi devant ce « système infiniment relié », cet « incalculable réseau », que constitue le moindre texte. Il propose d'en imaginer « les différences grammaticales, c'est-à-dire leurs lois de pluralité, d'existence dans la durée, leurs natures psychologiques », puis, en se plaçant du point de vue historique, linguistique et étymologique (« même si ces connaissances ne sont pas très sûres, elles tiendront lieu des véritables »), d'apprécier le changement topographique opéré quand les mots sont « associés à leur étage historique ».

1. *Quelques fragments des Marginalia,* in *Commerce,* XIV, Hiver MCMXXVII, p. 28.
2. Frédéric Lefèvre, *Entretiens avec Paul Valéry,* p. 61.
3. *Avant-propos,* in *Variété,* p. 103.
4. *Analecta,* CXX.
5. *Le Coup de Dés,* in *Variété II,* p. 199. Dans sa diatribe contre Pascal, *Variation sur une « pensée »,* in *Variété,* p. 141, Valéry rappelle la fameuse formule de Kant sur la loi morale et le ciel étoilé. Cette opposition entre les deux philosophes, Valéry n'avait eu qu'à la puiser dans la note de Brunschvicg à la pensée 206 de sa petite édition des *Pensées et Opuscules.*

On aura l'impression que donne un monument dont les membres sont antiques, l'ordre barbare ; ou bien celle qu'éveille un pauvre, vêtu de quotidiens mangés de prose et qui les a collés pour s'en faire une chemise de fortune. On sourit alors de remuer tout cela pour écrire la moindre ligne. Une conscience cruelle donne à la moindre ligne la grandeur de Wagram, la difficulté de la théorie de la lune ; et l'on en trace des millions sans s'en douter. Que l'écrivain ne s'en doute pas [1].

Il a dû éprouver très jeune, même avant ses premiers vers, la puissance du mot, sa force de transformation, celui qui a écrit :

On ne sait jamais en quel point, et jusqu'à quel nœud de ses nerfs, quelqu'un est atteint par un mot, — j'entends : insignifiant.
Atteint, — c'est-à-dire : changé. Un mot mûrit brusquement un enfant [2].

Le langage permet d'agir sur l'individu : « La parole est le gouvernement d'un homme par un autre. » On ne peut y échapper, car, de quelque façon que je réagisse, « c'est obéir : ma réaction a pu être prévue » [3]. M. Teste, le lucide, poussera très loin par la précision de ses propos, pourtant « rien qu'humains », la capacité de se mettre « prodigieusement » à la place de son épouse : « Il y a dans son langage je ne sais quelle puissance de faire voir et entendre ce que l'on a de plus caché... [4] » Valéry a fait un éloge du rhéteur et du sophiste, frères des hommes d'action, et, il a curieusement considéré comme des écrivains d'illustres manieurs de peuples : « Napoléon, César, Frédéric, — hommes de lettres, éminemment doués pour la manœuvre des hommes et des choses — par les mots. [5] » Les défauts mêmes du langage sont générateurs de sentiments puissants, et même de progrès :

... Nos enthousiasmes, nos antagonismes dépendent directement des vices de notre langage ; ses incertitudes favorisent les divergences, les objections, et tous ces tâtonnements de lutteurs intellectuels. Elles empêchent heureusement les esprits d'arriver jamais au repos... On peut se dire, en feuilletant l'histoire, qu'une dispute qui n'est pas sans issue est une dispute sans importance [6].

Si le langage est puissant, on peut l'utiliser comme tel. Phèdre, dans *Eupalinos*, nous le montrera créateur. « Pas de géométrie

1. *Méthodes. La Sémantique...*, in *Mercure de France*, janvier 1898, p. 260.
2. *Choses tues*, in *Tel quel*, I, p. 49.
3. *Suite*, in *Tel quel*, II, p. 338.
4. *Lettre de Madame Émilie Teste*, in *Monsieur Teste*, p. 52.
5. *Rhumbs*, in *Tel quel*, II, p. 48.
6. *Propos sur l'intelligence*, in *O. C.*, t. D, p. 87.

sans la parole. [1] » Les figures géométriques sont celles « qui sont
traces de ces mouvements que nous pouvons exprimer en peu
de paroles. [2] » Car, sans la parole, « les figures sont des accidents »,
mais, par elle, « nous savons... construire ou enrichir l'étendue,
au moyen de discours bien enchaînés ». « Le langage est constructeur. » Il est aussi « la source des fables », et Phèdre allait dire
« le père même des dieux », si Socrate ne l'avait interrompu pour
l'empêcher d'être impie sans mérite. A la fin du dialogue nous
apprenons que l'immortalité ne consiste également qu'en paroles.
En attendant, Socrate développe une élégante allégorie fondée
sur les trois aspects du langage : la parole vulgaire, l'expression
des Muses, et le langage de l'intelligence.

... Un autel qu'on lui dresserait devrait présenter au jour trois
faces différemment ornées ; et, si j'avais à la figurer sous les apparences humaines, je lui donnerais trois visages : l'un, presque informe,
signifierait la parole commune : celle qui meurt à peine née ; et qui
se perd sur-le-champ, par l'usage même. Aussitôt, elle est transformée dans le pain que l'on demande, dans le chemin que l'on vous
indique, dans la colère de celui que frappe l'injure... Mais le second
visage jetterait, par sa bouche arrondie, un flot cristallin d'eau
éternelle : il aurait les traits les plus nobles, l'œil grand et enthousiaste ; le col puissant et gonflé, que les statuaires donnent aux
Muses.

PHÈDRE

Et le troisième ?

SOCRATE

Par Apollon, comment figurer celui-ci ?... Il y faudrait je ne sais
quelle physionomie inhumaine, avec des traits de cette rigueur
et de cette subtilité qu'on dit que les Égyptiens ont su mettre sur
le visage de leurs dieux.

PHÈDRE

On dit vrai. La ruse, les énigmes, une précision presque cruelle,
une finesse implacable et quasi bestiale ; tous les signes de l'attention féline et d'une féroce spiritualité sont visibles sur les simulacres
de ces dures divinités. Le mélange habilement mesuré de l'acuité
et de la froideur cause dans l'âme un malaise et une inquiétude
particulière. Et ces monstres de silence et de lucidité, infiniment
calmes ; infiniment éveillés ; rigides et qui semblent doués d'imminence, ou d'une souplesse prochaine, apparaissent comme l'Intelligence elle-même, en tant que bête et animal impénétrable, qui tout
pénètre [3].

N'est-ce pas l'effrayant Monsieur Teste que nous retrouvons sous

1. P. 43.
2. *Ibid.*, p. 140.
3. *Ibid.*, p. 145-147.

la forme inattendue d'un dieu égyptien ? Madame Teste comparait quelquefois son époux à un sphinx. Pour les Grecs, enfin, pour qui « toutes choses sont formes », qui ne se perdent point dans leurs pensées et n'en retiennent que les rapports, un même nom désigne le langage, la raison et le calcul.

Voici donc le langage père de toutes choses de l'esprit, et singulièrement des siences et des arts. Il n'y aurait là qu'un vieux thème, si Valéry ne le renouvelait dans *Eupalinos* par le prestige de sa rhétorique et, ailleurs, par des aperçus de détail. La philosophie, dans son ambition vouée à l'insuccès, n'en est pas moins « une entreprise qui a pour fin l'accomplissement de la connaissance en tant qu'on peut la réduire aux fonctions et combinaisons du langage » [1]. Dans son article *Autour de Corot*, Valéry a souligné l'importance du discours dans les arts : « tous les arts vivent de paroles», et montré que les grands artistes étaient volontiers grands théoriciens [2]. On sait combien à ses yeux la spéculation des poètes entre dans l'élaboration de leurs œuvres. Mais il a insisté surtout sur l'exploitation littéraire du langage. La littérature tout entière n'est qu' « un développement de certaines des propriétés du langage... les plus agissantes chez les peuples primitifs... » [3], et la langue ne retrouve sa beauté qu'en se retrempant à ses sources et en se débarrassant de la vulgarité contemporaine. « Plus la forme est belle, plus elle se sent des origines de la conscience et de l'expression ; plus elle est savante et plus elle s'efforce de retrouver, par une sorte de synthèse, la plénitude, l'indivision de la parole encore neuve et dans son état créateur. [4] » D'autre part, les divers genres de littérature s'appuient tous sur une possibilité spéciale du langage : « Tout genre littéraire naissant de quelque usage particulier du discours, le roman sait abuser du pouvoir immédiat et significatif de la parole, pour nous communiquer une ou plusieurs " vies " imaginaires. [5] »

La poésie utilise le langage d'une façon toute particulière. Elle s'oppose par là à la philosophie, à toute recherche de la vérité : « Dans la forêt enchantée du langage, les poètes vont tout exprès

1. *Une vue de Descartes*, in *Variété V*, p. 227-228.
2. In *Pièces sur l'art*, p. 155-160.
3. *Discours prononcé à la Maison d'Éducation de la Légion d'Honneur de Saint-Denis*, in *Variété IV*, p. 151. Cf. *De l'enseignement de la poétique au Collège de France*, in *Variété V*, p. 289 : « *La Littérature est*, et *ne peut être autre chose qu'une sorte d'extension et d'application de certaines propriétés du Langage.* »
4. *Ibid.*, p. 151.
5. *Hommage*, in *Variété*, p. 152.

pour se perdre, et s'y enivrer d'égarement, cherchant les carrefours de signification, les échos imprévus, les rencontres étranges ; ils ne craignent ni les détours, ni les surprises, ni les ténèbres... mais le veneur qui s'y excite à courre la " vérité ", à suivre une voie unique et continue... s'expose à ne capturer que son ombre. [1]» Elle s'oppose également à la science : Phèdre, dans *Eupalinos*, nous dit que seules les paroles simples (parmi lesquelles les plus simples sont les nombres) sont propres aux calculs. Les autres, le sont difficilement.

C'est qu'elles furent créées séparément ; et les unes à tel instant, et par tel besoin ; et les autres, dans une autre circonstance. Un seul aspect des choses, un seul désir, un seul esprit, ne les ont pas instituées comme par un seul acte. Leur ensemble n'est donc approprié à aucun usage particulier, et il est impossible de les conduire à des développements certains et éloignés, sans se perdre dans leurs ramifications infinies... Il faut donc ajuster ces paroles complexes comme des blocs irréguliers, spéculant sur les chances et les surprises que les arrangements de cette sorte nous réservent, et donner le nom de « poètes » à ceux que la fortune favorise dans ce travail [2].

C'est déjà tout un art poétique. Cependant, on peut opérer un rapprochement entre la poésie et la philosophie ou la science. Il y a en philosophie des « nébuleuses verbales à résoudre », un spectacle intérieur des transformations de la pensée, « un exercice de la pensée sur elle-même », qui peuvent la faire comparer à la poésie [3]. Mais ailleurs Valéry a opposé à la Philosophie, la Poésie et la Géométrie ensemble, parce que toutes deux, « chacune selon sa nature, usent proprement et franchement du langage (dont elles exploitent à fond chacune quelque propriété réelle), et en peuvent user *sans la moindre illusion* (dont elles n'ont aucun besoin) [4]. »

Mais, si l'on veut bien comprendre le rôle du langage en poésie, c'est au langage courant qu'il faut l'opposer.

Le langage, si intime qu'il soit en nous, si proche que le fait de penser sous forme de parole soit de notre âme, n'en est pas moins d'*origine statistique* et de *destination purement pratique*. Or le pro-

1. *Discours prononcé au Deuxième Congrès international d'Esthétique et de Science de l'art*, in *Variété IV*, p. 245-246.
2. *Eupalinos*, p. 149-150.
3. *Descartes*, in *Variété IV*, p. 217-218.
4. Lettre de Paul Valéry, septembre 1937, en tête de Jean de Latour, *Examen de Valéry*.

blème doit être de *tirer de cet instrument pratique les moyens de réaliser une œuvre essentiellement non pratique* [1].

« Écrire me paraissait donc un travail très différent de l'expression immédiate », dira-t-il dans *Mémoires d'un Poème* [2]. Le langage est susceptible de deux espèces d'effets : dans la communication d'une pensée, dans la conversation, par exemple, les paroles sont abolies immédiatement au bénéfice de la compréhension, « elles sont remplacées par une contre-partie, par des images, des relations, des impulsions », elles-mêmes susceptibles d'une retransmission dans un langage tout différent. Comprendre, c'est substituer à « un système de sonorités, de durées et de signes... une modification ou une réorganisation intérieure de la personne ». La contre-épreuve est fournie par le fait que « la personne qui n'a pas compris répète, ou se fait répéter les mots ». Mais il arrive que le son d'une phrase nous retienne et nous revienne ; la phrase « a pris une valeur... aux dépens de sa signification finie... Elle a créé le besoin d'être encore entendue... Nous voici sur le bord même de la poésie ». Cette « forme sensible » qui « prend par son propre effet une importance telle qu'elle s'impose et se fasse en quelque sorte, respecter », bien plus, « désirer, et donc reprendre », nous dispose à vivre « selon un régime et sous des lois qui ne sont plus de l'ordre pratique » [3]. Il y a un « univers de langage », dans lequel « le poète dispose des mots tout autrement que ne fait l'usage et le besoin.... ». Ce sont « les mêmes mots, mais point du tout les mêmes valeurs » [4]. Il y a, d'ailleurs, chez le poète, une proportion des deux langages, l'un naturel, l'autre purifié et luxueux [5]. Cependant, la cloison n'est pas absolument étanche entre les deux. Valéry a contesté à M. Lucien Fabre l'emploi de quelques mots, difficilement absorbés par la langue poétique, mais « cette langue change comme l'autre, et les termes géométriques... peut-être se fondront à la longue, comme tant d'autres mots techniques l'ont fait, dans le métal abstrait et homogène du langage des dieux » [6].

Le langage de l'écrivain doit être personnel. C'est un des rares cas où, sans employer le mot, Valéry recommande l'originalité,

1. *Poésie pure. Notes pour une conférence*, in *O. C.*, t. C, p. 205-206.
2. P. XIII.
3. *Poésie et pensée abstraite*, in *Variété V*, p. 143-144.
4. *Questions de poésie*, in *Variété III*, p. 54.
5. *Je disais quelquefois à Stéphane Mallarmé...*, in *Variété III*, p. 28.
6. *Avant-propos*, in *Variété*, p. 107-108.

et le conseil vaut aussi bien pour la prose que pour la poésie.
« Le plus beau serait de penser dans une forme qu'on aurait
inventée. ¹ » « Tout homme jalousement et puissamment personnel
se forge un langage secret. ² » « Le puissant esprit... bat sa propre
monnaie. ³ » On peut deviner vers quel langage le goût de Valéry
se porte. Il souhaite un style qui recrée non seulement la pensée,
mais la langue elle-même.

Je ne prise, et ne puis priser, que les écrivains qui parviennent
à exprimer ce que j'eusse trouvé difficile à exprimer, si le problème
de l'exprimer se fût proposé ou imposé à moi.
C'est là le seul cas dans lequel je puisse mesurer une valeur en
unités absolues, — c'est-à-dire : *miennes*.
Je puis admirer dans d'autres cas ; mais d'une admiration de
pure impression.
Je dirai aussi que je ne prise l'acte d'écrivain que pour autant
qu'il me semble de la nature et de la puissance d'un progrès dans
l'ordre du langage ⁴.

La limite de ce progrès est une rigueur mathématique :

Mon goût du net, du pur, du complet, du suffisant, conduit à
un système de substitutions — qui reprend comme en sous-œuvre
le langage, — le remplace par une sorte d'algèbre, — et aux *images*
essaie de substituer des *figures*, — réduites à leurs propriétés utiles.
— Par là se fait automatiquement une unification du monde
physique et du psychique ⁵.

Cette rigueur n'est pas aussi étrangère qu'on pourrait le croire
à la poésie. Dans un curieux passage, Valéry montre chez Racine
et La Fontaine, un langage tout pénétré de leur personne, ou du
moins de la personne qu'ils font parler, mais il note, en contraste, chez Hugo et chez Mallarmé, un langage détaché de la
personne, et, en quelque sorte, inhumain :

Le discours de Racine sort de la bouche d'une personne vivante,
quoique toujours assez pompeuse.
De même chez La Fontaine ; mais la personne est familière,
parfois fort négligée.
Au contraire chez Hugo, chez Mallarmé et quelques autres,
paraît une sorte de tendance à former des discours non humains,
et en quelque manière, *absolus*, — discours qui suggèrent je ne sais
quel être indépendant de toute personne, — une divinité du lan-

---

1. *Rhumbs*, in *Tel quel*, II, p. 101.
2. *Stendhal*, in *Variété II*, p. 107.
3. *Rhumbs*, in *Tel quel*, II, p. 85.
4. *Autres Rhumbs*, in *Tel quel*, II, p. 160.
5. *Analecta*, XX.

gage, — qu'illumine la Toute-Puissance de l'Ensemble des Mots.
C'est la faculté de parler qui parle ; et parlant, s'enivre ; et ivre,
danse [1].

Ce passage est révélateur de l'idéal valéryen. Il s'agit d'atteindre
un style où ce soit moins le poète qui parle que le langage lui-même,
et dont la rigueur soit celle de la science inhumaine, tout en
conservant la puissance du charme divin. N'est-ce pas l'éloge
du langage à la fin de *La Pythie*, quand la voix de l'oracle est
dépersonnalisée :

> Honneur des Hommes, Saint LANGAGE,
> Discours prophétique et paré,
> Belles chaînes en qui s'engage
> Le dieu dans la chair égaré,
> Illumination, largesse !
> Voici parler une Sagesse
> Et sonner cette auguste Voix
> Qui se connaît quand elle sonne
> N'être plus la voix de personne
> Tant que des ondes et des bois !

Ainsi l'extrême personnalité de la forme rejoint l'impersonnalité.
C'est, en effet, l'impression que donne l'éclair du génie quand il
se formule au-dessus du temps et du lieu comme une sentence
inéluctable. Et c'est aussi le caractère distinctif de l'inspiration
dans laquelle la révélation subite semble sans rapport avec celui
qui en est la proie. Rimbaud affirmait qu'on ne devrait pas dire :
« Je pense », mais « on me pense ».

***

Il y a entre le langage et la pensée des rapports complexes
que les philosophes, les psychologues et les linguistes ont souvent
étudiés et qui peuvent aller de la quasi-identité à l'extrême différence. Dans les arts littéraires, la distinction de ces deux domaines
est indispensable à l'analyse, quelle que soit la relation qu'on
établisse entre eux. Elle commande toute une série de couples
d'idées : matière et manière, fond et forme, contenu et style,
intention et expression, etc... Valéry s'est surtout servi de l'antinomie générale *forme et fond*, et, d'un point de vue plus spécial,
de l'opposition *son et sens*. Nous allons voir comment il a compris
et appliqué à la poésie ces deux systèmes simples de relation.

Valéry a loué, chez les écrivains qui s'opposèrent au romantisme,

1. *Rhumbs*, in *Tel quel*, II, p. 75-76.

« le désir d'une substance plus solide et d'une forme plus savante
et plus pure » [1]. C'était postuler à la fois une supériorité du fond
et une supériorité de la forme. Il n'est pas douteux — et l'œuvre
de Valéry, comme celle des poètes qu'il admire, Baudelaire, Mallarmé surtout, l'atteste — que cette double exigence lui a paru
essentielle. Il ne faudra pas l'oublier quand il semblera sacrifier
l'un des facteurs à l'autre. C'est qu'en effet, selon les points de
vue assez nombreux que l'on peut adopter, la relation entre les
deux notions peut changer au profit de l'une ou de l'autre, leur
proportion varier, et la prédominance s'inverser. On obtient ainsi
tout un éventail d'opinions. Pour le montrer, nous allons faire
passer la pensée de Valéry par des variations légères, la faire
virer, en quelque sorte, en changeant avec lui les angles de vue,
et nous constaterons une transition presque continue qui fait
décroître l'importance du fond et croître celle de la forme.

Valéry n'aime pas l'éloquence. La rhétorique du politicien
qui enflamme un public naïf paraît à un observateur lucide et
de sang-froid un masque qui dénonce la faiblesse de la pensée.

La forme réfute le fond. La chaleur du débit, l'énergie de l'orateur,
ses éclats, ses images, son talent, son génie... autant d'écrasants
arguments contre le fond.
Les fortes thèses sont nues.
Mais s'il les faut parer et cuirasser — écrasant argument contre
l'auditoire [2].

Cette forme sans ornements, qui laisserait transparaître l'idée
dans sa pureté, ce pourrait être un idéal de la prose, ou même la
prose pure. Mais, en fait, le langage ne fait ici que répondre parfaitement à la fonction normale que lui assigne Valéry, qui est
de se transformer instantanément en « non-langage », de transmettre la pensée. « L'essence de la prose est de périr — c'est-à-
dire d'être " comprise ". [3] » C'est le triomphe, de ce point de vue,
du fond sur la forme.

La poésie a des exigences toutes contraires. Le fond ne saurait
suffire. C'est pourquoi, selon Valéry, Boileau a dit une sottise
en disant :

1. *Situation de Baudelaire*, in *Variété II*, p. 148.
2. *Rhumbs*, in *Tel quel*, II, p. 42.
3. *Au sujet du « Cimetière marin »*, in *Variété III*, p. 66. Voir aussi l'*Invention
esthétique*, in l'*Invention*, p. 149 : « le langage pratique est détruit, résorbé, une
fois le but atteint (la compréhension) » et *Poésie et pensée abstraite*, in *Variété V*,
p. 144 : « Dans les emplois pratiques ou abstraits du langage, la forme... ne se
conserve pas. »

> Et mon vers, bien ou mal, dit toujours quelque chose.

et une sottise « aggravée de cet abominable "bien ou mal" »[1]. Le poète n'est pas l'homme qui doit se contenter, s'il pleut, de dire : Il pleut. « Il n'est pas besoin d'un poète pour nous persuader de prendre notre parapluie. [2] » Dans la poésie, le fond réclame une forme luxueuse et sensible, d'une valeur particulière.

La Poésie est toute païenne : elle exige impérieusement qu'il n'y ait point d'âme sans corps, — point de *sens*, point d'*idée* qui ne soit l'acte de quelque figure remarquable, construite de timbres, de durées et d'intensités [3].

Toutefois, la pensée a son importance en poésie ; elle s'y doit insinuer, avec des précautions particulières qui l'écartent de la prose.

La pensée doit être cachée dans les vers comme la vertu nutritive dans un fruit. Un fruit est nourriture, mais il ne paraît que délice. On ne perçoit que du plaisir, mais on reçoit une substance. L'enchantement voile cette nourriture insensible qu'il conduit [4].

Nous avons ici un nouveau rapport de la forme et du fond : c'est la dissimulation du fond sous la forme qui est préconisée.

Jusqu'ici la pensée n'a pas été altérée dans sa valeur. Mais Valéry a souvent déclaré qu'un vrai poète n'hésite pas à la sacrifier, si c'est nécessaire. Boileau recommande

> Que toujours le bon sens s'accorde avec la rime.

Valéry, au contraire, soutient que « la raison veut que le poète préfère la rime à la raison » [5]. C'est que la poésie obéit à des exi-

1. « *Cantiques spirituels* », in *Variété V*, p. 169. Cf. *Littérature*, in *Tel quel*, I, p. 158.
2. *Propos sur la poésie*, in *Conferencia*, 1928, p. 471.
3. *Je disais quelquefois à Stéphane Mallarmé*, in *Variété III*, p. 27.
4. *Littérature*, in *Tel quel*, I, p. 144. Le *Calepin d'un poète*, in *O. C.*, t. C, p. 190, donnait une version différente : « L'enchantement, voilà cette nourriture qu'il conduit. » Y a-t-il eu erreur de copiste dans cette première version, ou application, dans la seconde, du procédé qui trouve un sens nouveau en modifiant la forme ?
5. Sur la difficulté d'accorder les deux exigences, voir le *Cours de poétique* : « Combiner des valeurs de sensibilité et de signification n'est possible en poésie qu'au prix de sacrifices réciproques : il faut payer en valeurs de sens ce qu'on gagne en valeurs de sensation. Ainsi arriverons-nous, par exemple, à des invraisemblances, mais qui cadreront avec les exigences de la sensibilité musicale ou visuelle ; et, d'autre part, nous serons obligés de faire un vers peu sonore pour dire quelque chose. Les vers ne sont pas faits pour dire quelque chose, mais enfin il le faut quelquefois » (leçon 9). Un exemple de ces sacrifices est peut-être dans le poème de Baudelaire : *La servante au grand cœur...* où le poète « a

gences particulières ; elle vise, par toutes sortes de moyens, à
rejoindre la musique. Le langage ordinaire se prête mal à ce chant
de la parole et la nature même de la pensée gêne, par certains
côtés, la musicalisation du poème. Valéry a remarquablement
exposé ce point de vue dans son article sur le Père Cyprien :

> Un poète, en général, ne peut accomplir son œuvre que s'il peut
> disposer de sa pensée première ou directrice, lui imposer toutes les
> modifications (parfois très grandes) que le souci de satisfaire aux
> exigences de l'exécution lui suggère. La pensée est une activité
> immédiate, provisoire, toute mêlée de parole intérieure très diverse,
> de lueurs précaires, de commencements sans avenir : mais aussi,
> riche de possibilités, souvent si abondantes et séduisantes qu'elles
> embarrassent leur homme plus qu'elles ne le rapprochent du terme.
> S'il est un vrai poète, il sacrifiera presque toujours à la forme (qui,
> après tout, est la fin et l'acte même, avec ses nécessités organiques)
> cette pensée qui ne peut se fondre en poème si elle exige pour
> s'exprimer qu'on use de mots ou de tours étrangers au ton poétique.
> Une alliance intime du son et du sens, qui est la caractéristique
> essentielle de l'expression en poésie ne peut s'obtenir qu'aux dépens
> de quelque chose, — qui n'est autre que la pensée. Inversement,
> toute pensée qui doit se préciser et se justifier à l'extrême se désin-
> téresse et se délivre du rythme, du nombre, des timbres, — en un
> mot, de toute recherche des qualités sensibles de la parole. Une
> démonstration ne chante pas [1]...

Valéry a soutenu que Racine aurait changé le caractère de Phèdre
plutôt que de faire un mauvais vers [2]. Et lui-même a déclaré :
« je subordonne (d'autant plus que je suis plus proche de mon
meilleur état) le " contenu " à la " forme " — toujours disposé
à sacrifier *cela* à *ceci*. [3] » A propos de la *Poétique* de Pierre Louÿs,
il avait écrit à celui-ci : « Il n'est pas certain qu'il soit nécessaire
ou recommandable de dire exactement ce qu'on voulait dire [4] »
et une des notes de *Rhumbs* précise : « Il n'est pas toujours bon
d'être soi-même. [5] » Cet enseignement paraît contraire à l'exemple
de Baudelaire, qui voulait faire exactement ce qu'il avait projeté.
Sans discuter la thèse de Valéry, reconnaissons qu'il y a deux
familles de poètes, ceux qui s'efforcent de conserver intacte leur

---

enterré la cuisinière dans une pelouse, ce qui est contre la coutume, mais selon
la rime » (*Littérature*, in *Tel quel*, I, p. 159).
1. « *Cantiques spirituels* », in *Variété V*, p. 178-179.
2. André Gide, *Journal*, p. 891.
3. *Propos me concernant*, p. 20.
4. Lettre du 6 juin 1917, *O. C.*, t. B, p. 135.
5. *Rhumbs*, in *Tel quel*, II, p. 70.

pensée, et ceux qui la modèlent sur les chances que leur offrent les hasards de la formulation. Tous, d'ailleurs, au moins dans le détail, bénéficient de rencontres imprévues qui modifient la pensée primitive et qui l'embellissent. Il en va de même dans d'autres arts ; le sculpteur utilise un défaut de la matière, le peintre une tache ou un accident du dessin... Mais ceci nous conduit à une nouvelle relation du fond et de la forme.

En effet, si l'on sacrifie le fond à la forme, c'est que cette dernière a été suggestive. Elle a donné des idées. Par un renversement des rôles, c'est maintenant la forme qui est créatrice du fond, et, d'un point de vue quelque peu différent, c'est la forme qui est antérieure au fond. Valéry est revenu très souvent sur ce rôle producteur de l'apparence. Il a fait de l'utilisation des suggestions inattendues du métier, la caractéristique même du poète : « Est poète celui auquel la difficulté inhérente à son art donne des idées, — et ne l'est pas celui auquel elle les retire. [1] » D'où la fécondité de la rime : « Il y a bien plus de chances pour qu'une rime procure une " idée " (littéraire) que pour trouver la rime à partir de l'idée. Là-dessus repose toute la poésie et particulièremnt celle des années 60 à 80... [2] » On savait depuis toujours que la rime donnait des idées. Malherbe, au dire de Racan, préconisait la recherche des « rimes rares et stériles, sur la créance qu'il avait qu'elles lui faisaient produire quelques nouvelles pensées ». Boileau, plus craintif, recommandait d'accorder la rime avec le bon sens. Mais Fontenelle, avec qui je trouve que Valéry n'est pas sans quelque ressemblance, déclarait, dans ses *Réflexions sur la poétique*, la rime « d'autant plus parfaite que les deux mots qui la forment sont plus étonnés de se trouver ensemble » ; il les voulait, de plus, « aussi aisés qu'étonnés », et il opposait à cette rime heureuse la rime trop attendue, comme *âme* et *flamme*, où il y a excès d'affinité pour le sens, et dont il disait gaiement : « Cette rime est légitime, mais c'est presque un mariage... les mots ne sont pas étonnés, mais ennuyés de se rencontrer. »

En poussant à la limite, et en généralisant ces cas de découverte fortuite, Valéry a mis à l'origine de l'œuvre entière la forme pure

---

1. *Rhumbs*, in *Tel quel*, II, p. 62.
2. *Cahier B*, in *Tel quel*, I, p. 203. Valéry a dit à Charles Du Bos, *Journal*, 30 janvier 1923, p. 226 : « Vous savez que toutes les pièces de Mallarmé ont été faites comme on fait des bouts-rimés. Je veux dire qu'il avait toutes ses rimes prêtes et rien que ses rimes... Le système de Mallarmé dans le vers est un système bloqué... moi, il m'est impossible de travailler par bouts-rimés.. »

et vide de pensée. « Je prenais, si l'on veut, la pensée pour "inconnue ". [1] » Il a fait de la forme la génératrice exclusive : « Les belles œuvres sont filles de leur forme, qui naît avant elles. [2] » En conséquence, il a formellement déconseillé de commencer un poème par des idées et de les développer logiquement : « Si tu veux faire des vers et que tu commences par des pensées, tu commences par de la prose. Dans la prose, on peut dresser un plan et *le suivre* ! [3] » Valéry a donné des exemples personnels de création poétique commandée par la conception d'une forme préexistante. Ce sont ses répliques à la fameuse genèse du *Corbeau* :

Tel poème a commencé en moi par la simple indication d'un rythme *qui s'est peu à peu donné un sens.* Cette production, qui procédait, en quelque sorte, de la « forme » vers le « fond », et finissait par exciter le travail le plus conscient à partir d'une structure vide, s'apparentait, sans doute, à la préoccupation, qui m'avait exercé, pendant quelques années, de rechercher les conditions générales de toute pensée, quel que soit son contenu [4].

C'est ainsi que naquit *Le cimetière marin. La Pythie* a pour origine un octosyllabe qui s'est complété. Une autre fois, une combinaison de rythmes se trompa d'adresse. Il fallait un compositeur; ce fut un poète qui l'obtint : « la substance d'une œuvre musicale me fut libéralement donnée ; mais l'organisation qui l'eût saisie, fixée, redessinée, me manquait. [5] »

On trouvera dans *Léonard et les philosophes* un exposé de ce curieux idéalisme, qui tend à faire de la forme une idée dont l'œuvre ne serait qu'un effet. L'idée d'une forme est égale pour l'artiste à l'idée qui demande une forme. « Un type de phrase peut précéder quelque phrase. Les masses d'un tableau être établies avant le sujet. [6] » Chez Mallarmé, « le " fond " n'est plus *cause* de la " forme " ; il en est l'un des effets. [7] » Sous un aspect un peu différent, Valéry a exposé à la Société de philosophie comment les moyens préexistent à leur fin et la déterminent [8]. « Il en est

1. *Mélange*, p. 42.
2. *Choses tues*, in *Tel quel*, I, p. 17.
3. *Calepin d'un poète*, in *O. C.*, t. C, p. 186.
4. *Mémoires d'un poème*, p. xxv.
5. *Poésie et pensée abstraite*, in *Variété V*, p. 141.
6. In *Variété III*, p. 159.
7. *Mallarmé*, in *Vues*, p. 188.
8. *La création artistique*, in *Bulletin de la Société française de philosophie*, 1928, p. 11-13.

chez qui le développement des moyens devient si avancé... qu'ils
parviennent à " penser ", à " inventer " dans le monde de l'exécution, à partir des moyens mêmes. [1] » Enfin, une généralisation
plus vaste présente tous les arts comme une déduction de leurs
éléments :

... la musique déduite des propriétés des sons ; l'architecture
déduite de la matière et des forces ; la littérature, de la possession
du langage et de son rôle singulier et de ses modifications, — en
un mot la partie réelle des arts excitant leur partie imaginaire,
l'acte possible créant son objet... telle est la conséquence d'une
virtuosité acquise et surmontée [2].

Et Valéry ajoutait à ces exemples la géométrie moderne. On retrouve ici l'idéal scientifique d'une esthétique infaillible. Mais
nous sommes passés à un degré supérieur dans la hiérarchie des
pouvoirs : la forme créatrice du fond nous a été expressément
donnée comme la partie réelle des arts par opposition à leur partie imaginaire... Socrate disait dans *Eupalinos* : « Le réel d'un
discours, c'est après tout cette chanson, et cette couleur d'une
voix, que nous traitons à tort comme détails et comme accidents. [3] »
Valéry a poussé cette idée jusqu'à son extrême conséquence
en déniant au fond sa valeur : « Ce que l'on nomme le " contenu ",
ou le " fond " des œuvres, et que j'appelle volontiers leur partie
ou plutôt leur aspect " mythique ", me paraissait d'intérêt secondaire. Comme, dans une démonstration, on prend un cas particulier " pour fixer les idées ", ainsi, selon mes goûts spéculatifs,
devait-on faire des " sujets ". Je prétendais réduire au minimum l'idolâtrie. [4] » Dans la vie courante, si nous en croyons
le docteur de l'*Idée fixe*, « la façon de parler en dit plus que
ce que l'on dit... Le fond n'a aucune importance... essentielle. —
C'est curieux, répond son interlocuteur facile à reconnaître,
c'est une théorie de la poésie » [5]. Dans l'œuvre, le sujet n'a pas
d'importance ; c'est un prétexte. « Le sujet d'un ouvrage est
à quoi se réduit un mauvais ouvrage. [6] » « Le *sujet* d'un poème
lui est aussi étranger et aussi important que l'est à un homme,
son *nom*. [7] » Le contenu d'idées de l'œuvre n'a pas plus d'impor-

1. *Je disais quelquefois à Stéphane Mallarmé*, in *Variété III*, p. 24.
2. *Ibid.*, p. 24-25.
3. *Eupalinos*, p. 88.
4. *Mémoires d'un poème*, p. XXXVIII.
5. *L'Idée fixe*, p. 204-205.
6. *Autres Rhumbs*, in *Tel quel*, II, p. 159.
7. *Littérature*, in *Tel quel*, I, p.145.

tance ; sa valeur est toute relative aux temps et aux personnes.
A propos de Bossuet, Valéry dit :

Trois siècles de changements très profonds et de révolutions
dans tous les genres... rendent nécessairement naïve, ou étrange,
et quelquefois inconcevable à la postérité que nous sommes, la
substance des ouvrages d'un temps si différent du nôtre... La valeur
de l'idée est indéterminée ; elle varie avec les personnes et les
époques. Ce que l'un juge profond est pour l'autre d'une évidence
insipide ou d'une absurdité insupportable [1].

Ce qui constitue véritablement l'œuvre, c'est sa forme, et c'est
la forme seule qui assure sa durée.

... la structure de l'expression a une sorte de réalité tandis que
le sens ou l'idée n'est qu'une ombre [2].
La forme est le squelette des œuvres ; il est des œuvres qui n'en
ont point. Toutes les œuvres meurent ; mais celles qui avaient
un squelette durent bien plus par ce reste que les autres qui n'étaient
qu'en parties molles [3].
L'expérience montre que les œuvres ne résistent à cette épreuve
si redoutable, à cette concurrence pressante et toujours renouvelée
que leur font les créations ultérieures que par une seule de leurs
qualités, qui est la forme [4].

Bossuet est un « trésor de figures, de combinaisons et d'opérations
coordonnées ». On peut « admirer passionnément ces compositions
du plus grand style », comme « l'architecture de temples dont
le sanctuaire est désert et dont les sentiments et les causes qui
les firent édifier se sont dès longtemps affaiblis. L'arche demeure ».
Mais les « pensées qui se trouvent dans Bossuet... paraissent
aujourd'hui peu capables d'exciter vivement nos esprits » [5].
Ce qui se conserve, c'est la forme et non le fond.

La supériorité de la valeur a donc passé complètement du fond
à la forme. Il ne reste, semble-t-il, plus guère à ajouter à cette
révolution. Il reste, cependant, à donner à la forme l'antique
prestige que la conscience traditionnelle attache à la pensée
plus qu'à son expression. Il reste à dire que la forme a plus de
fond que le fond. C'est ce que croient quelques-uns, contre la
« pure superstition » de la plupart des lecteurs :

Ils estiment audacieusement que la structure de l'expression
a une sorte de réalité tandis que le sens ou l'idée n'est qu'une

1. *Sur Bossuet*, in *Variété II*, p. 44-45.
2. *Ibid.*, p. 45.
3. *Autres Rhumbs*, in *Tel quel*, II, p. 159-160.
4. *Gœthe.* « *On dit Gœthe comme on dit Orphée* », in *Conferencia*, 1933, p. 481.
5. *Sur Bossuet*, in *Variété II*, p. 45-46.

ombre... Pour ces amants de la forme, une forme, quoique toujours provoquée ou exigée par quelque pensée, a plus de prix, et même de sens, que toute pensée. Ils considèrent dans les formes la vigueur et l'élégance des *actes* ; et ils ne trouvent dans les pensées que l'instabilité des *événements* [1].

Le poète est invité à prendre conscience de la supériorité de sa foi morphologique sur la naïveté des croyants de la pensée.

POÈTE. Ton espèce de matérialisme verbal.
Tu peux considérer *de haut* romanciers, philosophes, et tous ceux qui sont assujettis à la parole par la crédulité ; — qui *doivent* croire que leur discours est *réel* par son contenu et signifier quelque réalité. Mais toi, tu sais que le réel d'un discours ce sont les mots, seulement, et les formes [2].

On est bien près dès lors de substituer la forme au fond, et c'est à quoi tend Valéry quand il déclare : « Ce qui est la " forme " pour quiconque, est le " fond " pour moi. [3] » Mais c'est encore laisser subsister les deux notions. Un dernier pas reste à franchir, qui consiste à résorber le fond dans la forme. Il suffit d'établir que le fond n'est qu'une forme de qualité inférieure. L'opposition du sens et de la forme « n'a de sens que dans le monde pratique, celui dans lequel il y a échange immédiat de paroles contre actes et d'actes contre paroles » ; ce qu'on appelle

... le fond n'est qu'une forme impure, — c'est-à-dire *mêlée*. Notre *fond* est fait d'incidents et d'apparences incohérentes : sensations, images de tous genres, impulsions, mots isolés, fragments de phrases... Mais, pour transmettre ce qui réclame d'être transmis et *veut* se dégager de ce chaos, il faut que tous ces éléments si hétérogènes soient représentés dans le système unifié du langage, et qu'il s'en forme quelque discours. Cette transposition d'événements intérieurs en formules constituées de signes de même espèce, — *également conventionnels*, — peut bien être regardé comme le passage d'une *forme* ou apparence *moins pure* à une *plus pure* [4].

Déjà, dans *Eupalinos*, Socrate disait : « ... pour nous autres Grecs, toutes choses sont formes » [5].
On peut peut-être aller encore plus loin et considérer les idées comme des cas particuliers ou des accidents variés du langage. Mallarmé a fait

1. *Sur Bossuet*, in *Variété II*, p. 46. Il fera dire à Faust : « Les idées ne coûtent rien... C'est la forme » (*Lust*, in « *Mon Faust* », p. 89).
2. *Calepin d'un poète*, in *O. C.*, t. C, p. 197.
3. *Ibid.*, p. 197.
4. *Je disais quelquefois à Stéphane Mallarmé*, in *Variété III*, p. 27-28.
5. *Eupalinos*, p. 147-148.

concevoir et placer *au-dessus de toutes les œuvres* la possession consciente de la fonction du langage et le sentiment d'une liberté supérieure de l'expression au regard de laquelle toute pensée n'est qu'un incident, un événement particulier [1]...

Valéry a exalté chez son maître « le pouvoir verbal de combiner, pour quelque fin suprême, *les idées qui naissent des mots* » [2] et reconnu chez Hugo un pouvoir de même nature :

Chez lui, la forme est toute maîtresse. L'acte qui fait la forme domine entièrement en lui. Cette forme souveraine est en quelque manière plus forte que lui, il est comme le possédé du langage poétique. Ce qu'on nomme la Pensée devient en lui, par un étrange et très instructif renversement de fonction, la Pensée devient en lui le moyen et non la fin de l'expression. Souvent le développement d'un poème est visiblement chez lui la déduction d'un merveilleux accident de langage qui a surgi dans son esprit [3].

C'est le sentiment de cette liberté qui pousse Valéry à user du langage à sa guise, à partir des formes pour arriver au sens, à chercher quel sens conviendrait à telle belle forme qui l'a séduit :

Poète est aussi celui qui cherche le système intelligible et imaginable, de l'expression duquel ferait partie un bel accident de langage : tel mot, tel accord de mots, tel mouvement syntaxique, — telle entrée, — qu'il a rencontrés, éveillés, heurtés par hasard, et remarqués, — de par sa nature de poète [4].

Il semble qu'alors se développe un pouvoir nouveau du langage, celui de révéler ce que la pensée aurait été trop débile pour concevoir. C'est, en quelque sorte, le langage divinisé qui pense et qui pense plus que la pensée. C'est le poète qui dit plus et mieux qu'il ne sait : « Grandeur des poètes de saisir fortement avec leurs mots, ce qu'ils n'ont fait qu'entrevoir faiblement dans leur esprit. [5] »

Nous allons maintenant examiner l'opposition plus restreinte du *son* et du *sens*. Nous n'aurons pas, cette fois, à faire varier les deux termes du rapport au bénéfice de l'un d'eux. Tout au contraire, nous aurons à insister sur leur égalité, sur leur indépendance, et sur leur indissolubilité.

1. *Je disais quelquefois à Stéphane Mallarmé*, in *Variété III*, p. 32.
2. *Mallarmé*, in *Vues*, p. 185.
3. *Victor Hugo créateur par la forme*, in *Vues*, p. 180.
4. *Littérature*, in *Tel quel*, I, p. 146.
5. *Choses tues*, in *Tel quel*, I, p. 28.

Et d'abord, si le fond est sacrifié à la forme, cela ne veut pas dire qu'il soit éliminé, cela veut dire simplement que le poète a le droit de le modifier, puisque son but n'est pas la pensée discursive, mais une création sensible et belle. Le poème a donc un sens, quoique différent de celui d'une page de prose. Il a, d'autre part, une musique, très différente aussi de la sonorité du langage ordinaire. Non seulement, comme le langage courant ou la prose soutenue, la poésie a *sens* et *son*, mais elle en a davantage. Il y a dans le vers, cela est évident, plus de musique, et plus de pensée, ce qui est plus remarquable et vaut d'être retenu. « La poésie est l'ambition d'un discours qui *soit chargé de plus de sens et mêlé de plus de musique* que le langage ordinaire n'en porte et n'en peut porter. [1] » Valéry a insisté sur l'égalité nécessaire de ces deux facteurs :

> ... les pensées énoncées ou suggérées par un texte de poème ne sont pas du tout l'objet unique et capital du discours, — mais des *moyens* qui concourent *également* avec les sons, les cadences, le nombre et les ornements, à provoquer, à soutenir une certaine tension ou exaltation, à engendrer en nous un *monde* — ou un *mode d'existence* — tout harmonique [2].

Il y a « *égalité de valeur* et de pouvoirs » entre la forme et le fond, le son et le sens, le poème et l'état de poésie [3]. Le vers « s'établit dans un équilibre admirable et fort délicat entre la force sensuelle et la force intellectuelle du langage » [4].

Son et sens, dans le poème, doivent être à la fois indépendants et indissolubles. C'est proprement la difficulté poétique. Il s'agit de

> ... mener à la fois deux développements indépendants l'un de l'autre par leurs natures, l'un qui soit continuellement musical, l'autre qui construise par images et idées un état psychique... les solutions simples de ce problème sont exceptionnelles, non point qu'on n'en trouve quantité d'admirables exemples dans des vers ou des strophes isolés, mais il est fort peu de poèmes de plus longue haleine où l'on ne distingue ou des défaillances ou des discontinuités... Le lecteur perçoit aussitôt que la forme et le fond n'étaient point inséparables. Mais leur donner l'*apparence* continue d'être indissolubles est un objet essentiel de l'art du poète [5].

1. *Passage de Verlaine*, in *Variété II*, p. 180-181.
2. *Au sujet du « Cimetière marin »*, in *Variété III*, p. 68.
3. *Propos sur la poésie*, in *Conferencia*, 1928, p. 472.
4. *De la diction des vers*, in *Pièces sur l'art*, p. 45.
5. Frédéric Lefèvre, *Une heure avec Paul Valéry*. Voir encore *Cours de poétique*, leçon 6 : « Le grand problème est de maintenir l'art sensoriel et la cons-

Valéry a souvent insisté sur l'inséparabilité de ces deux développements. Il en a fait le critère de la poésie et de l'esprit antipoétique. Il a toujours considéré cette réussite exceptionnelle comme un miracle.

Que voulons-nous, — si ce n'est de produire l'impression puissante, et pendant quelque temps continue, qu'il existe entre la forme sensible d'un discours et sa *valeur d'échange en idées*, je ne sais quelle union mystique, quelle harmonie, grâce auxquelles nous participons d'un tout autre monde que le monde où les paroles et les actes se répondent [1] !

Il faut, dans le poème, une alliance du sensible et du significatif, une « symbiose du son et du sens », comme en architecture un accord intime « entre la *matière* et la *figure* de l'ouvrage », ce qui est le « principe le plus délicat et le plus solide de tous les arts » [2].

Cette inséparabilité se trouve non seulement dans l'effet sur l'amateur, mais dans la production même du poème. « La composition est, en quelque manière, continue, et ne peut guère se cantonner dans un autre temps que celui de l'exécution. Il n'y a pas un temps pour le " fond ", un temps de la " forme ". [3] » Valéry a analysé cet état d'indivision à propos de vers de Baudelaire :

Mais écoutons à présent des vers comme ceux-ci :
Mère des Souvenirs, Maîtresse des maîtresses...
ou bien :
Sois sage, ô ma douleur, et tiens-toi plus tranquille...

Ces paroles agissent sur nous (du moins, sur quelques-uns d'entre nous) sans nous apprendre grand'chose. Elles nous apprennent peut-être qu'elles n'ont rien à nous apprendre ; qu'elles exercent, par les mêmes moyens qui, en général, nous apprennent quelque chose, une tout autre fonction. Elles agissent sur nous à la façon d'un accord musical. L'impression produite dépend grandement de la résonance, du rythme, du nombre de ces syllabes ; mais elle résulte aussi du simple rapprochement des significations. Dans le second de ces vers, l'accord des idées vagues de Sagesse et de Douleur, et la tendre solennité du ton produisent l'inestimable valeur d'un charme : l'être momentané qui a fait ce vers, n'eût pu le faire s'il eût été dans un état où la forme et le fond se fussent proposés séparément à son esprit. Il était au contraire dans une phase spé-

truction significative comme deux chevaux indépendants. Le poète doit conduire à la fois le son et le sens, la variable phonétique et la variable sémantique. »

1. *Je disais quelquefois à Stéphane Mallarmé*, in *Variété III*, p. 14.
2. *Images de la France*, in *Regards sur le monde actuel et autres essais*, p. 130.
3. *Au sujet du « Cimetière marin »*, in *Variété III*, p. 71.

ciale de son domaine d'existence psychique, phase pendant laquelle le son et le sens de la parole prennent ou gardent une importance égale — ce qui est exclu des habitudes du langage pratique comme des besoins du langage abstrait. L'état dans lequel l'indivisibilité du son et du sens, le désir, l'attente, la possibilité de leur combinaison intime et indissoluble sont requis et demandés ou donnés et parfois anxieusement attendus, est un état relativement rare. Il est rare, d'abord parce qu'il a contre lui toutes les exigences de la vie ; ensuite parce qu'il s'oppose à la simplification grossière et à la spécialisation croissante des notations verbales [1].

La composition véritable d'un poème ne réside pas pour Valéry dans l'ordre logique des développements, mais dans l'intime association du son et du sens :

... la valeur d'un poème réside dans l'indissolubilité du son et du sens. Or, c'est là une condition qui paraît exiger l'impossible. Il n'y a aucun rapport entre le son et le sens d'un mot... Et cependant c'est l'affaire du poète de nous donner la sensation de l'union intime entre la parole et l'esprit [2].

On peut fournir la contre-épreuve : « Si le sens et le son (ou si le fond et la forme) se peuvent aisément dissocier, le poème se décompose. [3] » Conséquence capitale : les idées en poésie ne sont pas du tout des « valeurs de même espèce » qu'en prose. Aussi, les habitudes scolaires d'analyse sont-elles vertement condamnées par Valéry. Les critères de l'esprit anti-poétique sont les suivants :

Distinguer le fond et la forme, un sujet et un développement, le son et le sens, séparer rythmique, métrique et prosodie de l'expression verbale (mots et syntaxe) — mettre ou faire mettre en prose un poème, faire d'un poème un matériel d'instruction ou d'examens [4].

Le poème est souvent défiguré parce que le poète est aux prises avec une « matière mouvante et trop impure ». Chaque mot, au lieu d'être un son et un sens,

... est à la fois plusieurs *sons* et plusieurs *sens*, — autant de sons qu'il est de provinces en France et presque d'hommes dans chaque province, et les effets musicaux prévus par les poètes sont défigurés, — plusieurs sens, parce que les images suggérées sont assez différentes et les images secondaires infiniment différentes [5].

1. *Poésie et pensée abstraite*, in *Variété V*, p. 154-155.
2. *Ibid*, p. 153-154.
3. *Au sujet du « Cimetière marin »*, in *Variété III*, p. 71.
4. *Questions de poésie*, in *Variété III*, p. 53-54.
5. *Propos sur la poésie*, in *Conferencia*, 1928, p. 469-470. Sur le rôle des accents

Il y a beaucoup d'exagération dans tout cela. S'il y a synthèse de la signification et de la sonorité dans le vers, on ne voit pas ce qui interdirait de les examiner à part ; on préconiserait de plus d'étudier la relation des deux facteurs, pour montrer qu'on se soucie bien de leur « indissolubilité », mais Valéry protesterait encore puisque, pour lui, ils sont aussi « indépendants ». Récuser l'analyse revient à dire qu'on tue le poème en l'étudiant. On ne le tue pas plus qu'on ne tue un tableau ou un morceau de musique en les décomposant abstraitement. Quant aux altérations phonétiques, provinciales ou individuelles, elles sont généralement peu graves chez les lecteurs de poésie qui ont une culture suffisante pour les corriger facilement ; et, si on prenait trop au sérieux les altérations de *sens* du vocabulaire, il faudrait en conclure que personne ne comprend personne.

L'association du son et du sens n'est pas statique. Elle a un effet que nous avons déjà vu à propos de la sensibilité, qui, on s'en souvient, dans le domaine esthétique, redemande à être éprouvée. C'est pourquoi « la forme poétique se récupère automatiquement. [1] » C'est toujours la théorie de l'infini esthétique. Valéry a défini le poème une « hésitation prolongée entre le son et le sens », et, pour mieux se faire entendre, il a eu recours à une de ses ingénieuses comparaisons de physicien, celle du pendule. Ce pendule métaphorique oscille entre deux positions extrêmes qui représentent chacune une des deux composantes du poème (en gros, le *son* et le *sens*) ; mais Valéry attache toute une série de termes associés à chaque membre de son antinomie ; d'une part : forme, caractères sensibles du langage, son, rythme, accents, timbre, mouvement, — « en un mot la Voix en action », ou encore tout ce qui est sensation ; d'autre part, « toutes les valeurs significatives » : images, idées, excitations du sentiment et de la mémoire, impulsions virtuelles, formations de compréhension, « en un mot, tout ce qui constitue le *fond*, le sens d'un discours », ou encore la pensée. Un peu plus loin, il assimilera tout ce qui est sensation à la Présence, tout ce qui est pensée à l'Absence (c'est-à-dire à la production de choses absentes, la pensée ne vivant que de la mémoire). Voici comment fonctionne l'appareil :

... à chaque vers, la signification... loin de détruire la forme

provinciaux dans le massacre de la poésie, voir encore le *Bilan de l'intelligence*, in *Variété III*, p. 299.
1. *Propos sur la poésie*, in *Conferencia*, 1928, p. 471.

musicale... redemande cette forme. Le pendule vivant qui est descendu du *son* vers le *sens* tend à remonter vers son point de départ sensible, comme si le sens même... ne trouvait d'autre issue, d'autre expression, d'autre réponse que cette musique même qui lui a donné croissance.

Ainsi, entre la forme et le fond, entre le son et le sens, entre le poème et l'état de poésie, se manifeste une symétrie, une égalité d'importance, de valeur et de pouvoir, qui n'est pas dans la prose ; qui s'oppose à la loi de la prose — laquelle décrète l'inégalité des deux constituants du langage. Le principe essentiel de la mécanique poétique — c'est-à-dire des conditions de production de l'état poétique par la parole — est à mes yeux cet échange harmonique entre l'expression et l'impression... Entre la Voix et la Pensée, entre la Pensée et la Voix, entre la Présence et l'Absence, oscille le pendule poétique [1].

Cette relation entre le *son* et le *sens* d'un vers vraiment poétique est mystérieuse, et elle doit l'être :

La puissance des vers tient à une harmonie *indéfinissable* entre ce qu'ils *disent* et ce qu'ils *sont*. « Indéfinissable » entre dans la définition... L'impossibilité de définir cette relation, combinée avec l'impossibilité de la nier, constitue l'essence du vers [2].

Nous retrouvons donc, dans l'effet total de la poésie, dans le fruit de l'union mystique de la pensée et de la musique, cette impossibilité d'explication que Valéry faisait entrer dans sa définition de la beauté ineffable, fin suprême de toute œuvre d'art. A ce point de vue, la poésie, bien qu'elle provoque une émotion spéciale, ne se distingue pas des autres créations esthétiques. Elle vise à la beauté, comme tous les arts, et le caractère inexprimable de cette beauté rend tous les arts susceptibles de poésie.

1. *Poésie et pensée abstraite*, in *Variété V*, p. 152-153. Valéry avait déjà exprimé les mêmes idées et usé de la comparaison du pendule poétique dans *Propos sur la poésie*, in *Conferencia*, 1928, p. 471-472.
2. *Rhumbs*, in *Tel quel*, II, p. 78.

CHAPITRE IV

OBSCURITÉ ET POÉSIE ABSOLUE

Nous venons de voir que Valéry voulait que le poème fût chargé de plus de sens et de plus de musique que le langage pratique et qu'il le faisait consister dans l'union indissoluble, harmonique et indéfinissable de ces deux développements indépendants. Cette *composition*, dans laquelle le son et le sens se réclament réciproquement et indéfiniment, éclaire l'allure si particulière des poésies de Valéry si on la garde présente à l'esprit en les relisant. Elle permet aussi de mieux comprendre la position théorique adoptée par le poète sur certains points de doctrine qui touchent à la signification et à l'expression musicale en poésie. Il y a, en France, depuis Mallarmé, un débat sur l'obscurité des poètes, bien que l'hermétisme remonte à une tradition beaucoup plus lointaine, et il y a eu, du temps de Valéry, une querelle de la poésie pure, bien que la formule ait été employée avant lui.

J'ai dit précédemment qu'il ne fallait pas, malgré les sacrifices du fond à la forme consentis par Valéry, oublier l'importance qu'il attache au sens. Celui-ci, quel qu'il soit, ou plutôt quel qu'il devienne, compte pour moitié dans ses poèmes, et il serait peut-être difficile d'en dire autant de bien des œuvres dont la clarté n'a jamais été mise en doute. Chez certains poètes, il y a un déséquilibre manifeste, si nous adoptons le point de vue de Valéry, entre l'harmonie de la forme et l'indigence du fond. Il est vrai que d'autres rétablissent l'équilibre par une égale platitude des deux développements.

Le sens, pour Valéry, c'est l'organisation d'un monde psychique qui, parallèlement à l'organisation d'un monde sonore, entre à

égalité avec celui-ci dans la composition de l'univers poétique où
le poème doit nous placer. Plutôt que de sens, on préférerait ici
parler d'imagination, de jeu d'images, de système de représentations, mais le mot *idées*, que Valéry emploie constamment,
peut, s'il est pris dans son sens large, désigner suffisamment la
création mentale qui émeut le sentiment poétique. D'une certaine
manière, on peut dire que ce monde particulier est compris et on
peut parler du sens d'un poème. Toutefois, cette signification
s'entend assez différemment de ce qu'on appelle le sens d'une
phrase, et même le sens d'un vers. Si l'on veut comprendre le sens
d'une phrase, on en fait une espèce de traduction, en substituant
des définitions aux définis. Si l'on veut comprendre le sens d'un
poème, une traduction de cette sorte le dénature doublement,
d'une part, en abolissant la valeur et la couleur des mots, d'autre
part, en substituant aux effets émotifs et au spectacle interne des
images et de leurs relations, un compte rendu abstrait. Comprendre
le sens d'un poème, ce n'est pas l'appauvrir dans un procès-verbal
qui le prive de toutes ses résonances ; c'est, au contraire, multi-
plier les retentissements psychologiques qu'il implique et qu'il
concentre dans sa miraculeuse densité. C'est pourquoi l'analyse
des poètes est proprement infinie. Valéry a parfaitement raison
de soutenir qu'on né peut pas résumer un poème. Il aurait peut-
être dû ajouter qu'on peut le développer. La sensibilité poétique
de l'amateur, quand elle existe à un degré assez élevé, répond à
l'extrême condensation des intentions du poète par l'instantanéité
d'une extrême multiplicité d'impressions. Analyser un poème,
ce n'est que débrouiller et étaler cette richesse.

Il ne saurait donc être question, quand on veut saisir le sens
d'un poème, de se borner à la compréhension unilatérale à laquelle
on vise quand on lit un rapport. La complexité du poème ne peut
se réduire à une suite d'affirmations. Les notions qu'il fait intervenir sont impliquées dans un jeu de relations dont l'appréciation
peut varier d'un esprit à l'autre, et cela dans les poèmes les plus
clairs. Si, d'autre part, comme je le pense, le sentiment est le
facteur psychologique le plus intéressé dans cette perception du
monde du poème, les possibilités d'interprétation s'en trouvent
encore assouplies. Mais il ne faut pas aller jusqu'à prétendre
qu'elles sont infinies. Les repères que le poème a fixés à notre
rêverie divagante la canalisent plus étroitement que l'on ne pense.
C'est dans une *zone*, si l'on veut, plutôt que sur une *ligne*, que

l'intelligence de l'amateur de poèmes se déplace, mais elle ne peut se perdre dans des régions illimitées. Il y a une certaine élasticité de compréhension, mais maintenue par l'unité du poème. Peut-être les commentaires de poèmes seraient-ils moins décevants, et soulèveraient-ils moins d'opposition de la part de lecteurs qui ne s'accordent pas avec les auteurs de ces exégèses difficiles, s'ils tenaient compte de cette marge, réduite, mais certaine, et probablement nécessaire à la liberté du jeu poétique. Plutôt qu'à une arbitraire fixation du sens, devrait-on s'attacher à marquer les limites entre lesquels il évolue. Je résumerais volontiers ceci en disant que, dans un poème, il y a du sens plutôt qu'un sens.

Un poème, à mon avis, est un appel au sentiment du lecteur, et même une succession d'appels. Il est fatal que ces sollicitations très variées, mais qui se renforcent, aboutissent à un état d'émotion dont l'unité a peu de ressemblance avec celle que présente l'ordre d'une argumentation ou d'une démonstration. Parler de sens d'un poème, c'est employer dans le domaine du cœur un langage fait pour la raison. Ce n'est pas impossible, et c'est peut-être iné-vitable dès qu'on se mêle d'étudier ce genre de phénomènes. Cette difficulté a été rencontrée par tous les psychologues du sentiment qui ne le réduisaient pas à la volonté ou à l'intelligence et en fai-saient une réalité spécifique. Mais cette traduction en termes d'intelligence ne doit pas méconnaître son objet, et, si l'on prend garde à l'impression que peut faire un poème sur nous, on verra bien que ce qu'on appelle assez improprement le sens d'un poème — comme le veut aussi Valéry, très intellectualiste sur ce point comme, d'ailleurs, la majorité du public français — se réduit beaucoup plus à le sentir qu'à le comprendre. On embarrasserait beaucoup d'amateurs en leur demandant à brûle-pourpoint ce que signifie le *Clair de lune* de Verlaine, alors que le souvenir de leur émotion de lecture est resté en eux vivace. L'expérience montre que, dans les poèmes où la pensée n'offre aucune difficulté d'assi-milation, on a à peine fait attention à elle, et qu'on a été tout le temps bien plus occupé par les jeux de l'imagination et du senti-ment et par les effets du rythme et des sonorités. Seulement, quand la pensée fait obstacle, ou plutôt quand l'univers mental suggéré offre une figure nouvelle qui demande un déchiffrement comme une musique moins facile, là où certains sont attirés par le mystère et les promesses de l'inconnu, d'autres, désorientés, oublient que, lorsqu'ils jouaient à première vue, ils jouissaient de la mélodie sans se demander ce que l'auteur avait voulu dire. En fait, le lecteur de poésie ne songe à se préoccuper du sens que lorsque celui-ci se refuse à la première lecture. Son tort, quelquefois, est de se raidir dans une attitude de méfiance. S'il se laissait aller au poème, il verrait celui-ci s'éclaircir tout seul par le simple jeu des impressions qu'il suscite. Si vous ne comprenez pas un poème, apprenez-le par cœur. Et j'ajouterais : les bons poèmes s'apprennent tout seuls.

Les poèmes de Valéry sont pleins de sens et se gravent dans la mémoire. Comment pourrait-il en être autrement chez un poète qui a le même culte, et des dons égaux, pour la physionomie sonore du vers et pour sa physionomie mentale ? Comme, d'autre part, l'inspiration est chez lui constamment contrôlée et manœuvrée, on peut être sûr d'avance que ce n'est pas par défaut que péchera le contenu intellectuel de ses vers ; l'obscurité, si obscurité il y a, ne sera pas le simple reflet de la confusion de l'esprit ou le résultat de l'insuffisance de l'expression, comme il peut arriver chez d'autres, qui n'aboutissent pas à l'obscurité par la complexité des intentions, de l'élaboration et des transpositions, mais partent au contraire d'une volonté d'obscurcissement et finissent par apparaître beaucoup plus clairs dans leurs procédés qu'ils ne le soupçonnaient. N'est pas obscur qui veut. On ne trouve pas non plus chez Valéry cette chaleur aveugle, capable parfois de beaux cris, ni ces effusions désordonnées qui sacrifient délibérément aux secousses violentes de la sensibilité l'harmonie générale et l'élégance de structure de l'œuvre. Encore moins y verra-t-on cette complaisance à la spontanéité sans frein, présumée plus révélatrice de nos richesses intérieures ou des secrets de la spiritualité ; rien, non plus, qui se rapproche de la dictée inconsciente préconisée à leurs débuts par les surréalistes dans l'espoir d'aboutir à d'étranges figures qui surprendraient et capteraient des pouvoirs ignorés. Au surplus, il suffit d'écouter Valéry lui-même qui s'est abondamment et très clairement expliqué sur l'obscurité poétique. Sous des formules qui ont pu inquiéter, ce qu'on trouvera toujours présent, en définitive, ce sera la louange de la lucidité et l'amour de la clarté.

Nous ferons peut-être bien d'éliminer d'abord le reproche qu'on a fait quelquefois à Valéry d'avoir modifié le texte de quelques-uns de ses poèmes. Il a dit, dans *Mémoires d'un poème* :

Il m'est arrivé de publier des textes différents de mes poèmes :

il en fut même de contradictoires, et l'on n'a pas manqué de me critiquer à ce sujet. Mais personne ne m'a dit pourquoi j'aurais dû m'abstenir de ces variations [1].

Dans sa préface au commentaire du *Cimetière marin*, où il s'étonnait déjà d'avoir encouru ce blâme, il se déclarait tenté, au contraire,

... d'engager les poètes à produire, à la mode des musiciens, une diversité de variantes ou de solutions du même sujet. Rien ne me semblerait plus conforme à l'idée que j'aime à me faire d'un poète et de la poésie [2].

Et, plus tôt encore, il avait poussé cette conception à la limite, conformément à une tendance intellectuelle qu'il a confessée et qui est assez visible dans ses réflexions :

Pour qui s'intéresse de très près au travail même du vers, il importe peut-être assez peu de varier les sujets. Je concevrais fort bien qu'un poète amoureux de son art se contentât de refaire, sa vie durant, toujours le même poème, en donnant tous les trois, quatre ou cinq ans, une variation nouvelle d'un thème une fois choisi [3]...

et il comparaît chaque état du poème au lancement d'un châssis nouveau d'automobile, pourvu de perfectionnements, d'un type primitivement conçu. Sans aller jusque là, il n'est pas sans exemple que des poètes aient repris un même sujet, et il est très fréquent, en tout cas, qu'ils se corrigent dans des éditions successives ; il arrive même qu'ils sacrifient de bonnes pièces et qu'ils en détériorent quelques-unes (ce fut le cas de Ronsard). L'étude des variantes des poètes suffit à montrer que le sens est rarement fixé chez eux d'une manière définitive et qu'ils n'hésitent pas à contredire, en vue d'un effet supérieur, le sens primitif. C'est ce qui est arrivé à Valéry, au grand scandale de certains, quand dans *Palme* il substitua carrément, devant un substantif, à la préposition *avec* la préposition *sans*. Bien que la seconde version dît exactement le contraire de la première, le sens général du poème n'en était guère modifié, mais un détail se trouvait infiniment plus approché de la manière proprement valéryenne de voir les choses : on passait, en effet, du groupe « avec mystère » au groupe « sans mystère ». C'était un progrès vers le sens, si l'on admet que le vrai sens d'un poème c'est celui qui touche de plus près à la

---

1. *Mémoires d'un poème*, p. VII.
2. *Au sujet du « Cimetière marin »*, in *Variété III*, p. 65-66.
3. Frédéric Lefèvre, *Entretiens avec Paul Valéry*, p. 68.

sensibilité originale du poète. La formulation du poème peut s'envisager comme une série de transformations qui, depuis la première ébauche jusqu'à la version définitive, représentent la marche du poète vers le sens le mieux dégagé. C'est une suite d'approximations, de plus en plus serrées, de sa secrète exigence. Mais, pour Valéry, il n'y a pas de dernière étape. Il a toujours donné ses poèmes pour des états provisoires, qui pourraient être indéfiniment repris. Une œuvre est toujours inachevée [1].

Mais Valéry a fait des déclarations qui semblent entraver l'intelligibilité d'un texte bien plus gravement que ses modifications successives. Il a affirmé qu'il n'y avait pas de vrai sens d'un texte. Considérons, cependant, que, toutes les fois qu'il l'a fait, il se trouvait en présence d'un commentaire de ses poèmes. Il a adopté dans ce cas la même tactique que lorsqu'il avait affaire à des études de sa pensée. Tout en louant courtoisement ses interprètes, il s'est désolidarisé d'eux. Il aurait agi de même avec tout lecteur. Dans la *Préface* aux commentaires de *Charmes*, qu'il prisait pourtant au point de suggérer à Alain : « Si vous vouliez, vous feriez un beau commentaire de *La Parque* » [2], il disait : « Tremper le moins du monde dans l'édition de ce commentaire, n'était-ce point en autoriser tout le contenu... ? [3] » En préfaçant le commentaire du *Cimetière marin* de M. Gustave Cohen, Valéry oppose *l'être* de l'écrivain à son *paraître* [4]. Il tient à laisser au lecteur toute sa liberté, à l'auteur toute son impuissance. A propos d'Alain, il note : « Je ne puis rien sur ce qu'il dit. [5] » La puissance de l'œuvre n'est pas dans le poète, qui, une fois l'œuvre faite, n'a

---

1. Cette conviction a été favorisée par bien des facteurs : goût de la perfection, sens d'une liberté supérieure, tentation de la modification, et surtout sentiment des possibilités. Si Valéry répugne au théâtre et au roman, c'est que « les situations, les combinaisons de personnages, les sujets de récits et de drames ne trouvent pas » en lui « de quoi prendre racine et produire des développements dans une seule direction, « et il a rêvé » de faire une fois une œuvre qui montrerait à chacun de ses *nœuds*, la diversité qui s'y peut présenter à l'esprit, et parmi laquelle il *choisit* la suite unique qui sera donnée dans le texte. Ce serait là substituer à l'illusion d'une détermination unique et imitatrice du réel, celle du possible-à-chaque-instant, qui me semble plus véritable » (*Mémoires d'un poème*, p. vii). Il a songé également à une biographie qui montrerait à divers paliers l'éventail des possibilités avant que la vie s'engage dans une certaine direction : « reconstituer le hasard à chaque instant, au lieu de forger une suite *que l'on peut résumer...* » (*Suite*, in *Tel quel*, II, p. 349). On sait qu'en Socrate il y avait plusieurs Socrate possibles, dont l'un eût pu devenir architecte (*Eupalinos*).
2. Alain, *Le déjeuner chez Lapérouse*, *N. R. F.*, 1er août 1939, p. 237.
3. *Préface* aux *Commentaires de Charmes*, in *Variété III*, p. 78.
4. *Au sujet du « Cimetière marin »*, in *Variété III*, p. 62.
5. *Préface* aux *Commentaires de Charmes*, in *Variété III*, p. 82.

pas plus de droit que quiconque sur elle ; la puissance de l'œuvre est dans l'œuvre même, qui reste ce qu'elle est après toute interprétation, et se montre capable d'en exciter de nouvelles :

Une œuvre est un objet ou un événement des sens — cependant que les diverses valeurs ou interprétations qu'elle suggère sont des conséquences (idées ou affections), qui ne peuvent l'altérer dans sa propriété toute matérielle d'en produire de tout autres [1].

On comprend dès lors cette boutade : « Mes vers ont le sens qu'on leur prête. [2] » Cela veut dire simplement que ce sens varie avec les lecteurs et que l'auteur n'y peut rien. Une excellente analyse montre ces réactions inévitables que rencontre l'œuvre dans

... les profondeurs de celui qui la lit ; elles s'éveillent ou s'émeuvent en chacun par les différences et les concordances, les consonances ou les dissonances qui se déclarent de proche en proche entre ce qui est lu, et ce qui était secrètement attendu [3].

Valéry, sur ce point, est dans le vrai : le lecteur trahit le poète. Mais il est inévitable et indispensable qu'il en soit ainsi : autrement, le poème ne serait même pas senti.

Tout texte permet bien des libertés d'interprétation. La nature du langage les favorise. Déjà, dans l'article de 1898 sur la *Sémantique*, Valéry notait que :

Toute forme de langage se présente comme une sorte de groupe ou de total, composé de signes fixes et d'idées... Les signes qui y entrent demeurant identiques, sa portion idéale peut subir des changements, être remplacée par une autre qui satisfasse également aux conditions d'existence de l'ensemble. Le groupe peut, en général, recevoir *plus* d'une solution psychologique. Cette diversité permet qu'on puisse parler avec contradiction, faire des syllogismes faux — ou bien justes mais absurdes. Elle explique l'imperfection logique, l'inconsistance ou les erreurs formelles qu'on trouve dans les écrits, dans les plus forts ouvrages de construction philosophique, et, régulièrement, chez le poète [4].

La nature de la poésie autorise encore plus le lecteur à en prendre à son aise avec les idées du poète :

Il ne s'agit point du tout en poésie de transmettre à quelqu'un ce qui se passe d'intelligible dans un autre. Il s'agit de créer dans le premier un état dont l'expression soit précisément et singuliè-

1. *Ibid.*, p. 83.
2. *Ibid.*, p. 80.
3. *Ibid.*, p. 78.
4. *Mercure de France*, janvier 1898, p. 258-259.

rement celle qui le lui communique. Quelle que soit l'image ou l'émotion qui se forme dans l'amateur de poèmes, elle vaut et elle suffit si elle produit en lui cette relation réciproque entre la parole-cause et la parole-effet. Il en résulte que ce lecteur jouit d'une très grande liberté quant aux idées, liberté analogue à celle que l'on reconnaît à l'auditeur de musique, quoique moins étendue [1].

Vouloir restreindre cette liberté serait tuer la poésie :

C'est une erreur contraire à la nature de la poésie, et qui lui serait même mortelle, que de prétendre qu'à tout poème correspond un sens véritable, unique, et conforme ou identique à quelque pensée de l'auteur [2].

C'est au nom de ce principe que Valéry condamne « l'erreur scolaire absurde qui consiste à faire mettre des vers en prose » [3]. Cet exercice serait, en effet, absurde, s'il existait ; pour ma part, je ne l'ai jamais rencontré. Le seul exercice que j'ai connu consistait, au contraire, à rétablir des vers, dont les membres avaient été barbarement désunis. C'est une manière d'initier les enfants au mécanisme de la versification régulière. Si Valéry a mis des vers en prose, il ne semble pas que son goût de la poésie en ait été altéré, bien que ce soit là, comme il le dit, « inculquer l'idée la plus fatale à la poésie », puisque c'est « croire que la poésie est un *accident* de la *substance prose* ». Il me semble que le reproche à faire à certains éducateurs porterait plus utilement sur le choix des poèmes à réciter ou à expliquer.

S'il n'y a pas de sens unique ou véritable d'un poème, ce n'est pas que l'auteur n'en puisse produire un, mais

vers ou prose, une œuvre achevée est offerte, son auteur ne peut rien proposer, rien affirmer sur elle qui ait plus de portée, qui l'explique plus exactement que ce qu'en dirait toute autre personne [4].

Le sens qu'il « donne » à ses vers « ne s'ajuste qu'à lui... et n'est opposable à personne » [5].

Quand l'ouvrage a paru, son interprétation par l'auteur n'a pas plus de valeur que toute autre par qui que ce soit.

Si j'ai fait le portrait de Pierre, et si quelqu'un trouve que mon ouvrage ressemble à Jacques plus qu'à Pierre, je ne puis rien lui opposer — et son affirmation vaut la mienne.

1. *Préface* aux *Commentaires de Charmes*, in *Variété III*, p. 82.
2. *Ibid.*, p. 80.
3. *Ibid.*, p. 80-81. Voir aussi *Au sujet du « Cimetière marin »*, in *Variété III*, p. 68.
4. *Préface* aux *Commentaires de Charmes*, in *Variété III*, p. 83.
5. *Ibid.*, p. 80.

Mon intention n'est que mon intention et l'œuvre est l'œuvre [1].

Pour un peu, le poète nous dirait : le sens que je donne à mes vers ne vous regarde pas.

Un auteur peut sans doute nous instruire de ses intentions ; mais ce n'est point d'elles qu'il s'agit ; il s'agit de ce qui subsiste et qu'il a fait indépendant de soi [2].

Valéry sépare nettement l'œuvre de l'auteur, comme, tout à l'heure, il la séparait du lecteur.

N'empêche que nous aimerions connaître ces intentions de l'auteur et que nous avons l'impression qu'elles ne nous nuiraient pas pour interpréter son œuvre, pas plus que ne nuisent les indications laissées par les musiciens. Très tardivement Valéry a consenti, comme à regret, mais comme tenté aussi, à admettre qu'il pourrait bien en être ainsi. C'est à propos de trois cantiques spirituels de saint Jean de la Croix, commentés par lui-même dans des traités qui ont frappé Valéry par l'importance de leurs gloses.

L'expression poétique sert donc ici de texte à interpréter, de programme à développer, aussi bien que d'illustration symbolique autant que musicale à l'exposé de théologie mystique... La mélodie sacrée s'accompagne d'un savant contrepoint qui tisse autour du chant tout un système de discipline intérieure.

Ce parti pris, très neuf pour moi, m'a donné à penser. Je me suis demandé quels effets produirait, en poésie profane, ce mode remarquable qui joint au poème son explication par l'auteur — en admettant que l'auteur ait quelque chose à dire de son œuvre, ce qui manquerait bien rarement d'être interprété contre lui. Il y aurait cependant des avantages, et peut-être tels qu'il en résultât des développements jusqu'ici impossibles ou très aventureux de l'art littéraire. La substance ou l'efficace poétique de certains sujets, ou de certaines manières de sentir ou de concevoir, ne se manifestent pas immédiatement à des esprits insuffisamment préparés ou informés, et la plupart des lecteurs, même lettrés, ne consentent pas qu'une œuvre poétique exige pour être goûtée un vrai travail de l'esprit ou des connaissances non superficielles. Le poète qui suppose ces conditions remplies, et le poète qui tente de les inscrire dans son poème s'exposent aux redoutables jugements qui frappent, d'une part, l'obscurité, d'autre part, le didactisme [3].

Les *fragments* parus des *Mémoires d'un poème* auraient pu préluder à quelque commentaire de la *Jeune Parque* par son auteur.

1. *Littérature*, in *Tel quel*, I, p. 161. On retrouve l'argument du portrait dans *Préface* aux *Commentaires de Charmes*, in *Variété III*, p. 83, et dans *Paul Valéry, Cahiers de la quinzaine*, 21ᵉ série, 2ᵉ cahier (10ᵉ réunion du Studio franco-russe), p. 67.
2. *Préface* aux *Commentaires de Charmes*, in *Variété III*, p. 83.
3. « *Cantiques spirituels* », in *Variété V*, p. 168-169.

Mais on s'explique mieux le refus de Valéry de fixer le sens de ses poèmes, si l'on comprend que, chez lui, c'est la création qui détermine la signification. A propos du *Cimetière marin*, il répond :

> Si donc l'on m'interroge ; si l'on s'inquiète (comme il arrive, et parfois assez vivement) de ce que j'ai « voulu dire » dans tel poème, je réponds que je n'ai pas *voulu dire*, mais *voulu faire*, et que ce fut l'intention de *faire* qui a *voulu* ce que j'ai *dit* [1]...

Les vraies intentions du poème, ce sont les formes créatrices et antérieures au poème dont il a été parlé au chapitre précédent. C'est cette figure qui s'est cherché un sens et qui a fini par le trouver. Sans doute, le sens parfait qui lui conviendrait serait-il, à la limite, parfaitement étranger à l'auteur, aussi inhumain que le discours impersonnel de la *Pythie*. Mais c'est là une entreprise que Valéry n'a pas tentée ou n'a tentée que sur des fragments. Quoique aussi « universel » qu'il pouvait le construire, *Le Cimetière marin* est un monologue très « personnel », de l'aveu même de Valéry [2]. Mais ce n'est pas le seul, quoi qu'il en ait dit. On retrouve Valéry partout, dans *La Jeune Parque* comme dans *Charmes*.

*
* *

Les libertés d'interprétation peuvent faire varier le sens ; elles ne le suppriment pas, ni même ne l'obscurcissent nécessairement. Pluralité n'est pas confusion. L'obscurité elle-même est une notion très relative. Elle dépend de nombreux facteurs, 1° du lecteur :

> Le public dans son ensemble se décompose en groupes d'esprits différents — très différents en culture, très différents en besoins intellectuels, très différents en capacité d'attention... Le temps que chacun peut accorder à la lecture — à une lecture réfléchie — est naturellement très différent. Il diffère en quantité et en qualité [3]...

2° de la différence de netteté entre l'esprit de l'auteur et l'esprit même du langage (c'est-à-dire de ceux qui l'ont fait). C'est pourquoi Valéry s'adresse avec véhémence à Boileau :

> Il est très malaisé d'énoncer clairement ce que l'on conçoit plus nettement que ceux qui ont créé les formes et les mots du langage, — parmi lesquels ceux qui nous ont appris à parler [4].

---

1. *Au sujet du « Cimetière marin »*, in *Variété III*, p. 68.
2. Frédéric Lefèvre, *Une heure avec Paul Valéry*.
3. *Ibid.*
4. *Autres rhumbs*, in *Tel quel*, II, p. 160-161.

3º du sujet traité et de la forme adoptée :

L'attention et la réflexion peuvent *toujours* compliquer une pensée ; elles ne peuvent toujours la simplifier. La simplicité de l'expression est relative à l'objet à exprimer et aux conditions de forme [1].

4º de la pénétration de l'auteur :

Obscur se fait nécessairement celui qui ressent très profondément les choses et qui se sent en union intime avec ces choses mêmes.

Car la clarté cesse à quelques coudées de la surface [2]. Aussi, dans la poésie, quand on la conçoit assujettie aux sévères conditions de Valéry,

... les « solutions simples » du problème de l'art des vers, avec ses deux développements psychique et musical, sont nécessairement « exceptionnelles », si elles veulent être réussies de façon continue [3].

Il n'y a pas chez les poètes comme Mallarmé ou Valéry de « volonté d'obscurité », « mais volonté tout court ». Ils éliminent « ce qui leur semble sans valeur », ce que « le lecteur pourrait sans effort produire ou reconstituer ». « La grande cause de l'effet d'obscurité... c'est le travail accumulé. [4] » C'est ce que Valéry avait déclaré dans une entrevue avec Frédéric Lefèvre, mais dans leurs *Entretiens*, il a détaillé les causes de cette obscurité. Elles sont de trois ordres. D'abord, « la difficulté même des sujets » : « plus vous serez précis, plus vous donnerez au lecteur une tâche difficile et rebutante ». Puis, « le nombre des conditions indépendantes que s'impose le poète », par exemple : harmonie, prolongement de cette harmonie, continuité des effets plastiques, continuité de la pensée, élégance et souplesse de la syntaxe, le tout « contenu dans l'armature de la prosodie classique » ; la complexité de cet effort et l'indépendance des conditions assignées exposent le poète « à surcharger son style, à rendre trop dense la matière de son œuvre, à user de raccourcis, d'ellipses qui déconcertent les esprits du lecteur », chez qui la « tension » demandée « se trouve hors de proportion avec la qualité d'énergie que sa curiosité littéraire et son goût de la poésie l'engagent à dépenser... », car « il est rare que... l'être qui lit... s'accuse soi-même ». Enfin, par combinaison de ces deux premières causes, « l'accumulation sur un texte

1. Frédéric Lefèvre, *Une heure avec Paul Valéry.*
2. *Mauvaises pensées et autres*, p. 15.
3. Frédéric Lefèvre, *Une heure avec Paul Valéry.*
4. *Ibid.*

poétique d'un travail trop prolongé » (alors qu'au contraire, sur
la prose, ce travail « doit toujours aboutir à une simplification de
l'expression », « la limite de la prose » étant « la formule algé-
brique ») [1].

Cette obscurité n'est nullement souhaitée par le poète. « Rien
ne m'attire que la clarté », a dit Valéry, ou du moins le correspondant de M. Teste, dans la *Lettre d'un ami*, mais il n'a pas caché
qu'il n'en trouvait « presque point ».

> Oui, la clarté pour moi est si peu commune que je n'en vois sur
> toute l'étendue du monde, — et singulièrement du monde pensant
> et écrivant, — que dans la proportion du diamant à la masse de la
> planète. Les ténèbres que l'on me prête sont vaines et transparentes
> auprès de celles que je découvre un peu partout. Heureux les autres,
> qui conviennent avec eux-mêmes qu'ils s'entendent parfaitement !
> Ils écrivent, ils parlent sans trembler. Vous sentez comme j'envie
> tous ces humains lucides dont les ouvrages font que l'on songe
> à la douce facilité du soleil dans un univers de cristal... Ma mauvaise
> conscience me suggère parfois de les incriminer pour me défendre.
> Elle me murmure qu'il n'y a que ceux qui ne cherchent rien qui
> ne rencontrent jamais l'obscurité, et qu'il ne faut proposer aux
> gens que ce qu'ils savent. Mais je m'examine dans le fond, et il
> faut bien que je consente à ce que disent tant de personnes dis-
> tinguées. Je suis fait véritablement, mon ami, d'un malheureux
> esprit qui n'est jamais bien sûr d'avoir compris ce qu'il a compris
> sans s'en apercevoir. Je discerne fort mal ce qui est clair sans ré-
> flexion de ce qui est positivement obscur... Cette faiblesse, sans
> doute, est le principe de mes ténèbres [2].

Mais « la simplicité ni la clarté ne sont des absolus dans la
poésie » [3] ; dans la danse, on n'exige pas le plus court chemin.

Valéry s'est, au reste, défendu d'être un poète obscur et il a
rejeté le blâme sur d'autres. M. André Maurois a raconté que
Valéry, faisant une conférence au Vieux-Colombier, avait dit
à peu près ceci :

> Obscur ? Moi ? On me le dit, et je fais effort pour le croire. Mais
> je me trouve moins obscur que Musset, que Hugo, que Vigny.
> Vous semblez étonné ? Considérez Musset. Je ne sais si quelqu'un
> de vous peut expliquer ces vers :

1. Frédéric Lefèvre, *Entretiens avec Paul Valéry*, p. 57-61. Valéry a donné
comme exemple de production d'obscurité par le travail accumulé le deuxième
état de l'*Après-midi d'un faune*, fort différent du premier puisqu'il n'en a con-
servé qu'un vers. « Il exige un déchiffrement qui décime les lecteurs. Liszt décime
les pianistes » (Frédéric Lefèvre, *Une heure avec Paul Valéry*).
2. *Lettre d'un ami*, in *Monsieur Teste*, p. 88-89.
3. *Au sujet du « Cimetière marin »*, in *Variété III*, p. 67.

> Les plus désespérés sont les chants les plus beaux,
> Et j'en sais d'immortels qui sont de purs sanglots.

Pour moi, j'en suis incapable ! Comment un pur sanglot peut-il être un chant immortel ? Cela me paraît inintelligible. Un chant est rythme, un pur sanglot informe. Si obscur que je puisse être, je n'ai jamais rien écrit d'aussi obscur [1].

Avec une amusante gaminerie, il a affecté de ne pas comprendre tel vers de Vigny ou de Hugo, qu'il admirait pourtant :

> J'aime la majesté des souffrances humaines...

« Les souffrances humaines n'ont pas de majesté... les ténesmes, la rage de dents, l'abattement du désespéré n'ont rien de grand, rien d'auguste.

> Un affreux soleil noir d'où rayonne la nuit...

Impossible à penser... [2] »

Il n'est pire sourd que qui ne veut entendre. Voltaire, et déjà Boileau, avaient une propension à trouver du galimatias chez Corneille. On pourrait citer des vers réellement plus obscurs que ceux qu'invoque Valéry chez des poètes qui passent pour fort clairs. Les érudits connaissent toute la série d'articles et de notes suscités par ces deux vers de Musset :

> D'un siècle sans espoir naît un siècle sans crainte.
> Les comètes du nôtre ont dépeuplé les cieux.

Mais dans les exemples que donne Valéry, l'obscurité n'est pas au point de départ ; elle résulte d'un refus d'adhérer au sens proposé, parce qu'on pense que ce sens n'est pas admissible si on le serre de près. C'est ainsi que nous discutons le bien fondé d'une phrase que nous avons parfaitement comprise. Une idée fausse peut être claire. Mais Valéry s'était fait d'étranges maximes pour aborder la pensée d'autrui :

Tout ce qui est vrai pour tous, chacun doit peut-être s'efforcer de le trouver ou de le rendre faux — du moins, dans son usage intime... Tout ce qui vous semble clair ou évident au premier regard, tentez de le trouver obscur [3].

Il s'agit donc ici d'une obscurité de parti-pris qui se confond avec celle du langage tout entier et qui ne se découvre qu'à la

---

1. André Maurois, *Sons nouveaux 1900. Eux et nous. V. Paul Valéry. « Monsieur Teste »*, in *Conferencia*, 15 mars 1933.
2. *Littérature*, in *Tel quel*, I, p. 159-160.
3. *Propos me concernant*, p. 61.

réflexion. En fait, Valéry a, lui aussi, comme tout le monde, éprouvé l'impression toute différente de l'hermétisme immédiat, — impression effrayante pour certains, attirante pour d'autres, et que produit, par exemple, le premier contact avec la *Prose pour des Esseintes,* d'ailleurs éclaircie aujourd'hui, ou avec certains sonnets de Mallarmé. Dans sa très belle conférence sur son maître, rappelant ses souvenirs de première lecture, Valéry a raconté merveilleusement le saisissement dont fut alors frappé son esprit. Il a retracé là l'essentiel d'une expérience commune à bien d'autres fervents du poète :

> D'une part... des morceaux dont je demeurais *entièrement* émerveillé... D'autre part, certains sonnets qui me réduisaient à la stupeur ; pièces dans lesquelles je trouvais combinées à la netteté, à l'éclat, au mouvement, à la sonorité la plus pleine, d'étranges difficultés : des associations insolubles, une syntaxe parfois singulière, la pensée arrêtée à chaque strophe dans sa lecture ; en un mot, le contraste le plus surprenant s'imposait entre ce qu'on pourrait appeler la *contemplation* de ces vers, leur *physique,* et leur résistance à l'intellection immédiate. Je ne savais comment me représenter le poète capable d'allier tant de beauté, tant de séductions et tant d'obstacles, tant de lumières et tant de ténèbres. J'envisageais le problème Mallarmé [1].

Valéry montre ensuite admirablement comment la qualité musicale du vers amène le lecteur de Mallarmé à en posséder la forme avant d'en saisir le fond et comment, hanté par cette prestigieuse combinaison qui s'impose à la mémoire, le sens se dégage peu à peu avec sa forme propre, sa forme de pensée, douée elle-même d'une singulière beauté. A la fin de cette analyse, on n'est pas surpris de retrouver les deux facteurs dont l'accord fait pour Valéry l'essence de la poésie : les deux formes plastiques, l'une sonore, l'autre idéale, qui toutes deux s'opposent à la prose et au langage vulgaire. On notera en passant, au début de cette page pénétrante, l'usage heureux de l'idée de *clarté,* appliquée à la forme du vers, par contraste avec l'obscurité de son contenu ; on n'a jamais plus fortement défini l'impression d'étrange lucidité que produit, au mépris du sens, la parfaite netteté de la musique de Mallarmé.

D'ailleurs, si le sens de ces vers me paraissait fort difficile à déchiffrer, si je n'arrivais pas toujours à résoudre ces mots en pensée achevée, j'observais, cependant, que jamais vers plus *clairs* en tant que *vers,* jamais vers plus évidents en tant que tels, jamais parole

1. *Mallarmé,* in *Conferencia,* 15 avril 1933.

plus décisivement, plus lumineusement musicale, ne m'étaient tombés sous les yeux... J'observais que ces mêmes vers très obscurs avaient une curieuse propriété : il y avait en eux je ne sais quelle nécessité qui les imposait à ma mémoire... Davantage : en me répétant involontairement ces vers si difficiles à comprendre, je constatais que les énigmes s'atténuaient, la compréhension se dessinait. Le poète se justifiait. La répétition faisait tendre mon esprit vers une limite, vers un sens parfaitement défini. Je trouvais que ces bizarres combinaisons de mots s'expliquaient fort bien ; que la difficulté qu'on éprouvait d'abord à comprendre provenait d'une contraction extrême des figures, d'une fusion des métaphores, de la rapide transmutation d'images extrêmement serrées soumises à une sorte de discipline de densité (si vous permettez cette expression) que s'était imposée le poète, et qui s'accordait avec l'intention de *tenir le langage de la poésie toujours fortement, et presque absolument, distinct du langage de la prose*. On aurait dit qu'il voulait que la poésie, qui doit essentiellement se distinguer de la prose par la forme phonétique et la musique, s'en distinguât aussi par la *forme du sens*. Pour lui, *le contenu du poème devait être aussi différent de la pensée ordinaire que la parole ordinaire est différente de la parole versifiée* [1].

Il est cependant arrivé à Valéry de donner un autre nom à l'obscurité de Mallarmé, un nom qui rend justice à la complexité de cet entrecroisement inouï de rapports internes chargés de sens :

L'éclat de ces systèmes cristallins si purs et comme terminés de toutes parts me fascinait. Ils n'ont point la transparence du verre, sans doute ; mais rompant en quelque sorte les habitudes de l'esprit sur leurs facettes et dans leur dense structure, ce qu'on nomme leur obscurité n'est, en vérité, que leur *réfringence* [2].

Cocteau a dit aussi de Mallarmé : « obscur comme le diamant », ce qui est un calembour par allusion au carbone. Dans une image, différente, mais également empruntée à cette optique qui s'est toujours montrée apte à illustrer les phénomènes intellectuels, Valéry a déclaré « la musique belle par *transparence* et la poésie par *réflexion* » [3]. L'effet du poème est donc différent de l'effet de la musique, qui est comparé à la transmission directe des rayons lumineux à travers un verre homogène. La lumière poétique est toujours brisée, mais dans la comparaison de la réfringence, Valéry songe davantage au poème, dont la structure produit une réfraction multiple à l'intérieur, tandis que, dans la comparaison de la réflexion, il pense davantage à l'amateur qui reçoit le rayon de retour après sa rupture sur le plan d'incidence du poème. Mais

1. *Mallarmé,* in *Conferencia,* 15 avril 1933.
2. *Lettre sur Mallarmé,* in *Variété II,* p. 225.
3. *Rhumbs,* in *Tel quel,* II, p. 83.

le diamant réfracte et réfléchit. L'éclat du poème ne peut donc être rendu métaphoriquement qu'en combinant les deux analogies. C'est ce que l'ingéniosité de Valéry a accompli quand il a noté que

le tailleur de diamant en façonne les facettes de manière que le rayon qui pénètre dans la gemme par l'une d'elles ne peut en sortir que par la même... Belle image de ce que je pense sur la poésie : retour du rayon spirituel aux mots d'entrée [1].

Lorsqu'il s'agira de l'effet musical du poème, c'est à l'acoustique que Valéry empruntera naturellement la comparaison de la résonance, qui traduira également une déviation particulière dans le monde des sons et de leurs effets sensibles et qui rendra assez bien cette autre sorte d'effet affectif de réflexion mutuelle et de propagation dans le vague de l'âme qui porte avec lui de quoi le faire qualifier à la fois d'éclatant et d'obscur.

Mais avant de considérer ces effets, il faut se demander comment Valéry conçoit le lien qui unit le monde des sonorités verbales à ce monde de la compréhension qui peut offrir, dans le poème, tous les degrés, depuis la clarté apparente jusqu'à la clarté occulte. C'est évidemment le mot qui fait le chaînon, puisqu'il porte à la fois le son et le sens. « Les mots, dit Valéry, me font souvent songer, à cause de leur double nature, à ces quantités complexes que les géomètres manœuvrent avec tant d'amour. [2] » Mais nous ne sommes pas plus avancés, car nous nous souvenons de la théorie qui pose en principe l'indépendance de ces deux éléments unis mystiquement dans la composition du poème. Toutefois, à l'occasion d'un exposé de George D. Birkhoff, l'esthéticien américain, à la Société française de Philosophie, sur les éléments mathématiques dans l'art, Valéry intervint et sembla poliment souhaiter que le lien entre les deux données du problème pût être trouvé.

La poésie est, à mon avis, l'art le plus complexe de tous, puisque le métier de poète consiste à mener simultanément le développement de deux variables indépendantes ou plutôt incomparables.

1. *Mélange*, p. 30.
2. *Poésie et pensée abstraite*, in *Variété V*, p. 160. Voir aussi *L'Invention esthétique*, in *L'Invention*, p. 149 : « L'opération du poète s'exerce au moyen de la valeur complexe des mots, c'est-à-dire en composant à la fois *son* et *sens* (je simplifie...) comme l'algèbre opérant sur des nombres complexes. Je m'excuse de cette image. »

D'un côté, vous avez la partie significative de la poésie, et, de l'autre, la partie musicale. Vous ne devez sacrifier ni l'une ni l'autre, quoique, malheureusement, nous voyons, en France, des exemples trop fréquents de sacrifice musical. Le fait de conduire deux séries de faits différents et, d'ailleurs, chacune discontinue, entre lesquelles il n'y a absolument aucun rapport (sans quoi nous saurions toutes les langues), définit un art qui est le plus complexe de tous.

Je voudrais bien que M. Birkhoff nous apportât un jour le moyen de trouver entre ces deux variables indépendantes un pont. Je ne vois pas, d'ailleurs, comment le faire. Ce sont des suites appartenant à deux univers qui s'excluent [1].

Le problème est précisément de savoir si ces deux mondes s'excluent. On peut se demander si Valéry, avec son goût des notions bien tranchées, n'a pas ici encore élargi un fossé que d'autres ont essayé de combler. Sans doute, il n'y a pas de rapport évident entre le sens d'un mot et son aspect phonétique, — bien qu'on ne puisse jurer qu'à l'origine le son et le sens aient été entièrement étrangers l'un à l'autre. Le langage n'a vraisemblablement pas été créée par convention. La différence que manifestent les langues en recouvrant un même concept de vocables à sonorités dissemblables n'est pas un argument bien solide, puisqu'un même objet peut se présenter à l'esprit sous des aspects bien divers. Mais enfin il est certain que nous ne sentons pas un rapport substantiel entre l'idée d'une chose et le mot qui la supporte. Seulement, par l'habitude, par le jeu des associations d'idées, par l'emprise des sentiments, par l'effet des analogies, par le besoin d'expression surtout, qui va se renforçant de la création populaire à la création littéraire, il s'établit souvent une sourde correspondance entre la forme des mots et nos façons de sentir qui finissent par les douer de valeurs affectives ou pittoresques. A tort ou à raison, leur figure phonique finit par faire partie de leur physionomie mentale. Il est rare que les deux coïncident entièrement, même dans les onomatopées, mais au moins un aspect de l'idée, généralement vivement représentatif ou sentimental, s'accroche durablement à un des accidents de sa structure phonétique. Ces combinaisons peuvent être assez stables pour être saisies de beaucoup, au moins si leur sensibilité s'est éveillée à ce genre de rapports. Ce n'est pas seulement le mot, c'est tout un groupe, une suite, une figure verbale, une phrase qui peut, à l'occasion, mais avec évidemment moins de stabilité,

1. Voir *Bulletin de la Société française de Philosophie*, Séance du 6 juin 1931, p. 97-127.

offrir à l'esprit une coloration sensible qui relie sa forme à son sens et enrichit celui-ci d'une nuance de plus. Des linguistes et des esthéticiens ont mis en valeur ce côté expressif du langage, et son utilisation est devenue monnaie courante, avec des chances inégales, dans l'analyse de la versification. En particulier, les timbres vocaliques et les articulations des consonnes ont paru propres à une étude systématique et il semble peu douteux que les poètes, plus ou moins inconsciemment selon les époques, mais avec beaucoup d'efficacité, aient utilisé avec bonheur non seulement la valeur mélodique des sons, mais encore leur valeur expressive. Celle-ci fournirait, semble-t-il, le moyen de relier les deux mondes significatif et musical dont parle Valéry.

Mais, ici, il faut bien prendre garde que Valéry n'a pour ainsi dire jamais parlé d'expression en poésie, et cette lacune est extrêmement curieuse. La seule allusion précise qu'il y ait faite est entièrement négative. L'harmonie entre le son et le sens des vers, dit-il, « ne doit pas être définissable. Quand elle l'est, c'est l'harmonie *imitative*, et ce n'est pas bien » [1]. Sans doute entend-il l'harmonie imitative à la façon très restrictive du XVIIIe siècle ; et il la condamne un peu comme, dans la musique à programme, l'imitation puérile des bruits, — ce qui mènerait à se demander s'il eût désapprouvé les commentateurs qui ont signalé dans ses vers les effets d'imitation dûs aux allitérations, par exemple l'abondance des sifflantes qui ont fait comparer l'*Ébauche d'un Serpent* à un long sifflement, dont le modèle lointain a été donné par le fameux vers serpentin de Racine dans *Andromaque*. Si l'on s'en tient à la lettre de la doctrine de Valéry, nul doute qu'il ait répudié toute recherche d'expression par les sonorités. S'il y a harmonie entre son et sens, ce ne peut être qu'en composant, à la façon d'un contrepoint, deux séries indépendantes. En réalité, il y a deux moyens d'user des sonorités dans le vers : d'une part, en utilisant le pouvoir de suggestion des voyelles et des consonnes, d'autre part, en dessinant une ligne mélodique par le rappel et le contraste des timbres vocaliques. La théorie de Valéry admettrait seulement la mélodie et rejetterait tout renforcement du sens par le son.

Cette mélodie indépendante joue un grand rôle, non seulement chez beaucoup de poètes, et notamment chez ceux qui se sont peu souciés d'expression directe, mais particulièrement chez Valéry.

—————

1. *Rhumbs*, in *Tel quel*, II, p. 78.

Il n'en a pas moins utilisé assez souvent les ressources expressives des phonèmes, et on doit, en dépit de sa théorie négative, les étudier chez lui comme chez tant d'autres poètes qui y ont puisé spontanément, avec une conscience extrêmement variable en clarté de leur pouvoir sur la sensibilité. Ce qui complique une étude de ce genre, c'est que la mélodie, qui peut exister par elle-même, sans relation avec la signification, peut, dans d'autres cas, contenir des effets d'expression dûs à la force de suggestion des voyelles. En ce qui concerne les consonnes, au contraire, on ne le fait entrer d'habitude que dans les effets d'expression ; n'ayant pas de timbre, elles ne peuvent participer à la mélodie. Mais il est facile, quand on lit Valéry, de constater qu'il bâtit souvent son vers sur la répétition d'une consonne privilégiée (ou d'un groupe de consonnes), sans qu'on puisse rattacher cette structure à un effet d'expression. Cette forte articulation consonantique manifeste une tendance bien particulière dans la manière d'asseoir l'architecture du vers. L'allitération, indépendante de l'expression, la répétition consonantique pour elle-même, paraît chez lui une solution comme, chez d'autres, certains rapports de voyelles. Elle n'est d'ailleurs pas exclusive, cela va sans dire, d'autres procédés. Il est curieux qu'aucune place ne lui ait été faite par Valéry dans sa poétique : secrets de métier.

Revenons aux idées de Valéry sur l'indépendance de la variable musicale et de la variable significative. Dans un petit passage de *Rhumbs* que j'ai déjà cité, Valéry affirme que l'impossibilité de définir la relation entre les deux variables se combine « avec l'impossibilité de la nier » [1]. Si je comprends bien, il faudrait que cette relation fût sentie de l'amateur sans qu'il puisse jamais l'analyser. Il y aurait donc sous ce lien mystique une analogie secrète. Quelque chose, un je ne sais quoi, comme on aurait dit au XVIIe siècle, ferait correspondre la figure du sens et la figure du son. Un terme, une expression devrait au moins désigner ce mystérieux rapport, cette convenance intime. On ne le trouve pas chez Valéry, mais l'idée d'une telle correspondance ressort du bref commentaire qu'il a donné de ce vers de Racine :

Le jour n'est pas plus pur que le fond de mon cœur.

« Ce vers, le plus beau des vers... est transparent comme le jour lui-même. [2] »

1. *Rhumbs*, in *Tel quel*, II, p. 78.
2. *Ibid.*, p. 78-79.

J'ai cru, un moment, que j'avais rencontré une dénomination approchée de cet accord ineffable. Valéry parle une fois de vers de La Fontaine « dont le son est l'image du sens » [1]. Cette formule semblerait pouvoir convenir au vers de Racine « transparent comme le jour même ». Comme dans un miroir l'idée de la pureté se refléterait dans la pureté de la forme verbale. Mais l'exemple tiré de La Fontaine

> Prends ce pic et me romps ce caillou qui me nuit

avait été déjà cité par Valéry à la Société française de Philosophie, avec un commentaire qui le fait rentrer dans la catégorie condamnée des effets d'expression : « vers d'harmonie quasi imitative » [2]. Malgré l'ambiguïté ou l'hésitation que traduit ce *quasi*, le *son image du sens* est, pour Valéry, le signalement de cette reproduction trop définissable du fond dans la forme, et qui « n'est pas bien » [3].

A moins que Valéry ne se soit pas trop bien entendu lui-même, il ne faudrait donc pas voir d'harmonie imitative dans le plus beau des vers

> Le jour n'est pas plus pur...

et, par suite, ce serait faire fausse route que de chercher dans ses sonorités, les deux voyelles claires de *plus pur*, par exemple, une sorte de traduction musicale de la transparence du jour. Pour Valéry, il y aurait, d'une part, l'idée de cette transparence, et, d'autre part, un vers miraculeux qui serait lui-même d'une qualité telle que l'épithète de *transparent* s'y appliquerait d'elle-même. La transparence serait, en quelque sorte, donnée deux fois, dans le sens du discours, et dans la musique du vers. Mais point de rapport visible entre les deux, point d'effet d'expression analysable dans le détail, quoiqu'on y sente un lien substantiel. Cette façon d'unir sans moyen deux essences hétérogènes rappelle singulièrement les efforts des métaphysiciens aux prises avec le problème de l'union de l'âme et du corps, de l'esprit et de la matière, de la pensée et de l'étendue. A un autre point de vue, elle fait penser au mystère de l'incarnation.

1. *La poésie de La Fontaine*, in *Vues*, p. 165-166.
2. *Réflexions sur l'art*, in *Bulletin de la Société française de philosophie*, 1935, p. 65.
3. Pourtant Valéry a justifié par un effet d'expression sa pratique de la *diérèse* : « Si quelques-uns trouvent *ti-é-de* plus tiède que *tiè-de*, je n'ai pas à m'inqui-éter d'avoir vi-o-lé la loi » (*Les droits du poète sur la langue*, in *Pièces sur l'art*, p. 57).

Cependant, même chez Valéry, il ne serait peut-être pas impossible de recueillir quelques indications qui le montrent près de s'engager sur ce pont qu'il souhaitait poliment à Birkhoff de pouvoir établir. Le poète qui unit un vers transparent à l'idée de transparence ne peut pas qu'il ne cherche le premier à partir de la seconde, ou inversement, si Valéry préfère aller de la forme au fond. Sans doute, fait-il cette recherche au hasard, en aveugle, à tâtons. Valéry a peint d'une belle image cette quête étrange : « Maint poète est comme celui qui chercherait avec peine et fureur par toute la terre, les roches où, par hasard, se figure une ressemblance humaine. [1] » Mais, à propos de Racine, il laisse entrevoir comment les reprises continues de la pensée peuvent arriver à coïncider avec la modulation de la forme : « Racine procède par de très délicates *substitutions de l'idée* qu'il s'est donnée pour thème. Il la séduit *au chant qu'il veut rejoindre.* Il n'abandonne jamais la ligne de son discours. [2] » C'est cette mélodie qui, selon Valéry, est le but de son effort, mais la variation de la pensée en fait une autre sorte de mélodie, une mélodie psychologique qui se fond avec son modèle formel. Pensée qui se fait musique, musique qui musicalise son support d'idées, les frontières du son et du sens s'évanouissent. Il n'y a plus besoin de *pont*, car tout est devenu forme [3].

Que les deux natures de la pensée et du chant soient séparées ou unies, qu'on puisse ou non par l'analyse découvrir entre elles des relations plus ou moins précises, elles entrent toutes deux

1. *Rhumbs*, in *Tel quel*, II, p. 62.
2. *Ibid*, p. 75.
3. En dépit de l'opposition de la poésie à la prose par l'indissociabilité du son et du sens, Valéry n'en a pas moins loué parfois l'accord musical de la forme et du fond chez certains prosateurs. De Léonard de Vinci, qu'il tient pour l'un des plus grands écrivains possibles, il a dit que « la forme musicale de ses phrases, très particulière, est toujours dans un accord de parfaite justesse avec leur substance » (*Léonard de Vinci*, in *Vues*, p. 231.) Il a trouvé aussi « un modèle d'adaptation de la pensée » et « une certaine grâce discrètement poétique que rendent plus sensible le rythme, le nombre, la structure bien mesurée » dans un fragment des *Méditations* de Descartes, dont il loue le style admirable, oubliant que ce texte avait été écrit en latin et que bonne part de ses compliments s'adressent à l'excellente traduction de M. de Luynes (*Une Vue de Descartes*, in *Variété V*, p. 231-233). Valéry n'a pas tort de louer dans la prose, à côté de sa valeur de pensée, sa valeur musicale, ni l'accord de ces deux variables, mais on peut se demander si sa distinction entre prose et poésie n'en est pas ébranlée.

à égalité dans l'*univers poétique* : « univers de relations réciproques, analogue à l'univers des sons, dans lequel naît et se
meut la pensée musicale. Dans cet univers poétique, la résonance
l'emporte sur la causalité, et ''la forme '', loin de s'évanouir dans
son effet, est comme redemandée par lui. L'Idée revendique sa
voix. [1] » Comment s'opère la suggestion de cet univers poétique ?
Comment le poète y fait-il entrer l'amateur ? Sera-ce par des
procédés qui tiendront à la pensée ou par des procédés qui tiendront à la sonorité ? Pour Valéry, la réponse n'est pas douteuse ;
ce sera par l'ensemble de ces procédés. S'il en énumère quelques-
uns, on constate qu'il n'établit aucune distinction entre eux à
ce point de vue. « L'univers poétique... s'introduit par le nombre,
ou plutôt, par la densité des images, des figures, des consonances,
dissonances, par l'enchaînement des tours et des rythmes... [2] »
Ce sont des *formes* qui opèrent ce transfert, mais des formes idéales
et des formes verbales. Cette œuvre est le produit d'un langage
retravaillé à la fois dans son aspect intellectuel et dans son aspect
musical. Elle vise à reconstituer, à construire même, l'émotion
spéciale propre à la poésie, par un ensemble de moyens hétérogènes, mais dont le caractère commun, sur lequel Valéry est
maintes fois revenu, est de contrarier dans le discours poétique
tout ce qui pourrait rappeler la prose. Bien souvent, Valéry donne
cette impression qu'il suffit à ses yeux d'échapper à la prose pour
rencontrer automatiquement le poétique. « L'essentiel », dit-il,
est « d'éviter constamment ce qui reconduirait à la prose, soit en
la faisant regretter [en exprimant des pensées auxquelles la prose
conviendrait mieux], soit en suivant exclusivement l'idée... »
(qui n'est pas poétique par elle-même) [3]. Si être poète, c'est
n'être pas prosateur en vers, n'importe quel procédé qui s'écarte
de la prose est bon. Nous verrons un peu plus loin ces recettes
magiques. Ce qui nous intéresse pour l'instant, c'est cette indifférence à l'unité des moyens, c'est le pluralisme instrumental de
la technique. Il ne nous étonne pas de qui a caractérisé sa recherche par ces mots : « méthodes plutôt que méthode » [4].

Ce pluralisme spontané, assez visible aussi chez Valéry moraliste, se retrouve dans sa tendance à considérer la qualité poétique

---

1. *Au sujet du « Cimetière marin »*, in *Variété III*, p. 66-67.
2. *Ibid*, p. 67-68.
3. *Ibid.*, p. 68.
4. *Lettres à Albert Coste*, 1915, in *Cahiers du Sud*, mai 1932, p. 251.

plutôt dans le détail que dans l'ensemble d'un poème. Celui-ci est surtout pour lui une succession de réussites. « Voltaire a dit merveilleusement bien que " la Poésie n'est faite que de beaux détails ". Je ne dis autre chose. [1] » Très sensible à la présence de cette qualité, il la reconnaît à l'état de dispersion sporadique jusque dans des œuvres peu poétiques ou dont la destination est d'une autre nature. Il a noté très justement que « ... toutes les œuvres écrites, toutes les œuvres du langage, contiennent certains fragments, ou éléments reconnaissables, douées de propriétés... poétiques » [2]. N'importe qui d'un peu sensible les y remarque. Ils se détachent d'eux-mêmes. Et chaque fois c'est à leur écart de la prose qu'ils doivent leur éclat.

Toutes les fois que la parole montre *un certain écart* avec l'expression la plus directe, c'est-à-dire la plus *insensible* de la pensée, toutes les fois que ces écarts font pressentir, en quelque sorte, un monde de rapports distinct du monde purement pratique, nous concevons plus ou moins nettement la possibilité d'agrandir ce domaine d'exception, et nous avons la sensation de saisir le fragment d'une substance noble et vivante qui est peut-être susceptible de développement et de culture ; et qui, développée et utilisée, constitue la poésie en tant qu'effet de l'art [3].

La poésie serait donc faite surtout de parcelles sensibilisées du langage, susceptibles d'irradier autour d'elles un pouvoir magique ; elle serait avant tout une collection de bijoux précieux, un collier de perles, un trésor de talismans. Nous verrons que Valéry ne néglige pas pour autant l'architecture du poème, ni la continuité de son déroulement, mais ces caractères remarquables ne sont pas à ses yeux des valeurs poétiques. Il n'est pas facile de savoir si Valéry accorde la qualité poétique au poème complet, pris dans son ensemble. En effet, le système clos régi par la résonance, et par lequel nous entrons dans l'univers poétique, peut être constitué par le plus mince fragment de poésie authentique, et on nous laisse bien entendre que ce charme agit dans le poème à la rencontre de chacune de ses beautés de détail et que la poésie du poème est la somme de ces heureux accidents, mais Valéry ne nous dit pas si, globalement, le poème pourrait être susceptible d'un effet total de poésie.

Du moins, nous montre-t-il, comme un but souhaitable, une

1. *Au sujet du « Cimetière marin »*, in *Variété III*, p. 67.
2. *Poésie pure*, in *O. C.*, t. C., p. 198-199.
3. *Ibid.*, p. 199.

succession ininterrompue de moments poétiques parfaits. Car c'est encore son pluralisme, sa sensibilité à l'insularité de la beauté poétique, qui est à la base de sa conception de la poésie pure. L'idée de ne composer un poème que d'éléments absolument poétiques ne pouvait venir que de leur isolement, d'une espèce d'atomisme esthétique, très conforme à la conception mécanique que se fait Valéry de la création par opérations séparées, aussi éloignée que possible d'un dynamisme qui aurait pu placer la pureté poétique dans l'unité d'une expansion créatrice fidèle à sa fin jusque dans le détail de l'exécution. L'idée du poème entièrement poétique se présente à Valéry comme un problème d'intégration, de fusion homogène sans scories, dont la garantie est dans la pureté des matériaux.

Que l'on puisse constituer toute une œuvre au moyen de ces éléments si reconnaissables, si bien distincts de ceux du langage que j'ai appelé *insensible*, — que l'on puisse, par conséquent, au moyen d'une œuvre versifiée ou non, donner l'impression d'un système complet de rapports *réciproques* entre nos idées, nos images, d'une part, et nos moyens d'expression, de l'autre, — système qui correspondrait particulièrement à la création d'un état émotif de l'âme, tel est en gros le problème de la poésie pure [1].

La plus grande difficulté de la poésie est précisément de ne constituer « toute une œuvre » qu'avec des « éléments » poétiques. La poésie pure n'est pas autre chose. Cette notion dont on a fait tant de mystère, est parfaitement claire et simple chez Valéry ; elle désigne tout bonnement la poésie sans mélange, la poésie qui ne serait continûment que poésie.

Ce rêve de la pureté totale est très anciennement enraciné chez Valéry, et on pourrait le suivre dans tous les domaines qu'il a abordés, dans sa conception de la science comme dans son esthétique. Il l'a prêté à M. Teste : « Vieux désir (te revoilà, périodique souffleur) de tout reconstruire en matériaux purs... [2] » Valéry a exprimé son éloignement des états contraires : « L'impureté est mon antipode... [3] » Le mot *mélange* a servi de titre à l'un de ses volumes de réflexions et il en a fait le synonyme de l'esprit, de cet esprit confus auquel le moi pur se refuse constamment :

Un esprit n'est que ce mélange
Duquel, à chaque instant, se démêle le MOI.

1. *Poésie pure*, in *O. C.*, t. C, p. 199.
2. *Extraits du log-book*, in *Monsieur Teste*, p. 66.
3. *Propos me concernant*, p. 23.

C'est le mélange, l'impureté, qui lui gâte l'art oratoire.

Je n'aime pas l'éloquence. Mais écrite, elle m'est positivement insupportable.

Pourquoi ? Je ne l'ignore pas. C'est qu'elle est la forme adaptée à un nombre et à un mélange [1].

Dans ses *Réflexions sur l'acier*, il a décrit ce « corps merveilleusement polytechnique » comme « non seulement " composé ", mais essentiellement " impur "... et... " hétérogène ", et signalé dans ¢ la civilisation matérielle », qui « vit d'alliages ou de combinaisons », la « rareté des corps purs », dont la « préparation exige quelquefois l'emploi de méthodes et de procédés savants et coûteux » [2]. Le souvenir de l'industrie qui prépare la poésie pure n'est pas tout à fait absent de ces lignes. Dans un de ses beaux articles de critique d'art, *Triomphe de Manet*, s'il note « quelque profonde correspondance » entre Baudelaire et le peintre d'*Olympia*, « une affinité réelle des inquiétudes du peintre et du poète », c'est parce que « la pureté en matière de peinture comme de poésie » consiste « à repousser... les effets qui ne se déduisent pas de la conscience nette et de la possession des moyens de leur nature ». Chez ces deux artistes, le sentiment, les idées, ne viennent qu'après l'organisation savante et subtile de la « sensation ». Ils poursuivent le charme, « objet suprême de l'art » [3]. En poussant un peu les implications de ce passage, on verrait que l'idée de pureté dans l'art tend, chez Valéry, à s'introduire à tous les étages de la création : pureté de notion, pureté de moyens, pureté d'effet. L'art doit être une synthèse originale d'éléments purs obtenus par une analyse préalable :

Il n'y a que deux choses qui comptent, qui sonnent l'or sur la table où l'esprit joue sa partie contre lui-même.

L'une, que je nomme *Analyse*, et qui a la « pureté » pour objet ; l'autre, que je nomme *Musique*, et qui compose cette « pureté », en fait quelque chose [4].

En ce qui concerne la poésie, Valéry a surtout considéré les éléments qui entrent dans le vers ; aussi est-ce surtout par opposition à la prose qu'il a parlé de poésie pure. Il a employé l'expression pour la première fois dans la préface à un recueil de vers de

1. *Cahier B*, in *Tel quel*, I, p. 218.
2. In *Vues*, p. 63-69. Sur la pureté dans les religions et dans la médecine moderne, voir *Discours aux chirurgiens*, in *Variété V*, p. 49.
3. *Triomphe de Manet*, in *Pièces sur l'art*, p. 202-203.
4. *Propos me concernant*, p. 34.

M. Lucien Fabre, *Connaissance de la déesse*, en 1920, et il s'est étonné, par la suite, « de voir une expression assez négligemment jetée prendre une étonnante valeur en allant de bouche en bouche » [1]. Il s'est expliqué sur le sens qu'il donnait à cette expression :

Je dis *pure* au sens où le physicien parle d'eau pure. Je veux dire que la question se pose de savoir si l'on peut arriver à constituer une de ces œuvres qui soit *pure* d'éléments non poétiques [2].

Je n'avais entendu faire allusion qu'à la poésie qui résulterait, par une sorte d'exhaustion, de la suppression progressive des éléments prosaïques d'un poème... En somme, j'ai employé le mot *pure* dans le sens fort simple que lui attachent les chimistes quand ils parlent d'un corps pur [3].

Cette notion n'a rien de mystérieux et est comprise de tous :

Un très beau vers est un élément très pur de poésie. La comparaison banale d'un beau vers à un diamant fait voir que le sentiment de cette qualité de pureté est dans tous les esprits [4].

Seulement cette pureté n'existe d'ordinaire que dans des fragments. L'attention les isole facilement du reste. Et cette inégalité pénible du poème fait regretter que l'ensemble tout entier ne soit pas de la même composition :

... il est très facile de montrer, dans tous les poètes, sans exception, les éléments de poésie pure. Ils se détachent de l'ensemble du texte, en deviennent indépendants. On éprouve le désir de ne trouver que des beautés de cette nature. Il est naturel que l'on ait cherché à constituer des poèmes au moyen des éléments les plus précieux [5].

Un poème est fatalement impur, mélangé de prose.

En somme, ce qu'on appelle un *poème* se compose pratiquement de fragments de *poésie pure* enchâssés dans la matière d'un discours [6].

---

1. Frédéric Lefèvre, *Entretiens avec Paul Valéry*, p. 59. Voir aussi *Poésie pure*, in *O. C.*, t. C, p. 198.
2. *Poésie pure*, in *O. C.*, t. C, p. 199-200.
3. Frédéric Lefèvre, *Entretiens avec Paul Valéry*, p. 65-68. Voir aussi le *Cours de poétique*, leçon 11 : « Je n'ai jamais pris ce terme de « pure » que dans le sens où le prennent les chimistes. Je me demandais si l'on ne pourrait séparer, dans le discours, des parties ayant un caractère particulier, des éléments poétiques, pour ne constituer une œuvre qu'avec eux ; mon ami Bremond a vu dans le mot « pur » une notion mystique, telle n'était pas mon intention. »
4. *Poésie pure*, in *O. C.*, t. C, p. 200.
5. Frédéric Lefèvre, *Entretiens avec Paul Valéry*, p. 66.
6. *Poésie pure*, in *O. C.*, t. C, p. 200.

L'idée de *poésie pure* appliquée à un poème entier ne constate donc pas une réalité, mais définit un idéal.

L'expérience, à défaut du raisonnement, montrerait que la poésie pure... doit être considérée comme une limite à laquelle on peut tendre, mais qu'il est presque impossible de rejoindre dans un poème plus long qu'un vers [1].

J'ai toujours considéré et je considère encore, que c'est là un objet impossible à atteindre, et que la poésie est un effort pour se rapprocher de cet état purement idéal [2].

Mais, si « la conception de poésie pure est celle d'un type inaccessible, d'une limite idéale des désirs, des efforts et des puissances du poète... » [3], elle peut servir de norme pour juger de la valeur des œuvres ; « la notion d'un tel état idéal ou imaginaire est très précieuse pour apprécier toute poésie observable » [4]. D'où ce critère : « Un poème vaut ce qu'il contient de poésie pure... [5] »

Pour se rapprocher de cet idéal, le poète doit expulser du poème de nombreux éléments. La poésie de Valéry est, comme sa pensée, un système de refus. Il a également loué l'écrivain à proportion de ce qu'il se refusait de facilités, et fait communiquer par là son éthique et son esthétique. Les refus du poète qui prétend à la pureté visent à la fois des éléments de fond et des éléments formels. Valéry semble vouloir vider le poème de toute sa matière. Pas de sujet, ou, puisque c'est impossible, un sujet vain, un pur prétexte.

La poésie n'est que la littérature réduite à l'essentiel de son principe actif. On l'a purgée des *idoles* de toute espèce et des illusions réalistes ; de l'équivoque possible entre le langage de la « vérité » et le langage de la « création », etc.

Et ce rôle quasi créateur, fictif du langage — (lui, d'origine pratique et véridique) est rendu le plus évident possible par la fragilité ou par l'arbitraire du sujet [6].

Pas de descriptions. La description a corrompu l'art d'écrire.

1. Frédéric Lefèvre, *Entretiens avec Paul Valéry*, p. 66.
2. *Poésie pure*, in O. C., t. C, p. 200. Cf. *Cours de poétique*, leçon 11 : « J'ajoutais d'ailleurs que ce que je souhaitais était impossible, car le langage... n'est pas destiné à cela. Normalement, il se détruit par son usage même, lequel implique son remplacement par la signification obtenue. Le langage meurt dans l'effet obtenu. »
3. *Ibid.*, p. 211.
4. *Ibid.*, p. 211.
5. *Calepin d'un poète*, in O. C., t. C, p. 192.
6. *Littérature*, in *Tel quel*, I, p. 144-145.

comme le paysage la peinture [1]. Il se réjouit des inventions qui la rendent superflue. La photographie « et ses conquêtes du mouvement et de la couleur, sans parler de celle du relief... nous découragent de décrire » ; c'est « nous rappeler les bornes du langage articulé » [2] et conseiller aux écrivains un usage de leurs moyens conforme à leur nature propre.

Une littérature se ferait pure, qui, délaissant tous les emplois que d'autres modes d'expression ou de production remplissent bien plus efficacement qu'elle ne peut le faire, se consacrerait à ce qu'elle seule peut obtenir. Elle se garderait alors et se développerait dans ses véritables voies, dont l'une se dirige vers la perfection du discours qui construit ou expose la pensée abstraite ; l'autre s'aventurant dans la variété des combinaisons et des résonances poétiques [3].

La poésie ne doit pas non plus comporter d'évocations d'histoire.

Dans un poème, l'intervention de données historiques... (une date, parfois) doit paraître contraire à l'objet que se propose celui qui parle en vers [4].

L'auteur du *Narcisse* et de l'*Air de Sémiramis* doit bien tolérer les personnages, mais s'agit-il des héros de l'*Adonis* de La Fontaine, « il ne peut pas s'émerveiller » de leur « grande simplicité », car « les principaux personnages d'un poème, ce sont toujours la douceur et la vigueur des vers » [5]. En tout cas, si l'on admet les mythes, pas de narrations, ni de réflexions d'aucune sorte, morales ou philosophiques, rien à quoi la prose suffit.

Entendons par éléments prosaïques tout ce qui peut, *sans dommage*, être dit en prose ; tout ce qui, histoire, légende, anecdote, moralité, voire philosophie, existe par soi-même sans le concours nécessaire du chant [6].

Aussi Valéry a-t-il loué d'abord parmi les symbolistes ceux qui

... s'étudiaient à éliminer les descriptions, les sentences, les moralités, les précisions arbitraires ; ils purgeaient leur poésie de presque tous les éléments intellectuels que la musique ne peut exprimer [7].

---

1. Voir *Autour de Corot*, in *Pièces sur l'art*, p. 193-194 et *Degas. Danse. Dessin*, p. 133-134.
2. *Centenaire de la photographie*, in *Vues*, p. 367.
3. *Ibid.*, p. 367.
4. Frédéric Lefèvre, *Entretiens avec Paul Valéry*, p. 67.
5. *Au sujet d'Adonis*, in *Variété*, p. 71.
6. Frédéric Lefèvre, *Entretiens avec Paul Valéry*, p. 65-66.
7. *Avant-propos*, in *Variété*, p. 96. Voir, dans le même sens, ce qu'il dit de

Le lecteur, qui est peut-être prêt à admettre que les éléments intellectuels ne sont pas poétiques par eux-mêmes, est moins disposé à consentir que leur exclusion totale soit nécessaire. Il se souvient de trop de poèmes illustres où les parties de description et de narration, les évocations légendaires et les plongées métaphysiques ne nuisaient pas à sa satisfaction. Comme toujours, Valéry a outré l'observation banale que la poésie ne consiste pas dans la représentation des faits et des événements ni dans la réflexion philosophique. Il ne s'est pas demandé si, sous certaines conditions, ces données ne pouvaient pas être poétisées, comme l'expérience le prouve [1]. Il a préféré le nier brutalement. Il ne serait pas difficile de montrer que sa propre poésie est souvent en désaccord avec sa doctrine, car ni les idées, ni les éléments descriptifs ou narratifs, parfois même les allusions historiques, n'y manquent. A la vérité, il leur fait subir un traitement spécial, qu'on peut appeler poétisation, mais c'est ce que faisaient aussi ses prédécesseurs. Aucun vrai poète n'a décrit, conté, exprimé des idées comme on le fait dans le roman, l'histoire ou la philosophie. La poésie pure n'est pas la poésie vide, bien que Valéry l'ait dit. Les *Fragments du Narcisse* contiennent huit vers qui sont ceux qui lui « ont coûté le plus de travail » et qu'il « considère comme les plus parfaits » de tous ceux qu'il a écrits, c'est-à-dire « les plus conformes » à ce qu'il voulait qu'ils fussent, « assouplis à toutes les contraintes » qu'il leur avait assignées. C'est le passage qui commence par

O douceur de survivre à la force du jour...

Or ces vers « sont, par ailleurs, absolument vides d'idées et atteignent ainsi à ce degré de pureté qui constitue justement ce que je nomme poésie pure »[2]. Ces vers, qui sont vides d'idées, mais non de sentiment, renferment du moins un contenu plastique, des représentations de la nature, une évocation de crépuscule, dont il est bien difficile de contester le caractère descriptif. Valéry convient, cependant, qu'il est malheureusement impossible de supprimer absolument tous les éléments prosaïques ; dans tout poème, il y a un minimum d'indications sans valeur poétique

l'œuvre de Mallarmé : « Point d'éloquence; point de récits ; point de maximes » (*Je disais quelquefois à Stéphane Mallarmé*, in *Variété III*, p. 14).

1. On est un peu surpris de son bel éloge de la poésie de Verhaeren, si éloignée de son idéal, et où les éléments descriptifs tiennent une si grande place. Cf. *Discours sur Verhaeren*, O. C., t. E.

2. Jean de Latour, *Examen de Valéry*, note de la page 159.

qui sont indispensables. A propos d'une plate transition de La Fontaine, il note que « dans les vers, tout ce qui est nécessaire à dire est presque impossible à bien dire » [1].

Ce n'est pas seulement dans les sujets et dans le contenu intellectuel du poème que le poète doit viser à la pureté par exclusion. C'est dans le langage même. Valéry dit à propos de Baudelaire que « la pureté est le résultat d'opérations infinies sur le langage ». « Le soin de la forme » est « la réorganisation méditée des moyens d'expression » [2]. Mais ici les recommandations se font plus positives : « Que le poète multiplie tout ce qui sépare les vers de la prose. [3] »

La poésie, art du langage, est... contrainte de lutter contre la pratique et l'accélération moderne de la pratique. Elle mettra en valeur tout ce qui peut la différencier de la prose [4].

Le poète s'appuiera sur les conventions, dont les lois ont pour objet « de contrarier régulièrement toute chute vers la prose » [5]. Aux causes de destruction de la forme, il opposera « les principaux moyens imaginables pour les combattre : rythmes, rime, rigueur et choix des mots, recherche de l'expression limite, etc... » [6].

Les rimes, l'inversion, les figures développées, les symétries et les images, tout ceci, trouvailles ou conventions, sont autant de moyens de s'opposer au penchant prosaïque du lecteur [7].

Valéry a fait, dans un joli article sur Pontus de Tyard [8], l'éloge de l'inversion, ce qui est proprement recourir à l'étymologie, puisque la prose est exactement le contraire de l'inversion : elle est le discours qui va devant soi en ligne droite (*prorsa oratio*). Le poète doit surtout se rendre maître des mots pour en user avec une liberté supérieure. Valéry a dit un peu énigmatiquement :

J'ajoute (mais pour certains seulement) que la volonté de ne pas

1. *Au sujet d' « Adonis »*, in *Variété*, p. 73.
2. *Situation de Baudelaire*, in *Variété II*, p. 156.
3. *Autres rhumbs*, in *Tel quel*, II, p. 156.
4. *L'Invention esthétique*, in *L'Invention*, p. 149.
5. *Je disais quelquefois à Stéphane Mallarmé*, in *Variété III*, p. 14.
6. *Suite*, in *Tel quel*, II, p. 332.
7. *Questions de poésie*, in *Variété III*, p. 54.
8. In *O. C.*, t. E, p. 13-15. Voir aussi la Lettre de 1917 à André Fontainas, in *Réponses*, p. 19 : « Le vers que vous citez comme trop ... *inverti*, je ne l'aime pas du tout. Il appartient à l'un des trois passages littéralement improvisés dans la lassitude hâtive d'en finir. Mais je réclame pour le principe des inversions. Vous en trouverez d'égales, sinon *pires*, chez Hugo et chez Baudelaire. L'inversion est d'ailleurs le seul lambeau qui nous reste des libertés impériales de Virgile : " Des cocotiers absents les fantômes épars... " »

se laisser manœuvrer par des *mots*, n'est pas sans quelque rapport avec ce que j'ai nommé ou cru nommer : *Poésie pure* [1].

En quoi consiste, au juste, cette attitude ? Sans doute, d'abord, à ne pas se laisser guider par les mots (d'autres ont préconisé, au contraire, de suivre cette pente), puis, par un renversement tactique, à les dominer, en leur imposant un traitement contraire à l'usage, par des détournements de sens, des emplois de tropes, des positions excentriques, des combinaisons nouvelles, des rapports syntaxiques originaux. Dans son article de 1898 sur Huysmans, Valéry donnait déjà comme source de « combinaisons purement poétiques », le « rapprochement méthodique des mots les plus lointains et les plus différents entre eux » [2]. Il y avait un peu de ce procédé dans le mariage des rimes aux sens éloignés. Le conseil le plus général est de refuser l'expression directe :

> Victor Hugo savait bien, et nous démontre par toute son œuvre, que l'expression directe ne peut être, en poésie, qu'une singularité, et que le règne de l'expression directe, dans un texte, équivaut à la suppression totale de la poésie [3],

et de lui préférer l'expression figurée que la prose n'emploie qu'exceptionnellement. Dans ses derniers poèmes, Hugo tend à substituer « à l'expression directe tout un système d'expressions symbolistes de la plus grande force et de la plus profonde beauté » [4].

On pourrait douter que la poésie se différencie de la prose par ces procédés, par l'emploi de figures, de tours ou d'expressions, dont on sait bien qu'elle les utilise avec prédilection, mais que la prose après tout n'ignore pas. Valéry n'est pas loin de le reconnaître :

> Prose et poésie se servent des mêmes mots, de la même syntaxe, des mêmes formes et des mêmes sons ou timbres. Mais autrement coordonnés et autrement excités. La prose et la poésie se distinguent donc par la différence de certaines liaisons et associations qui se font et se défont dans notre organisme psychique et nerveux, cependant que les éléments de ces modes de fonctionnement sont identiques [5].

A quoi tient donc la différence de ces deux régimes ? Selon Valéry, « la grande et décisive différence », c'est que « le langage

1. *Léonard et les philosophes*, in *Variété III*, p. 160-161.
2. « *Durtal* », *Mercure de France*, mars 1898, p. 770-771.
3. *Souvenirs littéraires*, in *O. C.*, t. K, p. 15.
4. *Ibid.*, p. 14.
5. *Poésie et pensée abstraite*, in *Variété V*, p. 150-151.

utile... s'évanouit », tandis que « la poésie se reconnaît à cette propriété qu'elle tend à se faire reproduire dans la forme : elle nous excite à la reconstituer identiquement » [1]. Cette théorie, que nous connaissons déjà, ne nous dit pas précisément ce qui constitue proprement le langage poétique ; elle nous en donne seulement l'effet, la répercussion. Faute de mieux, Valéry s'est rabattu sur une comparaison, qu'il a reprise plusieurs fois, et dont il a découvert entre temps, par l'entremise d'un auditeur, qu'elle avait déjà été exploitée par Malherbe, au dire de Racan. C'est, à son avis, une « analogie aussi substantielle et féconde que celles que l'on trouve en physique quand on remarque l'identité des formules qui représentent la mesure de phénomènes bien différents en apparence » [2]. Cette analogie, au sens le plus exact, est une proportion à quatre termes qui assimile le rapport de la poésie et de la prose au rapport de la danse et de la marche. Elle ne nous en apprend pas beaucoup plus que ce que Valéry nous avait déjà dit, mais elle le fait mieux sentir. « La marche, comme la prose, vise un objet précis... La danse... ne va nulle part... elle poursuit.. un état... [3] » Mais dans la première forme que Valéry avait donnée à ce gracieux parallèle, dans *Calepin d'un poète*, l'analogie se compliquait d'un troisième rapport, celui de la parole et du chant. On trouve dans cette page de précieuses indications sur un passage possible de la prose au vers, qu'il ne faut peut-être pas serrer de trop près, car on trahirait sans doute la pensée de Valéry qui a déclaré, nous nous en souvenons, que commencer un poème par la pensée, c'était commencer par la prose. Il n'a certainement pas voulu dire qu'en assouplissant la prose on aboutirait au vers, mais plutôt que le langage pouvait tout à coup s'animer [4]. Ce passage si fourni du *Calepin* contient, en outre, deux notations très révélatrices ; l'une sur les métaphores, que Valéry définit des « mouvements stationnaires », la seconde sur l'effet du chant, qui rappelle la comparaison que Valéry a établie entre l'univers poétique et l'univers musical : le chant et la musique nous communiquent des mouvements internes, et l'on se rappelle que Valéry attribue le même effet au poème.

1. *Poésie et pensée abstraite*, in *Variété V*, p. 151-152.
2. *Poésie et pensée abstraite*, in *Variété V*, p. 149. Voir aussi *Propos sur la poésie, Conferencia*, 1928, p. 470-471, où il cite la lettre de Racan à Chapelain.
3. *Ibid.*, p. 149-150.
4. On peut considérer comme prose prépoétique les pages, où le vers se dessine parfois, où le chant se prépare, intitulées *Poésie brute*, dans *Mélange*, p. 117-131.

Le passage de la prose au vers ; de la parole au chant, de la marche à la danse. Ce moment à la fois actes et rêve.

La danse n'a pas pour objet de me transporter d'ici là ; ni le vers, ni le chant purs.

Mais ils sont pour me rendre plus présent à moi-même, plus entièrement livré à moi-même, dépensé devant moi inutilement, me succédant à moi-même, et toutes choses et sensations n'ont plus d'autre valeur. Un mouvement particulier les fait comme libres ; et infiniment mobiles, infiniment présentes, elles se pressent pour servir d'aliments à un feu. C'est pourquoi les métaphores, ces mouvements stationnaires.

Le chant est plus réel que la parole plane ; car elle ne vaut que par une substitution et une opération de déchiffrement, tandis qu'il meut et fait mimer, fait vouloir, fait frémir comme si sa variation et son étoffe étaient la loi et la matière de mon être. Il se met à ma place ; mais la parole plane est de superficie, elle détaille les choses extérieures, morcelle, étiquette.

On voit merveilleusement cette différence en observant les efforts et les inventions de ceux qui ont tenté de faire parler la musique et chanter ou danser le langage [1].

Ces comparaisons avec la danse (et la musique), cette définition des métaphores comme mouvements sur place, cet effet moteur, sur la sensibilité de l'amateur, cette possession dont il est la proie me frappent par leur caractère dynamique. On verra que l'effet physiologique qu'il accorde à la poésie va jusqu'à l'ébranlement complet de l'être. On finit par songer au vieil enthousiasme des classiques, quel que soit le refus que Valéry ait opposé à ce mot dans sa théorie de la création. Nous retomberions par là dans les « choses vagues » que Valéry a exclues le plus possible de ses analyses, et nous serions peut-être bien loin de la pureté, comme il est fatal dès qu'on fait sa place au sentiment, fût-ce par l'intermédiaire de l'excitation de la danse, du chant ou de la musique. Mais il faut bien remarquer que, dans la description de ces transports, Valéry ne considère que l'amateur et que rien n'indique qu'ils aient leur place chez le poète. L'enthousiasme, qui n'est pas un état d'âme d'écrivain, serait bon pour son public, et mesurerait sa puissance d'action sur celui-ci. C'est toujours le principe d'émouvoir sans être ému, et c'est aussi le principe d'obliger le public à obéir : rêve de domination de l'orgueil intellectuel quand il se fait artiste. Mais on peut se demander si la poésie pure aurait quelque chance de rayonner s'il ne se répandait pas d'abord en elle quelque chaleur confuse.

1. *Calepin d'un poète*, in *O. C.*, t. C, p. 185-186.

Cette conclusion, qui aboutit à une affirmation du primat du sentiment dans le domaine poétique, contre la volonté expresse de Valéry, n'est pas altérée si l'on considère la tentative qu'il a esquissée, sans la poursuivre, pour remplacer par une notion un peu différente la notion de *poésie pure*. Il n'a jamais donnée cette dernière que comme « une fiction déduite de l'observation, qui doit nous servir à préciser notre idée des poèmes en général, et nous guider dans l'étude si difficile et si importante des relations diverses et multiformes du langage avec les effets qu'il produit sur les hommes »[1]. Ces effets, nous venons de les entrevoir : ils consistent en une sorte de transport de l'être. Il a pensé parfois qu'une expression meilleure pourrait être employée :

> Mieux vaudrait, au lieu de *poésie pure*, mieux vaudrait, peut-être, dire *poésie absolue*, et il faudrait alors l'entendre dans le sens d'une recherche des effets résultant des relations des mots, ou plutôt des relations des résonances des mots entre eux, ce qui suggère, en somme, *une exploration de tout ce domaine de la sensibilité qui est gouverné par le langage*. Cette exploration peut être faite à tâtons. C'est ainsi qu'elle est généralement pratiquée. Mais il n'est pas impossible qu'elle soit un jour systématiquement conduite[2].

Cette technique infaillible, dont rêvait le jeune admirateur de Poe, le poète de *La Jeune Parque* ne la croyait déjà plus possible, mais il en gardait l'idéal rigoureux :

> ... quand je suis revenu, après plus de vingt ans de recherches non littéraires, à la Poésie, cette étrange entreprise ne s'est présentée à moi que sous l'aspect « absolu », — c'est-à-dire comme ne devant prendre quelque valeur que de qualités *intrinsèques*, indépendantes (autant que faire se pouvait) du goût de l'époque, du pressentiment du goût de l'époque prochaine, du décor et de la « sensibilité modernes[3].

La seule différence entre la *poésie pure* et la *poésie absolue*, c'est que la seconde ajoute à l'homogénéité de la création un anti-relativisme, un antimodernisme, une intemporalité qui lui donne une espèce d'irréductibilité ou d'éternité.

Déjà, dans l'*Avant-propos à la Connaissance de la Déesse*, où Valéry lançait un peu au hasard l'expression de « *poésie pure* », il employait l'expression de « poésie absolue »[4]. Et dans sa remar-

1. *Poésie pure*, in *O. C.*, t. C, p. 200.
2. *Ibid.*, p. 200-201.
3. *Réponse*, in *Commerce*, Été MCMXXXII, p. 13.
4. In *Variété*, p. 101 : « La *poésie absolue* ne peut procéder que par merveilles exceptionnelles... »

quable étude, *Situation de Baudelaire*, immédiatement après
avoir loué Poe d'avoir « compris que la poésie moderne devait se
conformer à la tendance d'une époque qui a vu se séparer de plus
en plus nettement les modes et les domaines de l'activité, et qu'elle
pouvait prétendre à réaliser son objet propre et à se produire,
en quelque sorte, *à l'état pur* », il résume ainsi son effort : « analyse
des conditions de la volupté poétique, définition par *exhaustion*
de la *poésie absolue* », c'est-à-dire par suppression des « données
de la connaissance discursive ou empirique » [1]. *Poésie pure* et
poésie absolue sont donc deux expressions, sinon synonymes,
du moins qui recouvrent la même réalité, ou plutôt visent le même
idéal, désignent la même tendance à purger la poésie de ses éléments étrangers, à user, pour y parvenir, d'une sorte de méthode
et à obtenir par elle la production d'un certain effet sur la sensibilité de l'amateur. Il nous reste donc à envisager le poème comme
une sorte de machine capable d'un tel effet.

1. *Situation de Baudelaire*, in *Variété II*, p. 165-167. Voir aussi *Triomphe
de Manet*, in *Pièces sur l'art*, p. 208, où il est dit de Mallarmé : « Il pensait que
le monde était fait pour aboutir à un beau livre, et qu'une poésie absolue était
son accomplissement. »

CHAPITRE V

INSPIRATION ET TRAVAIL

Étudier la nature d'un art, c'est faire essentiellement œuvre d'esthéticien, mais étudier la création artistique, c'est surtout faire œuvre de psychologue. L'esthétique, en plus des valeurs qu'elle détermine, doit fixer les conditions vitales de l'art ou du genre examiné, qui sont, de son point de vue, des conditions internes ; elle est donc centrée sur l'œuvre ou sur l'idée de l'œuvre. La pychologie, elle, ne peut parler valablement sur l'œuvre ; elle ne peut s'exercer fructueusement que sur des personnes, ou sur quelque type de personne, ou, à un plus haut degré d'abstraction, sur un genre de fonctionnement mental. Des expressions courantes comme Psychologie de l'Art, Psychologie de la Religion, Psychologie du Langage, légitimes, mais peut-être équivoques, ne doivent pas nous faire oublier que le domaine véritable de la psychologie ne peut être qu'une réalité située dans des consciences, et par conséquent en dehors des objets avec lesquels ces consciences sont en relation. De ce point de vue, l'objet artistique, l'œuvre d'art, est dans une double relation avec la conscience, selon qu'elle le crée ou qu'elle en subit l'effet ; toute psychologie de l'art est double, psychologie du créateur et psychologie de l'amateur. Il ne faut pas confondre l'une avec l'autre et il faut encore moins les mêler à l'analyse de l'œuvre qui est l'agent de transmission entre l'artiste et le public. Toutefois, l'étude des rapports entre ces trois facteurs est extrêmement importante, bien qu'elle ait été plutôt négligée : nous manquons d'une science des objets intermédiaires et des relations interpsychologiques en ce qui concerne l'art et ses attaches humaines ; ce pourrait être, dans des conditions de temps bien déterminées, l'histoire de l'art, et, si l'on veut, dans des conditions précises de lieu, une géographie de l'art; mais, si l'on vise à des lois ou à des généralités qui dépassent les expériences limitées, ce serait plutôt la sociologie de l'art qui devrait s'occuper d'étudier le double contact humain de la création d'art et le passage à travers l'œuvre du courant esthétique, fait social au premier chef, si la société n'est pas composée que de consciences et d'institutions, mais aussi de choses matérielles ou quasi-matérielles qui forment des nœuds complexes dans leurs relations. Somme toute, il y aurait quatre ordres de problèmes concernant l'art, et, pour revenir à la poésie, il y aurait lieu d'étudier la psychologie du poète, l'esthétique du poème, la psychologie de l'amateur de poésie, et enfin la sociologie de la transmission poétique. Nous n'avons pas tenu compte de l'histoire de la poésie, qui compléterait utilement ces études. C'est beaucoup et cependant c'est peu, eu égard à la complication des questions qui se posent.

La poésie est, en effet, le moins simple des problèmes posés par l'art, parce qu'elle touche à toute la vie psychique profonde et que le plaisir qu'elle procure est peut-être, dans son fond, de nature très peu, ou même pas du tout, esthétique, ce qui la différencie radicalement des autres arts littéraires comme de la peinture, de la sculpture ou de la musique (dans la mesure, bien entendu, où ces arts ne visent pas à la poésie par des moyens qui leur sont propres) ; en sorte que la poésie unit paradoxalement un art véritable, celui de la forme verbale, et une suggestion d'émotion qui est d'autant plus pénétrante qu'elle paraît moins fabriquée. Le poète n'arrive à manier cette émotion en artiste qu'à force d'infinies précautions qui en préservent la pureté originelle. En ce sens, la poésie, c'est l'art d'éviter l'art. Les plus mystérieux effets de la poésie sont nus. La technique, ou bien en est totalement absente, ou bien en a été totalement résorbée. La poésie est le domaine où il est le plus difficile de séparer l'esthétique de la psychologie, parce qu'il est celui où l'art s'appuie le plus sur la nature, cherchant, tantôt à être pure nature, tantôt, s'il n'y réussit pas d'emblée, à rejoindre artificieusement cette spontanéité. Mais cette effusion, sincère ou simulée, s'exprime par une musique verbale qui ne coïncide que rarement avec la mélodie psychologique et qui réclame le plus souvent un travail compliqué d'ajustement qui donne au vers son aspect savant.

si contraire parfois d'apparence à sa destination véritable.

La poésie, en tant que genre littéraire, vise deux sortes de plaisir : un plaisir proprement poétique et un plaisir esthétique. Le premier n'a, par lui-même, rien à voir avec le sentiment du beau ; il est purement naturel, et le paradoxe de la littérature poétique consiste précisément à créer ce naturel, par un usage subtil de la psychologie du sentiment ; chez ce poète rusé, j'admirerais moins un « critique de premier ordre » qu'un psychologue perspicace ; comme l'opération par laquelle le poète arrive à créer des valeurs de sentiment peut être appréciée par l'amateur à la façon d'une réussite dans l'ordre affectif, on peut juger celle-ci d'un point de vue esthétique. Le poème comporte donc une série d'impressions fondues inextricablement, mais décomposables à l'analyse : une impression affective spéciale, qui est le pur plaisir poétique, dont on peut faire la psychologie et seulement la psychologie ; une impression de poétisation, qui est le fruit d'une technique très subtile, et qui rentre par ce détour dans le plaisir esthétique ; enfin les impressions habituelles aux autres genres littéraires, et qui peuvent être appréciées pour leur beauté d'exécution, comme celles que provoquent les jeux ordinaires de l'imagination quand elle n'est pas spécialement poétique (pittoresque, dramatique, etc...), les qualités d'équilibre et de proportions dues à la composition, à l'architecture, les impressions propres à l'instrument choisi, généralement le vers, et qui relèvent de l'esthétique de la formulation. On peut dire que dans le poème le maximum d'art est mis au service d'une inspiration dont le but n'est qu'accessoirement artistique, dont la visée essentielle est la création d'un état de sentiment auquel l'art est à peu près indifférent. On ferait peut-être sentir cette condition étrange en disant que dans l'œuvre poétique, c'est seulement le poème qui est beau, mais que la poésie se contente d'y être poétique.

Cette façon de voir les choses est tout à fait contraire à celle de Valéry, mais il était nécessaire de l'exposer rapidement, parce qu'elle permet de montrer chez lui la prédominance de l'esthétique sur le poétique. On sent constamment que pour lui le poétique n'est pas distinct du beau et ce n'est pas une vue entièrement fausse, mais partielle, car le propre du sentiment poétique c'est de pouvoir se prendre à tout ce qui nourrit la rêverie qui le satisfait, et la beauté peut très bien fournir dans certaines conditions cet aliment que les poètes vont plus souvent puiser à d'autres sources moins intellectuelles et plus proches du cœur

humain. Nous en trouverions des exemples dans les poésies de
Valéry lui-même, et peut-être en dépit de sa volonté. Mais sa
conception théorique de la poésie est bien plus esthétique que
poétique. Ce n'est pas pour rien qu'il a critiqué la formule qu'il
jugeait dénigrante : « Un tel est plus poète qu'artiste », dont nous
ferions si facilement un éloge, et qu'il a si curieusement confondu
les deux notions dans cette formule inacceptable : « un très beau
vers est un élément très pur de poésie », comme s'il n'y avait pas
de très beaux vers qui n'étaient aucunement poétiques et même
des vers très poétiques auxquels l'épithète de beau est mal applicable. Mais laissons la distinction du beau et du poétique, et,
après avoir vu l'idée que se faisait Valéry de la nature de la poésie,
venons-en à sa façon de considérer la création du poème, c'est-
à-dire à un pur problème de psychologie, et essentiellement de
psychologie du créateur. Nous avons tout à l'heure séparé celle-ci
de la psychologie de l'amateur. Mais il faut, pour être complet,
tenir compte de ce fait capital, sur lequel Valéry a insisté très
heureusement, qu'il y a chez le créateur une représentation souvent très vive du lecteur, réel ou idéal, auquel l'œuvre est destinée,
et qui entre nécessairement dans ses calculs. De même, le lecteur,
mais c'est moins important, se recrée un auteur à sa façon. Sui-
vons donc Valéry dans son exploration de l'attitude créatrice.
L'expérience ne lui a pas manqué ; ses qualités de psychologue
et de critique de soi-même, sa curiosité de l'activité de l'artiste
et de toute la vie mentale, nous sont un garant d'un contact
authentique avec ces réalités difficiles à analyser.

*
* *

La création poétique se fait à partir d'une forme particulière
d'invention à laquelle on donne traditionnellement le nom d'inspiration. En raison de quelques formules catégoriques, Valéry
passe pour un ennemi de cette inspiration, et de tous les états de
sentiment qui s'y rapportent, ce qui constitue une position agressive à l'égard de la pensée courante. En revanche, Valéry a mis
l'accent sur le travail et les aptitudes intellectuelles qu'exige la
poésie, ce qui ne pouvait manquer non plus de choquer l'image
que se font beaucoup de l'activité du poète. Mais l'attitude de
Valéry n'a pas semblé si scandaleuse aux psychologues et aux
critiques. Il y a longtemps qu'on sait que la création poétique
est un art savant, complexe, réclamant une acuité extrême de

l'esprit, et que la part de l'inspiration y est singulièrement dis-
proportionnée à celle du métier, sans être pour autant moins
importante et indispensable. Or, Valéry, si l'on regarde ses idées
de près, ne dit pas autre chose. En définitive, il donne, comme
tout le monde, le premier rôle à l'inspiration, et, quand il semble
attaquer celle-ci, il s'en prend à une thèse outrancière qui ferait
de la dictée par quelque puissance mystérieuse, externe ou interne,
la totalité de l'activité poétique, thèse qui n'a été soutenue à ce
point par personne et qui ne pouvait l'être. Valéry se bat contre
la caricature d'une théorie sans adeptes, ou, au mieux, contre
une idée naïve qu'il a rencontrée chez des gens qui n'avaient
jamais réfléchi à la composition d'un poème. On peut douter,
quoi qu'il en dise, qu'il l'ait trouvée chez de vrais poètes ; même
si beaucoup de ceux-ci ont exagéré le mysticisme de l'inspiration,
ils ont toujours fait une place aux nécessités techniques.

Lisez Valéry, et vous verrez que la querelle porte, non sur la
réalité de l'inspiration, mais sur son aptitude à créer entièrement
une œuvre. Le débat tourne sur l'emploi du mot *tout*.

> Supposé que l'inspiration soit ce que l'on croit, et qui est absurde,
> et qui implique que *tout* un poème puisse être dicté à son auteur
> par quelque déité...

D'une telle absurdité, Valéry n'a pas de peine à tirer des conséquences qui en font éclater les contradictions :

> ... il en résulterait assez exactement qu'un inspiré pourrait écrire
> aussi bien en une langue autre que la sienne, et qu'il pourrait
> ignorer...

L'inspiré pourrait ignorer de même l'époque, l'état des goûts de
son époque, les ouvrages de ses prédécesseurs et de ses émules, —
à moins de faire de l'inspiration une puissance si déliée, si articulée,
si sagace, si informée et si calculatrice, qu'on ne saurait plus pourquoi ne pas l'appeler Intelligence et connaissance [1].

Cette hypothèse fantastique lui permet de comparer son poète
imaginaire à une urne pleine de billes, à un appareil enregistreur,
à une table tournante, à un médium, à un gérant de journal res-
ponsable, à un de ces possédés qui parlaient en des langues qu'ils
ignoraient [2]. D'où ces boutades, raillant aussi bien l'origine sur-
naturelle des inspirations de détail que la continuité miraculeuse
de l'inspiration d'ensemble :

---

1. *Rhumbs*, in *Tel quel*, II, p. 63-64. Cf. *Littérature*, in *Tel quel*, I, p. 148 :
« A la moindre rature, — le principe d'inspiration totale est ruiné. »
2. *Propos sur la poésie*, in *Conferencia*, 1928, p. 473-474.

X... voudrait faire croire qu'une métaphore est une communication du ciel. Une métaphore est *ce qui arrive* quand on *regarde
de telle façon*, comme un éternuement est ce qui arrive quand on
regarde un soleil. De quelle façon ? Vous le sentez. Un jour on
saura peut-être le *dire* très précisément. Fais ceci et cela, — et
voici toutes les métaphores du monde [1]...

Un jour, quelqu'un m'apprit que le lyrisme est enthousiasme,
et que les odes des grands lyriques furent écrites sans retour, à
la vitesse de la voix du délire et du vent de l'esprit soufflant en
tempête... Je lui répondis qu'il était tout à fait dans le vrai ; mais
que ce n'était pas là un privilège de la poésie, et que tout le monde
savait que pour construire une locomotive, il est indispensable
que le constructeur prenne l'allure de 80 milles à l'heure pour
exécuter son travail [2].

On comprend qu'en prêtant à des personnes, toujours indé-
terminées, d'insoutenables affirmations sans nuances, Valéry
en triomphe par une ironie facile, et qu'il oppose à ces fantômes
une vue moins mythologique.

L'idée d'inspiration, si l'on se tient à cette image naïve d'un
souffle étranger, ou d'une âme toute-puissante, substituée tout à
coup pour un temps, à la nôtre, peut suffire à la mythologie ordinaire
des choses de l'esprit. Presque tous les poètes s'en contentent.
Bien plutôt, ils n'en veulent point souffrir d'autre. Mais je ne puis
arriver à comprendre que l'on ne cherche pas à descendre en soi-
même le plus profondément qu'il soit possible.

Il paraît que l'on risque son talent à tenter d'en explorer les
Enfers. Mais qu'importe ce talent ? Trouvera-t-on pas *autre chose* [3] ?

On comprend qu'il ait rejeté en bloc tout ce qui peut se rattacher comme sentiment à l'état d'inspiration conçu de façon si
fantastique : délire, enthousiasme, rêverie, naïveté, irrationalité...
On connaît les déclarations célèbres :

... je trouvais indigne, et je le trouve encore, d'écrire par le seul
enthousiasme. L'enthousiasme n'est pas un état d'âme d'écrivain [4].

Remarquez que dans ce passage l'enthousiasme n'est pas nié,
mais limité. D'autre part, c'est avec une entière sincérité que
Valéry rejette tout ce qui lui semble porter atteinte à la liberté
et à la dignité de l'esprit. L'enthousiasme est par lui taxé d'in-

1. *Calepin d'un poète,* in *O. C.,* t. C, p. 192.
2. *Poésie et pensée abstraite,* in *Variété V,* p. 159.
3. *Lettre (du temps de Charmes),* in *O. C.,* t. B, p. 108.
4. *Introduction à la méthode de Léonard de Vinci.* I. *Note et digression,* in
Variété, p. 169-170.

sincérité, précisément parce qu'il ne peut durer, et exige, pour être maintenu, sa propre simulation.

Tout enthousiaste contient un faux enthousiaste ; tout amoureux contient un feint amoureux ; tout homme de génie contient un faux homme de génie ; et en général, tout *écart* contient sa simulation, car il *faut assurer la continuité* de personnage non seulement à l'égard des tiers, mais de soi-même [1].

C'est toujours la préoccupation de la totalité du poème, pratiquement de sa continuité, qui pousse Valéry à nier ou à diminuer le rôle d'une puissance visiblement incapable de l'assurer. Il dira très bien :

La Pythie ne saurait dicter un poème.
Mais un vers — c'est-à-dire une *unité* — et puis un autre.
Cette déesse du Continuum est incapable de continuer.
C'est le Discontinuum qui bouche les trous [2].

Mais c'est aussi le goût de la lucidité qui le conduit à rejeter un pouvoir aveugle : « J'aurais donné bien des chefs-d'œuvre que je croyais irréfléchis pour une page visiblement gouvernée... [3] » et c'est la haine du trouble physiologique où jettent certaines excitations violentes qui le faisait aller jusqu'à proclamer dans sa jeunesse :

... si je devais écrire, j'aimerais infiniment mieux écrire en toute conscience et dans une entière lucidité quelque chose de faible, que d'enfanter à la faveur d'une transe et hors de moi-même un chef-d'œuvre d'entre les plus beaux [4].

Il ne craint pas seulement pour lui les effets de ce délire, il en envisage avec répulsion les traces dans les grincements d'un poème imparfait :

Les dieux nous gardent du délire prophétique !
Je vois surtout dans ces transports le mauvais rendement d'une machine — la machine imparfaite.
Une bonne machine est silencieuse. Les masses excentrées ne font pas vibrer l'axe. — Parlez sans crier.
Point de transports — ils transportent mal [5].

---

1. *Suite*, in *Tel quel*, II, p. 325. Repris et complété dans *Mélange*, p. 180-181 : « ... pour comprendre soi, pour compter sur soi, penser à soi, — et, en somme, être... Soi. »
2. *Rhumbs*, in *Tel quel*, II, p. 63.
3. *Introduction à la méthode de Léonard de Vinci. I. Note et digression*, in *Variété*, p. 170-171.
4. *Lettre sur Mallarmé*, in *Variété III*, p. 226-227.
5. *Rhumbs*, in *Tel quel*, II, p. 63.

Nous avons déjà noté combien Valéry était peu disposé à voir dans le poète un rêveur.

La véritable condition d'un poète est ce qu'il y a de plus distinct de l'état de rêve. Je n'y vois que recherches volontaires, assouplissement des pensées, consentement de l'âme à des gênes exquises, et le triomphe perpétuel du sacrifice... Qui dit exactitude et style, invoque le contraire du songe ; et qui les rencontre dans un ouvrage doit supposer dans son auteur toute la peine et tout le temps qu'il lui fallut pour s'opposer à la dissipation permanente des pensées... ce ne fut jamais un jeu d'oisif que de soustraire un peu de grâce, un peu de clarté, un peu de durée, à la mobilité des choses de l'esprit ; et que de changer ce qui passe en ce qui subsiste [1].

Eupalinos était « avare de rêveries » ; il ne se laissait pas aller à rêver des « édifices imaginaires » : « ce que je pense est faisable » [2]. Ce qu'un poète trouve en rêve est médiocre ou détestable [3], même s'il l'a jugé beau sur l'instant. Le poète n'est pas non plus un personnage naïf : « Par nécessité, le poète doit être le dernier homme à se payer de mots. [4] » Et, il n'est même pas important qu'il éprouve une émotion poétique. Celle-ci, en tout cas, est insuffisante pour faire un poète :

... l'effet de poésie, et la synthèse artificielle de cet état par quelque œuvre, sont choses toutes distinctes ; aussi différentes que le sont une sensation et une action [5].

Un poète... n'a pas pour fonction de ressentir l'état poétique : ceci est une affaire privée. Il a pour fonction de le créer chez les autres. On reconnaît le poète — ou du moins, chacun reconnaît le sien — à ce simple fait qu'il change le lecteur « en inspiré » [6].

Voilà comment Valéry a déplacé l'inspiration, en la faisant passer de l'auteur à l'amateur, ce qui était le plus ingénieux moyen verbal pour s'en débarrasser.

Il n'est pas difficile de relever, en contre-partie, les concessions inévitables que Valéry a faites à l'inspiration. On les trouve parfois dans les mêmes passages qui semblent la nier, elle, ou ses corrélatifs. Dans la page fameuse sur l'enthousiasme qui n'est pas

1. *Au sujet d' « Adonis »*, in *Variété*, p. 56-57.
2. *Eupalinos*, p. 103.
3. Voir *Autres Rhumbs*, in *Tel quel*, II, p. 113-114.
4. *Passage de Verlaine*, in *Variété III*, p. 183.
5. *Poésie et pensée abstraite*, in *Variété V*, p. 138.
6. *Ibid.*, p. 138. Cf. *Propos sur la poésie*, in *Conférencia*, 1928, p. 474 : « L'inspiration, — mais c'est au lecteur qu'elle appartient et qu'elle est destinée, comme il appartient au poète d'y faire penser, d'y faire croire... » Valéry dira de même : « L'homme de génie est celui qui m'en donne » (*Mauvaises pensées et autres*, p. 204).

un état d'âme d'écrivain, Valéry note que « la puissance du feu...
ne devient utile et motrice que par les machines où l'art l'engage... »
et grâce à « des gênes bien placées ». Il montre l'auteur du discours
se sentant à la fois « *source, ingénieur, et contraintes* »[1]. Il a repris
souvent cette comparaison de l'ingénieur-poète et du poème-
machine. Il accorde toujours la prééminence à la machine, mais
il ne peut nier la nécessité de l'énergie qu'elle emploie.

Ce n'est pas qu'il ne faille, pour faire un poète, quelque chose
d'autre, quelque *vertu* qui ne se décompose pas, qui ne s'analyse
pas en actes définissables et en heures de travail. Le Pégase-Vapeur,
le Pégase-Heure ne sont pas encore des unités légales de puissance
poétique. Il y a une qualité spéciale, une sorte d'énergie individuelle
propre au poète. Elle paraît en lui et le révèle à soi-même dans
certains instants d'un prix infini[2].

Pour marquer ce caractère exceptionnel de l'inspiration, Valéry
a emprunté à la théologie une image qui diffère singulièrement
de la comparaison avec l'ingénieur. Il l'a comparée à la grâce,
ce qui n'est pas beaucoup moins surprenant que le recours à
« l'image naïve d'un souffle étranger ou d'une âme toute puissante ».
Certes, toutes comparaisons, comme telles, sont recevables pour
illustrer ce que l'analyse n'atteint pas. Celle de Valéry, qui n'est
pas plus nouvelle que celle de l'influence astrologique de Boileau,
met bien en relief l'écart qu'il y a entre l'inspiration et les conditions générales qui la précèdent :

L'artiste vit dans l'intimité de *son* arbitraire et dans l'attente
de *sa* nécessité. Il demande celle-ci à tous les instants ; il l'obtient
des circonstances les plus imprévues, les plus insignifiantes, et il
n'y a aucune proportion, aucune uniformité de relation entre la
grandeur de l'effet et l'importance de la cause. Il attend une réponse
absolument précise (puisqu'elle doit engendrer un acte d'exécution)
à une question *essentiellement incomplète* : il désire l'effet que produira en lui ce qui de lui peut naître. Parfois le don précède la
demande, et surprend un homme qui se trouve comblé, sans préparation. Ce cas d'une grâce soudaine est celui qui manifeste le
plus parfaitement le contraste entre les deux sensations qui accompagnent un même phénomène : ce qui nous semble *avoir pu ne pas
être* s'impose à nous avec la même puissance *de ce qui ne pouvait
pas ne pas être*, et qui *devait être ce qu'il est*[3].

---

1. *Introduction à la méthode de Léonard de Vinci.* I. *Note et Digression,* in
Variété, p. 170-171.
2. *Propos sur la poésie,* in *Conferencia,* 1928, p. 474.
3. *Discours prononcé au Deuxième Congrès International d'Esthétique et de
Science de l'Art,* in *Variété IV,* p. 258. Sur la conscience très nette qu'avait
Valéry du parallélisme entre certains problèmes poétiques et théologiques,

Valéry s'est servi aussi d'analogies mythologiques encore plus courantes : « Les dieux, gracieusement, nous donnent pour rien tel premier vers. [1] » Ce sont ces dieux indéterminés qui sont encore invoqués dans le dialogue de *l'Idée fixe* pour marquer l'indépendance à notre égard des produits de la composition : « une certaine figure » se construit, « qui ne dépend plus de vous. — Et de qui, Bon Dieu ? — Des Dieux !... Pardieu ! [2] » Dans sa correspondance avec Louÿs, il parle même de plusieurs vers venus « tout rôtis, de la Muse » [3]. Ou bien, nous l'avons vu, il invoque la Pythie, mais toujours comme ne pouvant dicter qu'un vers. Il pourrait tout aussi bien faire intervenir le médium ou la table tournante, en limitant leur pouvoir à une phrase ou à une série de coups, puisque pour lui, somme toute, l'inspiration n'est pas niable, mais simplement *momentanée* [4].

Valéry a parfaitement noté les caractères classiques de l'inspiration : spontanéité, impersonnalité, imprévisibilité, surprise ; il a reconnu qu'elle était fragmentaire, incertaine, mêlée, inégale et trompeuse. L'état poétique (comme l'état de rêve, duquel il le rapproche), est « parfaitement irrégulier, inconstant, involontaire, fragile... nous le gardons comme nous l'obtenons, par accident ». Ces « formations si précieuses », « le hasard nous les donne, le hasard nous les retire » [5]. Une très belle page décrit la naissance de ces fragments inspirés avec lesquels le travail fera le poème si l'esprit critique les juge valables :

... heureux composé, se réalisant de soi-même dans le courant impur des choses mentales. Comme une combinaison définie se précipite d'un mélange, ainsi quelque *figure* intéressante se divise du désordre, ou du flottant, ou du commun de notre barbotage intérieur.

C'est un son pur qui sonne au milieu des bruits. C'est un soupçon de diamant qui perce une masse de « terre bleue » : Instant infiniment plus précieux que tout autre, et que les circonstances qui l'engendrent ! Il excite un contentement incomparable — et une tentation immédiate : il fait espérer que l'on trouvera *dans son*

voir une longue parenthèse dans *Poésie pure*, in *O. C.*, t. C, p. 201-202.

1. *Au sujet d'« Adonis »*, in *Variété*, p. 67.
2. *L'Idée fixe*, p. 173.
3. Lettre du 27 juin 1916, in *O. C.*, t. B, p. 124.
4. Cette incrédulité à l'inspiration continue remonte à sa jeunesse : « Jamais plus, mon idéal artiste ne s'abandonnera aux hasards de l'inspiration — jamais il n'écrira tout un poème dans une nuit de fièvre... (Je n'aime pas Musset !) » Lettre à Pierre Louÿs du 2 juin 1890, citée par Henri Mondor, *Le Vase brisé de Paul Valéry*.
5. *Propos sur la poésie*, in *Conférencia*, 1928, p. 466.

voisinage tout un trésor... et cet espoir engage parfois son homme dans un travail qui peut être sans bornes.

Plusieurs pensent qu'un certain ciel s'ouvre dans cet instant... Mais le malheur veut que ce soit assez souvent une naïveté, une erreur, une niaiserie, qui nous est ainsi révélée. Il ne faut pas ne compter que les coups favorables : cette manière miraculeuse de produire ne nous assure pas du tout de la valeur de ce qui se produit. L'esprit souffle où il veut ; on le voit souffler sur des sots, et il leur souffle ce qu'ils peuvent [1].

Les grands créateurs ne sont pas privilégiés à cet égard : « Le génie est le plus fécond en choses absurdes, d'entre lesquelles sort la merveille qu'il livre au jour. [2] »

Il reste que, parmi les produits bruts de l'inspiration, certains demeurent utilisables. Ils sont de deux sortes : les uns naturellement purs, qui sont exceptionnels ; les autres, mêlés, et qui ont besoin d'être raffinés.

Mais ce ne sont que des instants, et cette énergie supérieure (c'est-à-dire telle que toutes les autres énergies de l'homme ne la peuvent composer et remplacer), *n'existe ou ne peut agir que par brèves et fortuites manifestations.*

... les trésors qu'elle illumine aux yeux de notre esprit, les idées ou les formes qu'elle nous produit à nous-mêmes sont fort éloignés d'avoir une valeur égale aux regards étrangers. Ces moments d'un prix infini, ces instants qui donnent une sorte de dignité universelle aux relations et aux intuitions qu'ils engendrent sont non moins féconds en valeurs illusoires ou incommunicables. *Ce qui vaut pour nous seuls ne vaut rien.* C'est la loi de la littérature [3]. Ces états sublimes sont en vérité des « absences » dans lesquelles se rencontrent des merveilles naturelles qui ne se trouvent que là, — mais les merveilles sont impures, je veux dire mêlées de choses viles ou vaines, insignifiantes ou incapables de résister à la lumière extérieure, ou encore impossibles à retenir, à conserver. Dans l'état de l'exaltation, tout ce qui brille n'est pas or.

En somme, certains instants nous trahissent des profondeurs où le meilleur de nous-mêmes réside, — mais en parcelles engagées dans une matière informe, en fragments de figure bizarre ou grossière. Il faut donc séparer de la masse ces éléments de métal noble et s'inquiéter de les fondre ensemble et d'en façonner quelque

1. *Mémoires d'un poème*, p. XLIX-L. Cf. *Lust*, in « *Mon Faust* », p. 31 : « L'esprit souffle où il peut, ce qu'il peut », et *Cours de poétique*, leçon 18 : « C'est parce que nous n'observons pas tous les coups de la partie que nous sommes tellement sensibles à ces productions de valeur transcendante à nous... Nous ne comptons pas les coups manqués, mais seulement les coups gagnés ; dans notre statistique, nous n'inscrivons pas les sottises. »
2. *Lettre à quelqu'un*, in *Vues*, p. 251.
3. Il dira plus expressivement : « la loi d'airain de la littérature » (*Poésie et pensée abstraite*, in *Variété V*, p. 157).

joyau... Ces expressions, jaillies de l'émoi, ne sont qu'accidentellement *pures*, — elles emportent avec elles bien des scories, contiennent quantité de défauts dont l'effet serait de troubler le développement poétique, et d'interrompre la résonance prolongée qu'il s'agit enfin de provoquer dans une âme étrangère [1].

Les comparaisons avec les minéraux rendent mal compte de la mobilité des opérations de l'esprit. Valéry a parfaitement senti ce qu'il y avait d'instable dans la combinaison imprévue apportée par une inspiration, et, pour montrer comment le poète peut la retenir avant sa disparition, il a comparé le poète au fondeur qui « guette l'instant unique de retirer dù feu la formation incandescente qu'il vient de produire » ; ainsi,

... le poète doit promptement arracher à son esprit et fixer aussitôt l'accident précieux de son enthousiasme, avant que ce même esprit, *emporté au-delà du plus beau*, le reprenne, le dissolve et le refonde dans ses combinaisons infinies [2].

La difficulté de noter les inspirations, aussi évanescentes que fulgurantes, leur propension à disparaître dans l'oubli total, sont bien connues des écrivains et des psychologues de l'invention.

On a noté dans ce passage la concession à l'enthousiasme, concession fatale dès qu'on a fait sa part à l'inspiration. Pressé par Paul Desjardins, à la Société française de Philosophie, de fournir un éclaircissement sur sa « récusation de l'enthousiasme », Valéry fut amené à distinguer deux états psychologiques successifs qui feraient, en quelque sorte, disparaître l'inspiration en se la partageant : dans la première phase, le poète est en proie à une sorte de prescience de la découverte ; dans la seconde, il procède méthodiquement à la révélation, qui peut s'avérer satisfaisante ou décevante.

Ce que j'avais dans l'esprit, c'est ceci : il y a deux états ; l'un où celui qui fait son métier d'écrivain est traversé d'une sorte d'éclair ; car, enfin, cette vie intellectuelle et non passive se compose de fragments ; elle est, en quelque sorte, formée d'éléments très brefs, mais qu'on sent très riches, qui n'éclairent pas tout l'esprit, qui lui indiquent, au contraire, qu'il y a des formes tout à fait neuves dont il est sûr qu'il les possédera par un certain travail. Ce que j'ai observé quelquefois, c'est l'arrivée d'une sensation de l'esprit, d'une lueur, non pas une lueur éclairante, mais fulgurante. Elle avertit, elle désigne beaucoup plus qu'elle n'éclaire, et, en somme, elle est elle-même une énigme qui porte avec elle l'assurance qu'elle

1. *Propos sur la poésie*, in *Conferencia*, 1928, p. 474.
2. *De l'éminente dignité des arts du feu*, in *Pièces sur l'art*, p. 10-11.

peut être différée. On dit : « Je vois, et puis demain je verrai ensuite. » Un fait se produit, une sensibilisation spéciale ; bientôt on ira dans la chambre noire et l'on verra apparaître l'image.

Je ne vous garantis pas que ceci soit très bien décrit, car c'est extrêmement difficile à décrire. Je viens de vous dire qu'il y a la période de la chambre noire : ici pas d'enthousiasme, car vous gâcheriez votre plaque, il faut avoir vos réactifs, il faut travailler comme l'employé de vous-même, votre contremaître. Le patron vous a fourni l'étincelle ; c'est à vous d'en tirer quelque chose. Ce qui est très curieux, c'est la déception qui peut s'ensuivre. Il y a des lueurs illusoires [1].

Il n'en demeure pas moins que l'inspiration, pour être confuse, est l'élément capital. Elle peut prendre des formes très variées, s'imposer comme une évidence, ou se présenter comme une invitation à suivre une certaine voie. Il est même probable qu'entre l'inspiration spontanée et le travail, il existe, de plus, une inspiration provoquée, favorisée par la recherche. L'auto-excitation fait partie de la technique du poète. Mais le poète est encore plus une attention vibrante et exercée, une réceptivité toute prête, munie d'antennes exquises. C'est, je pense, dans ce sens que Valéry a très justement parlé du « phénomène de la sensibilisation » :

... je me demande si l'effet du travail intellectuel n'est pas de favoriser je ne sais quel accroissement de sensibilité ? Le travail ne conduirait pas à la solution (dans l'ordre esthétique, d'ailleurs, ni les problèmes ni les solutions ne sont en général déterminés), mais il multiplierait les chances favorables au dessein général de l'artiste ; il ferait momentanément de l'artiste un résonateur très sensible à tous les incidents de conscience qui peuvent servir son dessein [2].

Il n'est pas bien sûr que cette sensibilisation soit due au travail

---

1. *La création artistique*, in *Bulletin de la Société française de Philosophie*, 1928, p. 14-17.

2. *Ibid.*, p. 17. Sur la sensibilisation nécessaire pour saisir dès leur apparition les formations évanescentes de l'inspiration, voir le *Cours de poétique* : « La sensibilité à l'état pur se révèle comme une mine de trouvailles, de combinaisons vierges. En cet état existe une liberté d'obéir à certaines affinités mutuelles, un jeu permettant aux éléments de s'attirer selon des lois, la loi du maximum d'effet probable, par exemple. Il convient d'être très sensibilisés à ces premiers effets se produisant avant le passage à l'état solide, à ce tout-fait, inutilisable pour l'artiste. Le moi de l'instant doit être sensibilisé à ces premières combinaisons. La plupart des individus ne s'arrêtent pas à ces termes premiers... » (leçon 17). « Jamais le gros lot n'est gagné par n'importe qui. Ces conditions de faveur faites à un individu ne tombent pas au hasard, mais sur des hommes sursensibilisés à tel domaine... Il faut toujours un certain monsieur sensibilisé à quelque chose et un état spécial de sensibilisation » (leçon 18).

intellectuel ; il est plus probable qu'elle est un affinement du sens
de la convenance affective des produits de l'imagination au sentiment thématique qui régit le poème. Mais Valéry a toujours
voulu voir sous l'angle rationnel et volontaire l'approfondisse-
ment poétique. Un de ses derniers articles permet même de croire
qu'il a distingué un état suprême de l'inspiration, qu'il appelle
illumination, et qui se distinguerait précisément de l'inspiration
ordinaire par ce caractère de discipline totale :

Je dirai (à mes risques et périls) que Mallarmé, portant le problème
de la volonté dans l'art au suprême degré de généralité, s'éleva du
désir de l'inspiration qui dicte un moment de poème à celui de
l'illumination, qui révèle l'essence de la poésie elle-même [1].

Ce qui ressort, en fin de compte, c'est non la négation de l'inspiration, mais une grande défiance à son égard. L'inspiration ne
vaut que contrôlée, critiquée, reprise et travaillée :

... notre riposte à notre « génie » vaut mieux parfois que son
attaque... la probabilité est défavorable à ce démon : l'esprit nous
souffle sans vergogne un million de sottises pour une belle idée qu'il
nous abandonne ; et cette chance même ne vaudra finalement que
par le traitement qui l'accommode à notre fin. C'est ainsi que les
minéraux, inappréciables dans leurs gîtes et dans leur filons, prennent
leur importance au soleil, et par les travaux de la surface.
Loin donc que ce soient les éléments intuitifs qui donnent leur
valeur aux œuvres, ôtez les œuvres, et vos lueurs ne seront plus
que des accidents spirituels, perdus dans les statistiques de la vie
locale du cerveau [2].

Leur vrai prix ne vient que « de la collaboration de tout
l'homme » [3].

*
**

Insuffisante, mais nécessaire, est donc l'inspiration. Si Valéry
en fait pourtant si peu de cas, c'est, sans doute, parce que pour lui
la vie mentale est invention perpétuelle : « l'homme ne fait guère
qu'inventer » [4] ; mais c'est là « de l'invention automatique banale »,
qui peut, d'ailleurs, devenir « de moins en moins automatique » [5].
C'est aussi parce que la faculté de choisir dans ce désordre lui

1. *Mallarmé*, in *Vues*, p. 184.
2. *Introduction à la méthode de Léonard de Vinci*. I. *Note et digression*, in
Variété, p. 173.
3. *Ibid.*, p. 174.
4. *Mémoires d'un poème*, p. XI.
5. *L'idée fixe*, p. 205.

paraît essentielle. Encore faut-il qu'apparaisse ce qui vaudrait d'être choisi. Là, nous sommes complètement désarmés. « Nous n'avons aucun moyen d'atteindre exactement en nous ce que nous souhaitons en obtenir. [1] » Tout ce que nous pouvons faire, c'est d'attendre. La volonté se réduit toujours dans ce domaine

> ... à un simple arrêt, au maintien, ou bien au renouvellement de quelques conditions... Nous ne pouvons agir directement que sur la liberté du système de notre esprit. Nous abaissons le degré de cette liberté... mais quant aux modifications et aux substitutions que cette contrainte laisse possibles, nous attendons simplement que ce que nous désirons se produise, car nous ne pouvons que l'attendre [2].

Valéry a souvent insisté sur cette attitude du poète : « Le poète en fonction est une attente. [3] » Et, dans *Autres Rhumbs*, sous la rubrique *Poésie perdue*, il lui a consacré une page qui, par son lyrisme intellectuel, aurait mérité de trouver un répondant dans un poème en vers comme ceux de *Charmes*, et qui illustre bien ce pathétique que Valéry a signalé dans les drames de la vie de l'esprit :

> Esprit, *Attente pure*. Éternel suspens, menace de tout ce que je désire. Épée qui peut jaillir d'un nuage, combien je ressens l'*imminence* ! Une idée inconnue est encore dans le pli et le souci de mon front. Je suis encore distinct de toute pensée ; également éloigné de tous les mots, de toutes les formes qui sont en moi. Mon œil fixé reflète un objet sans vie ; mon oreille n'entend point ce qu'elle entend. O ma présence sans visage, quel regard que ton regard sans choses et sans personne, quelle puissance que cette puissance indéfinissable comme la puissance qui est dans l'air avant l'orage ! Je ne sais ce qui se prépare. Je suis amour, et soif, et point de nom. Car il n'y a point d'homme dans l'homme, et point de *moi* dans le *moi*. *Mais* il y aura un acte sans être, un effet sans cause, un accident qui est ma substance. L'événement qui n'a de figure ni de durée, attaque toute figure et toute durée. Il fait visibles les invisibles et rend invisibles les visibles. Il consume ce qui l'attire, il illumine ce qu'il brise... Me voici, je suis prêt. Frappe. Me voici, l'œil secret fixé sur le point aveugle de mon attente... C'est là qu'un événement essentiel quelquefois éclate et me crée [4].

A côté de cette description dramatique de l'expectative du coup de foudre de l'inspiration, Valéry a donné de l'attente de la grâce

1. *Leçon inaugurale du Cours de poétique*, in *Variété V*, p. 315.
2. *Ibid.*, p. 315.
3. *Carnet d'un poète*, in *O. C.*, t. C, p. 183.
4. *Autres rhumbs*, in *Tel quel*, II, p. 127-128.

poétique une image d'une ferveur plus douce dans l'amoureux
poème *Les Pas* :

> Ne hâte pas cet acte tendre,
> Douceur d'être et de n'être pas,
> Car j'ai vécu de vous attendre,
> Et mon cœur n'était que vos pas.

Entre l'esprit à l'affût et la révélation à la fois attendue et inattendue, il y a un rapport difficile à analyser. Cette attente de
quelque chose d'imprévisible n'est pas sans structure, car elle
est évidemment orientée, nous dirions par le sentiment qui se
cherche une réponse : c'est une sorte de vide actif, ou mieux un
schéma qui guette dans le déroulement des transformations psychiques de quoi remplir sa forme. Valéry a défini deux cas de ces
« relations mystérieuses entre le désir et l'événement » : l'esprit

> ... peut toujours pressentir dans sa pénombre, la vérité ou la
> décision recherchée, qu'il sait être à la merci d'un rien, de ce même
> dérangement insignifiant qui paraissait l'en distraire et l'en éloigner
> indéfiniment.
> Parfois ce que nous souhaitons voir paraître à notre pensée (et
> même un simple souvenir), nous est comme un objet précieux que
> nous tiendrions et palperions au travers d'une étoffe qui l'enveloppe
> et qui le cache à nos yeux... Parfois nous invoquons ce qui devrait
> être, l'ayant défini par des conditions... Nous nous présentons
> notre désir comme l'on oppose un aimant à la confusion d'une
> poudre composée, de laquelle un grain de fer se démêlera tout à
> coup ... [1]

Dans le premier cas, on devine, on pressent, on reconnaît
d'avance sans connaître encore ce qu'on va découvrir ; on discerne
dans un ensemble confus, probablement grâce à la forme spéciale
du désir, une possibilité qui soit capable de lui répondre, mais
qu'il faudra élaborer :

1. *Leçon inaugurale du Cours de poétique*, in *Variété V*, p. 313-314. Valéry
a parfois renversé l'ordre de la relation : c'est l'extérieur qui amènerait à lui
les éléments nécessaires ; l'esprit, sollicité par le cadre, fournirait de quoi le
remplir. Dans l'*Idée fixe* (p. 169) il a baptisé « l'A-propos », cette « intelligence »
ou ce « tropisme » de « l'Implexe », où « ce qu'il faut » est « attiré, appelé par la
circonstance même ». Dans ses *Mauvaises pensées* (p. 48), il a décrit un type
plus banal de cette attirance, fondé sur le pouvoir moteur des représentations :
il a appelé « âme sollicitante », « l'âme naïve » de « l'instant » que l'homme est
« tenté de rejoindre », en vertu de l' « autorité des états naissants » (sur un lieu
haut et à pic, on songe à se précipiter ; à boire, devant une coupe pleine). C'est
ce que Renouvier appelait le « vertige mental ». Mais Valéry s'amuse à trans-
férer la tentation de l'individu dans l'objet : « L'armoire close demande la
femme de Barbe Bleue ; la pomme, Ève. » Il conclut : « Il y a en nous nombre
d'*attentes* indépendantes. »

Inventer, doit ressembler beaucoup à reconnaître un air dans la chute monotone de gouttes d'eau, dans les battements du train et les coups d'une machine alternative...

Il faut, je crois, un objet, ou noyau, ou matière — vague et une disposition.

Il y a une partie en l'homme qui ne se sent vivre qu'en créant : j'invente, donc je suis.

La marche générale des inventions appartient à ce type général : une suite de déformations successives, presque continues, de la matière donnée, et un seuil — une perception brusque de l'*avenir* de l'un des états.

Avenir, c'est-à-dire valeur utilisable, valeur significative, singularité [1].

Dans le second cas, au lieu d'une disposition, ce sont des conditions fixées d'avance, c'est une convention, ou un ensemble de conventions, qui définissent d'avance la forme de la trouvaille, que vient combler un accident de la transformation de la sensibilité. Le poète « est une modification dans un homme — qui le fait sensible à certains *termes* de son propre développement : ceux qui récompensent cette attente pour être conformes à la convention » [2].

Rencontre heureuse de la disposition orientée avec un état prometteur à élaborer, ou ajustement fortuit d'un état au système de conditions posées d'avance, telles seraient les deux formes essentielles de la découverte poétique. Il ne serait pas impossible de retrouver dans les poèmes de Valéry des traces de ces deux sortes de découvertes. Toutes deux supposent une vigilance. Le désir fait le guet et s'empare brusquement de la trouvaille. Valéry s'est plu à peindre cette espèce d'embuscade sous la figure hallucinante de l'araignée tapie au centre de sa toile.

J'imagine ce poète un esprit plein de ressources et de ruses, faussement endormi au centre imaginaire de son œuvre encore incréée, pour mieux attendre cet instant de sa propre puissance qui est sa proie. Dans la vague profondeur de ses yeux, toutes les forces de son désir, tous les ressorts de son instinct se tendent. Là, attentive aux hasards entre lesquels elle choisit sa nourriture ; là, très obscure au milieu des réseaux et des secrètes harpes qu'elle s'est faites du langage, dont les trames s'entretissent et toujours vibrent vaguement, une mystérieuse Arachné, muse chasseresse, guette [3].

1. *Cahier B*, in *Tel quel*, I, p. 221-222.
2. *Carnet d'un poète*, in *O. C.*, t. C, p. 183.
3. *Au sujet d'« Adonis »*, in *Variété*, p. 69-70. Valéry a été frappé de l'allure « psychologique » des animaux répugnants ; voir la curieuse page de *Mélange* sur la « mythologie nerveuse », p. 202. Sur l'esprit comparé au chasseur, voir *Propos me concernant*, p. 34 et p. 52. L'araignée symbolique a aussi sa place dans le poème *Aurore* (*Charmes*), mais, par une permutation des rôles qui n'est

Cette attente essentiellement active, cette attention, Valéry l'a décrite, d'une façon inutilement compliquée, comme une « attention à double entrée ». Le poète attend « le mot inattendu — et qui ne peut être prévu, mais attendu » ; il est « le premier à l'entendre ». « Son oreille lui parle. »

Entendre ? mais c'est *parler*. On ne comprend la chose entendue que si on l'a dite soi-même au moyen d'une cause autre.
Parler, c'est entendre [1].

C'est dire que la parole et l'audition se supposent mutuellement ; mais cette solidarité est très générale, elle concerne tout l'emploi du langage et n'est nullement particulière au poète. Valéry a amplifié ce jeu d'antithèses qui se prête à l'effet de mystère :

Dans le poète :
L'oreille parle,
La bouche écoute ;
C'est l'intelligence, l'éveil, qui enfante et rêve ;
C'est le sommeil qui voit clair ;
C'est l'image et le phantasme qui regarde,
C'est le manque et la lacune qui créent [2].

La révélation se marque par un choc, d'ailleurs escompté. « Je me ferai une surprise » [3], se dit l'auteur.

Viendra l'heureuse surprise

chante le poète de *Palme*. Et cette surprise est délicieuse par l'inattendu de son contenu.

C'est l'imprévu, le discontinu, la forme de réel et d'être à laquelle on n'aurait jamais pensé, — qui font le charme et la force de l'observation et des expériences.

On croyait contempler ou pressentir les solutions possibles et il y en a une autre [4]...

Cette signature est bien connue des artistes. Ils s'étonnent eux-mêmes. Valéry a été jusqu'à voir là un garant de la vérité : « Les idées justes sont toujours inattendues. Toute idée inattendue a quelques instants de juste. [5] » Mais, si l'auteur s'admire, il

pas rare chez Valéry, au lieu de représenter le poète elle représente ses idées.
1. *Calepin d'un poète*, in *O. C.*, t. C, p. 183.
2. *Littérature*, in *Tel quel*, I, p. 142-143. Ces formules, et d'autres, ont été corrigées à leur gré par Breton et Éluard, dans la *Révolution surréaliste*, n° 12, 15 décembre 1929, *Notes sur la poésie* : l'oreille rit, la bouche jure, c'est l'intelligence qui tue, etc...
3. *Au sujet d'« Adonis »*, in *Variété*, p. 68.
4. *Analecta*, LXXIX.
5. *Autres rhumbs*, in *Tel quel*, II, p. 187.

s'humilie également, car il ne se reconnaît pas dans ces illumina-
tions soudaines :

> Il y avait, et il subsiste, un mystère de l'*inspiration*, qui est le
> nom qu'on donne à la formation spontanée, en quelqu'un, de dis-
> cours ou bien d'idées qui lui paraissent des merveilles dont il se
> sent naturellement incapable [1].

Nous avons vu que pour Valéry l'inspiration était moins souvent une révélation nette et définitive qu'une lueur, un état à
exploiter. Mais, quelle que soit la valeur de ces produits spontanés,
ils ont toujours pour caractère d'être des accidents. Ils sont fils
du hasard. Le hasard est la vraie Muse de Valéry, et le seul dieu
de son univers psychique. « Mon hasard est plus moi que moi.
Une personne n'est que réponses à quantité d'incidents imper-
sonnels. [2] » Toute la pensée repose sur la mémoire ; or, celle-ci
est provoquée fortuitement : « Le passé vit de hasards. Tout incident *tire* un souvenir. [3] » Le hasard est le fond même de l'esprit.

> L'esprit est hasard. Je veux dire que le sens même du mot esprit
> contient, entre autres choses, toutes les significations du mot
> hasard. Les *lois* sont jouées, mimées par ce hasard. Mais il est plus
> profond, plus stable, plus intime que toute loi connue — consciente.
> Toute loi que je pense est instable, bornée, contrainte [4].

Le hasard gouverne en aveugle toute l'activité humaine, y compris l'activité artistique la plus réussie. Il faut faire à la bêtise sa
part, dit Valéry, car «les hommes ne savent ce qu'ils font », et « il
suffit de regarder les développements de l'acte le plus réfléchi, et
même le plus heureux, pour pouvoir et devoir le ranger parmi
les productions du " hasard ". [5] »

Le travail du poète doit donc compter avec ce hasard mental.
Valéry semble d'abord vouloir lutter contre lui, qu'il pose comme
une sorte d'équivalent plus positif de l'inspiration.

> C'est une image insupportable aux poètes ou qui leur devrait
> être insupportable que celle qui les représente recevant de créatures
> imaginaires le meilleur de leurs ouvrages.
> *Agents de transmission*, c'est une conception humiliante.
> Quant à moi, je n'en veux point. Je n'invoque que ce hasard qui

---

1. *Mallarmé*, in *Vues*, p. 183.
2. *Mauvaises pensées et autres*, p. 173.
3. *Ibid.*, p. 170.
4. *Cahier B*, in *Tel quel*, I, p. 217.
5. *Mauvaises pensées et autres*, p. 152.

fait le fond de tous les esprits ; et puis, un travail opiniâtre qui est *contre* ce hasard même [1].

Cette lutte contre le hasard doit fatalement s'appuyer sur lui : « Je sentais, certes, qu'il faut bien, et de toute nécessité, que notre esprit compte sur ses hasards... » disait Valéry dans la *Note à l'Introduction à la Méthode de Léonard de Vinci*, mais il ne croyait pas « à la puissance du délire, à la nécessité de l'ignorance, aux éclairs de l'absurde, à l'incohérence créatrice » [2]. L'art de Valéry est un art contrôlé et discipliné, qui s'oppose à l'esthétique optimiste de l'improvisation. Valéry n'est pas de ces écrivains qui

... considèrent leur art non comme chose dont il faut se rendre maître — *sine qua non* — mais comme un jeu de hasard où l'on peut risquer sa chance. Ils se remettent tout entiers à la fortune et se donneront la valeur qu'elle voudra bien leur conférer. (Ils ajouteront même quelque chose. [3])

Mais l'on se tromperait si l'on pensait que cette lutte contre le hasard vise à l'éliminer complètement. D'abord, il joue un rôle subtil dans la production de certains effets (on y reviendra) ; on peut transposer sur le plan poétique ce que Valéry dit de la peinture, à propos de Degas :

Il faut laisser quelque place au *hasard* dans le travail pour que certains charmes agissent, exaltent, s'emparent de la palette et de la main [4].

Ensuite, une discipline générale (lutter par principe contre le hasard) ne peut pas négliger les conditions pratiques du travail, qui, ici, suggèrent de tirer parti des accidents précieux que le hasard nous livre. On s'oppose au désordre naturel de l'esprit, mais on utilise ce hasard providentiel, et d'ailleurs indispensable, puisque sans lui « nous serions sans esprit » [5]. Ce que le poète exploite, ce n'est pas tout le hasard en général, bien qu'il compte évidemment sur sa capacité de surprises, ce sont les hasards heureux, les rencontres favorables, les chances. Son coup d'œil prompt les saisit, au mépris même de ses intentions premières qu'il ne se fait pas scrupule de renier si elles lui paraissent moins fructueuses. Valéry est de la famille des poètes qui collaborent

1. *Autres rhumbs*, in *Tel quel*, II, p. 163.
2. In *Variété*, p. 172.
3. *Rhumbs*, in *Tel quel*, p. 59.
4. *Degas. Danse. Dessin*, p. 87.
5. *L'œuvre écrite de Léonard de Vinci*, in *Vues*, p. 227.

J. HYTIER. — *La poétique de Valéry.* 10

volontiers avec le hasard, en dépit de l'autre partie de sa doctrine qui fonde le travail poétique sur la volonté réfléchie et le gouvernement du style.

Profiter de l'accident heureux. L'écrivain véritable abandonne son idée au profit d'une autre qui lui apparaît en cherchant les mots de la voulue, par ces mots mêmes. Il se trouve devenu plus puissant, même plus profond par ce jeu de mots imprévu — mais dont il voit instantanément la valeur — ce qu'un lecteur en tirera : c'est son *mérite*. Et il passe pour profond et créateur — n'ayant été que critique et chasseur foudroyant.

C'est de même à la guerre, à la Bourse [1].

Les moins bons des hasards ne sont pas inutiles, car ils peuvent être améliorés :

Un certain trouble de la mémoire fait venir un mot qui n'est pas le bon, mais devient le meilleur sans désemparer. Ce mot fait école, ce trouble devient système, superstition, etc. [2].

Et c'est ainsi qu'un poète saisit une alliance de mots, y persévère, s'y obstine et lui donne quelque valeur.

Transformation du fortuit, de l'inavouable, du honteux [3].

Il y a un imbécile en moi, et il faut que je profite de ses fautes. Dehors, il faut que je les masque, les excuse... Mais dedans, je ne les nie pas, j'essaie de les utiliser. C'est une éternelle bataille contre les lacunes, les oublis, les dispersions, les coups de vent. Mais qui est moi, s'ils ne sont pas moi [4] ?

Même les inadvertances de l'esprit dues à une défaillance organique peuvent offrir une singularité profitable. Voyez le dialogue de *L'Idée fixe* :

Le même événement mental qui, physiologiquement, est... assimilable à un déchet, qui est un produit de fatigue, d'épuisement local, un *hasard*, une réponse locale comparable à un *lapsus linguae*, peut, d'autre part, prendre une valeur... littéraire, par exemple...
— Merci !
— Oui. Cela peut donner un petit effet très heureux, très neuf, que la conscience apprécie, accueille, recueille, note... Et dans un milieu approprié, cette petite notation...
— On dira : c'est du Shakespeare !
— Au moins ! [5]...

Valéry a réhabilité le démon *Lapsus* : « *Lapsus*, chose admirable, dispense quelquefois quelque erreur très heureuse, *felix culpa* :

1. *Cahier B*, in *Tel quel*, I, p. 194.
2. *Littérature*, in *Tel quel*, I, p. 153.
3. *Analecta*, XIII.
4. *Cahier B*, in *Tel quel*, I, p. 192-193.
5. *L'Idée fixe*, p. 75-76.

la langue a bien fourché. ¹ » Et il a fait tirer parti par Faust d'une
erreur de sa secrétaire ². En conclusion, le poète fait flèche de tout
bois :

Un poète est le plus utilitaire des êtres. Paresse, désespoir, accidents du langage, regards singuliers, — tout ce que perd, rejette,
ignore, élimine, oublie l'homme le plus *pratique*, le poète le cueille,
et par son art lui donne quelque valeur ³.

Les meilleurs produits du hasard ont un rôle plus relevé et plus
durable : ils servent de modèles à la volonté créatrice, qui riva-
lisera avec eux. Valéry jeune envisageait comme pure méthode :

Essayer de retrouver avec volonté de conscience quelques résultats analogues aux résultats intéressants ou utilisables que nous
livre (entre cent mille coups quelconques) le hasard mental ⁴.

Le hasard nous apprendrait à nous passer du hasard. Les rares
beautés qu'il nous dispense invitent l'intelligence à en fabriquer
d'équivalentes qu'elle ne devrait qu'à elle-même. On retrouve, ici,
l'opposition à la création involontaire, en état de transe :

Un éclair ne m'avance à rien. Il ne m'apporte que de quoi m'admirer. Je m'intéresse beaucoup plus à savoir produire à mon gré
une infime étincelle qu'à attendre de projeter çà et là les éclats d'une
foudre incertaine ⁵.

Mais, comme l'esprit ne peut qu'attendre de tels résultats, on peut
se demander s'il y a une si grande différence entre les éclairs et
les étincelles ; elle se réduit, semble-t-il, à celle de l'inspiration
spontanée et de l'inspiration provoquée. C'est toujours le hasard
qui donne l'idée, mais dans le premier cas elle est venue d'elle-
même et dans le second, on l'a invitée. La réflexion s'est bornée
à déterminer son champ, les conditions auxquelles elle doit répondre, — et celles-ci varient avec chaque poète :

La réflexion est une restriction du hasard, un hasard auquel on
ajuste une *convention*. Et qu'est-ce qu'un jeu de hasard, sinon cette
addition qui crée une attente, donne une importance inégale aux
diverses faces d'un dé ?
Ces faces sont égales d'un certain point de vue, inégales suivant

1. *Mauvaises pensées et autres*, p. 222.
2. *Lust*, in « *Mon Faust* », p. 21-22 : « Érôs énergumène ?... Ce n'est pas possible !... Ceci n'est pas de moi. Mais ce n'est pas mal... Ceci doit être de moi. Si
c'est là un produit du hasard, bredouillement de moi, ou distraction de vous,
il me plaît ; je le prends... Je vois ce que j'en puis faire ! »
3. *Rhumbs*, in *Tel quel*, II, p. 61.
4. *Mémoires d'un poème*, XXXIII.
5. *Ibid.*, p. xxxiii.

un autre... Où l'un perd, l'autre gagne. Telle idée, telle expression venue à l'esprit de Racine et rejetée par lui comme perte, Hugo l'eût saisie comme un gain [1]...

Le hasard, à supposer que le calcul des probabilités permette que les mêmes combinaisons originales se présentent à plusieurs poètes, et que ceux-ci, au lieu de s'en emparer avidement, aient la liberté de les rejeter comme de les accepter, le hasard n'offrirait donc en définitive qu'une possibilité de choix.

*
* *

Le génie, « considéré comme un jugement », consiste précisément dans la faculté de choisir parmi les hasards :

Il faut être *deux* pour inventer. — L'un forme des combinaisons, l'autre choisit, reconnaît ce qu'il désire et ce qui lui importe dans l'ensemble des produits du premier.
Ce qu'on appelle « génie » est bien moins l'acte de celui-là — l'acte qui combine, — que la promptitude du second à comprendre la valeur de ce qui vient de se produire et à saisir ce produit [2].

L'auteur examine le produit de l'inspiration à la manière d'un savant : « L'inspiration est l'hypothèse qui réduit l'auteur au rôle d'un observateur. [3] » Nous voilà ramenés à voir dans le grand poète un critique de premier ordre. Mais ce n'est pas seulement parmi les productions spontanées de la sensibilité que peut opérer cette sélection esthétique ; elle a encore à sa disposition l'immense ressource des créations du passé de l'humanité où elle peut puiser avec fruit. Valéry, qui repoussait, au nom de la poésie absolue, indépendante de la mode et de la prescience du goût futur, les sollicitations de l'actualité, et qui a manifesté plus d'une fois son antimodernisme et condamné la fureur d'originalité, reprend ici à son compte la doctrine classique de l'imitation. Choisir à bon escient dans les richesses de la tradition lui paraît aussi méritoire qu'inventer, et, au total, il ne croit pas possible de discerner l'un de l'autre :

1. *Calepin d'un poète*, in *O. C.*, t. C, p. 182. Inutile de souligner que l'antihistoricisme de Valéry l'amène à proposer un exemple en termes inadéquats.
2. *Analecta*, XXXIII. Cf. *Cours de poétique* : « Le moi créateur et découvreur d'idées est... assez restreint, n'étant pas le moi complet. Le moi qui découvre l'idée n'est pas celui qui l'évalue. Il y a des étages successifs de l'être... » (leçon 16). « Notre plus grand mérite n'est pas de trouver, mais de choisir ce qui est trouvé » (leçon 18).
3. *Choses tues*, in *Tel quel*, I. p. 29.

... malgré la superstition récente, je reconnais un principe particulier de gloire à celui qui choisit, qui ne fait mine d'ignorer les beautés acquises, ou qui reprend, dans son heureuse connaissance des trésors que le temps a formés, les moyens de sa perfection. Le mystère du choix n'est pas un moindre mystère que celui de l'invention, en admettant qu'il en soit bien distinct [1].

Le choix, parmi les inspirations, les hasards ou les souvenirs, ne porte que sur des détails. Il ne peut faire une œuvre. Il y faut de plus le travail, le « labeur intelligent [2] ». « L'arrangement et l'harmonie finale des propriétés indépendantes qu'il faut composer ne sont jamais obtenus par recette ou par automatisme, mais par miracle ou bien par effort ; par miracles *et* par efforts volontaires combinés. [3] » Lorsque nous est donné « l'état de modification intime » qui produit un beau vers, il « ne suffit pas à produire cet objet complet, cette composition de beautés, ce recueil de bonnes fortunes pour l'esprit que nous offre un noble poème. Nous n'en obtenons ainsi que des fragments. [4] » Le génie même ne peut suppléer le travail. Et d'ailleurs, Valéry a rabaissé le génie. On se souvient du mépris de M. Teste : « Croyez-moi à la lettre : le génie est *facile*... Je veux dire simplement — que je sais comment cela se conçoit. [5] » Le *Cahier B 1910* réduisait sa puissance à une sorte de manie : « Le "génie" est une habitude que prennent certains. [6] » Et trente ans plus tard, Valéry fera répondre Faust au disciple :

Je crois bien que mon génie n'est que mon habitude de faire ce que je puis... j'admire que ce génie ait pris la forme régulière, la routine des habitudes, et vienne « créer » (comme vous dites) en moi, — ou par moi, — de telle heure à telle heure, presque tous les jours [7]...

On pourrait établir un parallèle parfait entre ce que dit Valéry du génie et ce qu'il dit de l'inspiration. Il est nécessaire, mais insuffisant. Il ne donne que des résultats fragmentaires et isolés, parce que, dans son essence, il est lui aussi momentané : « Le génie tient dans un instant. [8] »

Ce sont choses profondément différentes que d'avoir du « génie »

1. *Remerciement à l'Académie française*, in *Variété IV*, p. 34.
2. *Poésie et pensée abstraite*, in *Variété V*, p. 156.
3. *Les deux vertus d'un livre*, in *Pièces sur l'art*, p. 23-24.
4. *Poésie et pensée abstraite*, in *Variété V*, p. 155.
5. *La Soirée avec Monsieur Teste*, in *Monsieur Teste*, p. 28.
6. *Cahier B*, in *Tel quel*, I, p. 189.
7. *Lust*, in « *Mon Faust* », p. 74.
8. *Rhumbs*, in *Tel quel*, II, p. 36.

et que de faire une œuvre viable. Tous les transports du monde
ne donnent que des éléments *discrets* [1].

Le talent doit rétablir la continuité, et son rôle est plus important
que celui du génie. « Le talent sans génie est peu de chose. Le
génie sans talent n'est rien. [2] » Le talent suppléerait à la rigueur
au génie ; il pourrait sans doute aller jusqu'à le simuler. Mais,
comme tout à l'heure l'inspiration, ce génie dédaigné n'en reste
pas moins essentiel, et donne seul son prix à l'œuvre et à l'auteur,
parce qu'il les place au-dessus de lui-même : « ... nous ne valons
quelque chose que pour avoir été et pouvoir être un moment hors
de nous. [3] »

Il faut savoir fixer et utiliser le génie comme on saisit et exploite
le hasard. C'est, au fond, la même chose. Le génie, c'est d'abord
la sensibilité au hasard. Faust dit à sa secrétaire émerveillée :
«Vous voyez comme c'est simple. Il s'agit d'être sensible à quelque
hasard. [4] » Le génie, c'est aussi la chance, une chance bizarre
dans son effet sur l'auteur : « ... c'est un étrange rôle que de distribuer les cadeaux du hasard à une foule d'inconnus [5] » et une
chance incompréhensible :

L'intelligence... c'est d'avoir la chance dans le jeu des associations et des souvenirs à propos.
Un homme d'esprit (*lato* et *stricto sensu*) est un homme qui a de
bonnes séries. Gagne souvent. On ne sait pourquoi. Il ne sait pourquoi [6].

Et le génie n'est rien sans la maturation : « Ce petit moment
hors de moi est un germe, ou se projette comme un germe. Tout le
reste de la durée le développe ou le laisse périr. [7] » Valéry compare
à la germination végétale la force d'expansion de ces moments
privilégiés : « Il y a un ressort étrangement puissant, contraint
dans les graines et dans certaines minutes. [8] » Et, comme le poète
n'est pas avare d'images et que l'inspiration ou l'association des
idées souffle aussi bien sur l'essayiste, son génie de l'homonymie
exploite à fond la métaphore du grain pour ajouter aux hasards
fructueux, les hasards dynamiques et les hasards stériles :

1. *Littérature,* in *Tel quel,* I, p. 175.
2. *Instants,* in *Mélange,* p. 163.
3. *Rhumbs,* in *Tel quel,* II, p. 36.
4. *Lust,* in « *Mon Faust* », p. 21-22.
5. *Ibid.,* p. 74.
6. *Mauvaises pensées et autres,* p. 153-154.
7. *Rhumbs,* in *Tel quel,* II, p. 36.
8. *Ibid.,* p. 36.

Il y a des particules de temps qui diffèrent des autres comme un grain de poudre diffère d'un grain de sable. Leurs apparences sont presque les mêmes, leurs avenirs non comparables [1].

Valéry n'a pas beaucoup développé l'idée de maturation, sans doute parce qu'elle l'aurait entraîné à tenir compte du travail inconscient [2], notion qui répugnait à son intellectualisme, et aussi parce qu'elle contrariait sa théorie de la création humaine par actes séparés, que nous allons exposer dans le chapitre suivant. Pourtant, M. Teste disait souvent : « Maturare ! [3] » et tout le poème de *Palme* est un hymne à l'invisible croissance :

> Par la sève solennelle
> Une espérance éternelle
> Monte à la maturité.
> . . . .
> Patience, patience,
> Patience dans l'azur !
> Chaque atome de silence
> Est la chance d'un fruit mûr !

Il a insisté, au contraire, sur l'importance du travail conscient et volontaire. Intellectuel, rationnel, critique, l'effort du poète exige même une exactitude quasi mathématique :

Sans un calcul assez juste, l'œuvre ne vaut — ne marche pas. Un poème excellent suppose une foule de raisonnements exacts. Question non tant de *forces*, que d'application de forces [4].

Valéry a très bien vu le danger de cette mécanisation. Il sait que la principale difficulté est d'empêcher que la discipline ne fasse évanouir l'effet poétique qu'elle a justement pour but de mettre en valeur :

Le dessein le plus difficile à concevoir, à entreprendre et surtout à soutenir dans les arts, et singulièrement dans la poésie, est celui de *soumettre à la volonté réfléchie* la production d'un ouvrage, sans que cette condition rigoureuse, délibérément adoptée, altère les qualités essentielles, les charmes et la grâce que doit porter et propager toute œuvre qui prétend séduire les esprits aux délices de l'esprit [5].

Mais le parti pris du théoricien l'a emporté sur le pressentiment du poète.

1. *Rhumbs*, in *Tel quel*, p. 36-37.
2. Voir dans le *Cours de poétique*, leçon 18, tout le développement contre « le petit homme dans l'homme ».
3. *La Soirée avec Monsieur Teste*, in *Monsieur Teste*, p. 20.
4. *Littérature*, in *Tel quel*, I, p. 175.
5. *Mallarmé*, in *Vues*, p. 183.

Le travail du poète commence dès l'inspiration, ou même avant, puisque celle-ci peut être provoquée. Mais il s'exerce à plein dans sa rivalité avec celle-ci. Valéry a souvent opposé aux « vers donnés » (produits de l'inspiration, du génie, du hasard, de la chance, tout cela se tient), les vers « calculés »[1], aux vers qu'on « trouve » les vers qu'on « fait »[2]. Parmi les vers fournis gratuitement, certains sont sans doute parfaits du premier coup, mais les autres ont encore besoin d'être raffinés : « On perfectionne ceux qu'on a trouvés.[3] » Quant aux vers fabriqués, ils sont le produit d'un effort pour égaler leurs modèles naturels rencontrés par hasard : ainsi les merveilles de la statuaire accidentelle des rivages étaient, selon Eupalinos, « offerts gracieusement par les dieux à l'architecte »[4]. L'étude sur *Adonis* a rendu fameuse cette distinction :

Les dieux gracieusement nous donnent *pour rien* tel premier vers ; mais c'est à nous de façonner le second, qui doit consonner avec l'autre, et ne pas être indigne de son aîné surnaturel. Ce n'est pas trop de toutes les ressources de l'expérience et de l'esprit pour le rendre comparable au vers qui fut un don[5].

Ces vers fabriqués, pour ressembler aux vers donnés, subissent un traitement particulier, qui vise à leur donner la même apparence de spontanéité : on les « naturalise »[6]. C'était reconnaître la supériorité de l'inspiration sur le travail, puisque celui-ci ne pouvait, au mieux, qu'atteindre péniblement la perfection innée de ses modèles. Il ne faudrait pas être Valéry pour admettre définitivement cette suprématie. Il lui est arrivé d'affirmer la capacité de la réflexion, non seulement à égaler, mais à surpasser les produits parfaits de l'inspiration :

L'artiste se meut entre l'immédiat et l'élaboré. L'immédiat n'a pas toujours les qualités que l'opinion commune lui attribue *a priori*.
D'ailleurs, celui qui dans les moments d'abandon et dans son discours spontané, est favorisé de trouvailles, invente des formes et des modèles d'expression originale — est en général, *le même* que celui dont la peine et l'attention prolongée arriveront à produire *au moins* les *mêmes* effets.
Un esprit puissant tend à obtenir de soi qu'il reproduise *en s'en*

1. *Littérature*, in *Tel quel*, I, p. 150.
2. *Cahier B*, in *Tel quel*, I, p. 218.
3. *Ibid.*, p. 218.
4. *Eupalinos*, p. 110.
5. *Variété*, p. 66.
6. *Cahier B*, in *Tel quel*, I, p. 218.

préoccupant, des fruits analogues à ceux qu'il a pu parfois produire *par cela même qu'il ne s'en préoccupait pas* [1].

La théorie de la composition et la théorie de l'exécution montreront, à deux autres niveaux, ce rôle du travail dans la création poétique, qui commence à se manifester sur le plan de l'inspiration. Mais on peut déjà en dégager le caractère essentiel et les conséquences qu'en tire Valéry. Tout ce travail a un aspect d'artifice, que Valéry met en relief, en l'outrant quelque peu. Pour lui, l'artiste est un joueur et un comédien : « Il y a de la partie de jeu et de la comédie dans son travail. [2] » Son nihilisme esthétique va plus loin encore : le travail artistique est simulation ; l'œuvre d'art est un « faux » ; et, enfin, la pluralité hétérogène des actions de l'artiste est telle que sa personnalité d'auteur s'y dissout complètement. Déjà, les vers « trouvés » qu'on « perfectionne » et les vers « faits » qu'on « naturalise » prouvent une

... double simulation en sens inverse pour atteindre ce faux : la perfection... également éloignée et du spontané pur qui est n'importe quoi, et de la production toute volontaire qui est pénible, filiforme, niable par toute volonté autre ; incapable de se soumettre autrui [3].

Mais l'ouvrage complet est encore bien plus mensonger : « une œuvre est toujours un *faux* » [4] ; il est impossible de lui « faire correspondre un auteur agissant d'un seul mouvement. Elle est le fruit d'une collaboration d'états très divers... une sorte de combinaison de points de vue originairement indépendants les uns des autres... L'acte d'écrire ne peut se prolonger... sans exiger une rupture presque incessante du dessin initial... La moindre rature violente le spontané » [5]. Voilà pourquoi « le développement de la construction » est rendu « presque indéchiffrable » [6]. Valéry a parfois énuméré quelques facteurs de cette activité complexe :

... cet étrange emploi du temps et des forces de l'homme, si difficile à définir et dans lequel l'arbitraire le plus étendu, la diversité la plus capricieuse, les motifs les plus variés, les sensations, les sentiments, la raison, les passions et les circonstances, les tempéraments et les dons les plus différents viennent se dépenser, s'expri-

---

1. *Quelques fragments des Marginalia,* in *Commerce,* XIV, Hiver MCMXXVII, p. 16.
2. *Instants,* in *Mélange,* p. 162.
3. *Cahier B,* in *Tel quel,* I, p. 218.
4. Frédéric Lefèvre, *Entretiens avec Paul Valéry,* p. 107.
5. *Ibid,* p. 107-108.
6. *Ibid.,* p. 107.

mer et s'organiser pour produire contes, poèmes, systèmes [1]....

L'artiste joue sa partie d'un jeu dans lequel le « hasard », le vouloir, la réflexion, la maîtrise, etc. Il est difficile d'énumérer, et d'abord de séparer, ces éléments [2].

Et il a esquissé, dans le même sens, une rhétorique d'un genre nouveau :

Les vraies parties du style sont : les manies [3], la volonté, la nécessité, les oublis, les expédients, le hasard, les réminiscences [4].

On comprend que, dans cet inextricable réseau, l'artiste lui-même ne se reconnaisse pas : « Les auteurs ne savent ce qu'ils font » [5], et que Valéry ait pu écrire : « Le véritable ouvrier d'un bel ouvrage... n'est positivement personne. [6] » Il y a trop d'auteurs dans un auteur. Et, comme il ne peut s'attribuer rien en propre, il est absurde de lui faire un mérite et de ce qui lui est donné et de ce qu'il y ajoute :

Qu'y a-t-il de mien dans ce qui me vient ? Qu'y a-t-il de moi dans ce qui est de moi ? Ici le problème ridicule de l'inspiration converge avec le problème ridicule de la responsabilité [7].

L'œuvre n'est pas de l'auteur ; elle est rigoureusement anonyme : « *Ce* qui fait un ouvrage n'est pas *celui* qui y met son nom. *Ce* qui fait un ouvrage n'a pas de nom. [8] »

Il n'est pas utile de discuter ce savoureux paradoxe. Il suffit de le généraliser pour accentuer son invraisemblance ; appliqué à n'importe quel comportement, il en volatilise l'agent par réduction à ses multiples fonctions. Mais personne n'a jamais pensé

---

1. *Comment travaillent les écrivains*, in *Vues*, p. 316.
2. *Instants*, in *Mélange*, p. 161.
3. C'est à ces manies, dont les psychologues de l'imagination créatrice ont donné des exemples célèbres, que songe Valéry dans cet amusant passage, où il leur attribue un rôle de fixation :

Le philosophe se ronge les ongles. Le général se gratte la tête. Le géomètre se tire les poils. Bonaparte prise et reprise.

D'où viennent *les solutions* ?

Mais, d'autre part, celui qui s'ennuie siffle indéfiniment, pique des trous égaux dans son papier ; suce sa pipe, marche de long en large — et fait ce que fait le pendule de la pendule.

Le menton, le nez, le front, les doigts, les jambes, les poils, organe de la méditation. Aussi le tuyau de cheminée en face, l'arbre de Kant.

Ces objets, ces mordillements sont des repères.

                          (*Mauvaises pensées et autres*, p. 153.)

4. *Rhumbs*, in *Tel quel*, II, p. 61-62.
5. *La création artistique*, in *Bulletin de la Société française de Philosophie*, 1928, p. 8.
6. *Au sujet d'* « *Adonis* », in *Variété*, p. 69.
7. *Mauvaises pensées et autres*, p. 36.
8. *Propos me concernant*, p. 59.

que la personnalité fût autre chose qu'une unité synthétique.
Cette conscience globale, que Valéry est bien obligé d'appeler
je, il nous la montre plus justement sensible à son irréductible
individualité quand, dans une page émouvante, il nous décrit
le glorieux martyre de l'écrivain, son infini labeur, difficile, exi-
geant, passionnant, décevant :

Je travaille savamment, longuement, avec des attentes infinies
des moments les plus précieux ; avec des choix jamais achevés ;
avec mon oreille, avec ma vision, avec ma mémoire, avec mon
ardeur, avec ma langueur ; je travaille mon travail, je passe par le
désert, par l'abondance, par Sinaï, par Chanaan, par Capoue, je
connais le temps du trop, et le temps de l'épuration, pour faire de
mon mieux quelque chose dont je sais que ce sera rien, sujet d'ennui,
d'oubli, d'incompréhension, et qui me déplaira, me blessera demain
— car je serai demain nécessairement inférieur ou supérieur à celui
d'aujourd'hui qui *fait de son mieux*.

Je vaux par ce qui me manque, car j'ai la science nette et profonde de ce qui me manque ; et comme ce n'est pas peu de chose,
cela me fait une grande science.

J'ai essayé de me faire ce qui me manquait [1].

La plus grande vertu de l'écrivain est peut-être la persévérance.
Dans une alliance de mots significative, Valéry a parlé de la
« patiente impatience [2] » de l'artiste. Cette formule, qui résume
sa psychologie de la création, nous la retrouvons, modifiée par
une allusion parodique à la phrase de Buffon qui a prêté à tant
de commentaires, dans l'invocation du *Serpent* :

Génie ! O longue impatience !

1. *Rhumbs*, in *Tel quel*, II, p. 99-100.
2. *Petit discours aux peintres graveurs*, in *Pièces sur l'art*, p. 141.

CHAPITRE VI

LA COMPOSITION

Nous avons constaté la façon dont **Valéry** tentait de se débarrasser de l'inspiration. Il semble plus difficile d'éliminer toute invention de la création littéraire, ou du moins de ne pas accorder une large place à l'imagination. Normalement, l'invention comporte, par définition, une part d'originalité qui la rend relativement rare. Valéry, au contraire, entend par invention tout ce qui vient à l'esprit : c'est le cours même de l'activité psychique. Il lui est dès lors possible, avec ce mélange qu'il aime d'évidence banale dans l'idée et d'allure paradoxale dans la formule, d'affirmer : « l'homme ne fait guère qu'inventer [1] ». C'est à peu près de la même façon qu'il condamne l'imagination ; un homme qui s'empêcherait d'imaginer, c'est-à-dire de divaguer, aurait du génie, parce qu'il verrait les choses telles qu'elles sont, sans déformation :

L'on ne saurait croire à quel point l'homme résiste à l'expérience, et quelle peine infinie il a à substituer définitivement ce qu'il a vu et touché à ce qu'il a forgé et arrangé, selon les formes de sa tête. *Il suffirait de ne pas imaginer pour avoir un génie puissant* [2].

Les idées (au sens le plus large, en y comprenant les images, les analogies, les motifs, les rythmes...) « ne coûtent rien ». Leur génération est caractérisée par la « facilité », la « fragilité », l' « incohérence ». Il faut l'empêcher. Et ce seront précisément les obstacles que l'esprit opposera à cette activité sans forme et sans frein qui seront les véritables facteurs de la création :

1. *Mémoires d'un poème*, p. xi.
2. *Instants*, in *Mélange*, p. 174.

... les plus puissantes « créations », les monuments les plus augustes de la pensée, ont été obtenus par l'emploi réfléchi de moyens volontaires de résistance à notre « création » immédiate et continuelle de propos, de relations, d'impulsions, qui se substituent sans autre condition [1].

L'invention doit être « contrariée et bien tempérée [2] ». La création artistique est l'œuvre de la contrainte.

Au fond, Valéry n'est pas loin de croire que c'est la contrainte qui amène ce qu'on est convenu d'appeler l'inspiration. On trouvera dans *L'Idée fixe* des pages révélatrices sur ce point. J'en extrais ce qui nous intéresse :

... il y a un travail mental qui s'éloigne de l'état de liberté ou de disponibilité ordinaire de l'esprit, qui s'oppose à la fois à la divagation et à l'obsession, et qui tend à ne s'achever... que par la possession d'une sorte d'objet... mental, dans lequel l'esprit reconnaît ce qu'il désirait... il y a un travail mental qui tend à former ou à construire... ou plutôt, à laisser se former tout un ordre, tout un système, dont une partie, ou bien quelques conditions sont données... Ce travail-là, cette production d'ordre, demande... deux conditions antagonistes... Il faut maintenir, soutenir hors du moment... Vous maintenez donc à l'état présent et indépendamment ces facteurs distincts... Et alors, comme dans un milieu liquide calme et favorable, et saturé... se forme, se construit une certaine figure, — *qui ne dépend plus de vous*... Il faut, en somme, se soumettre à une certaine contrainte ; pouvoir la supporter ; durer dans une attitude forcée, pour donner aux éléments de... pensée qui sont en présence, ou en charge, la *liberté* d'obéir à leurs affinités, le *temps* de se joindre et de construire, et de s'imposer à la conscience ; ou de lui imposer je ne sais quelle *certitude* [3]...

Cette contrainte prend généralement la forme de conditions que l'artiste s'impose, et dont les plus importantes lui viennent de la tradition : ce sont les conventions et les règles diverses qu'il reconnaît. Les trouvailles de la poésie semblent bien dues au reflux de la pensée sur ces obstacles :

Vers. L'idée vague, l'intention, l'impulsion imagée nombreuse se brisant sur les formes régulières, sur les défenses invincibles de la prosodie conventionnelle, engendre de nouvelles choses et des figures imprévues. Il y a des conséquences étonnantes de ce choc de la volonté et du sentiment contre l'insensible des conventions [4].

D'une façon encore plus nette, Valéry, qui fait peu de cas des

1. *Mémoires d'un poème*, p. XII.
2. *Ibid.*, p. XIII.
3. *L'Idée fixe*, p. 170-174.
4. *Littérature*, in *Tel quel*, I, p. 51.

trouvailles brutes de l'inspiration, envisage leur exploitation comme l'adaptation de ces productions du hasard aux impératifs de la règle : « Que tire du sujet ou du germe, la réflexion ? La réflexion est une restriction du hasard, un hasard auquel on ajuste une *convention*. [1] » Ce n'est pas seulement la découverte des détails, mais toute la création qui subit le bienfait de la contrainte des conventions. C'est grâce à elles que « nous pouvons faire œuvre rationnelle et construire par ordre »[2]. Elles sont comme des outils dont dispose l'artiste : « L'artiste, en général, manœuvre sa matière par l'intermédiaire d'une foule de *conventions* : la convention intervient dans son travail. [3] » Elles ont pour effet de transformer le donné à plusieurs reprises et d'augmenter l'intervalle entre l'intention première et la formulation définitive. C'est du moins la supériorité du classicisme :

Le grand intérêt de l'art classique est peut-être dans les suites de transformations qu'il demande pour exprimer les choses en respectant les conditions *sine qua non* imposées [4].

Grâce aux règles bizarres, dans la poésie française classique, la distance entre la « pensée » initiale et « l'expression » finale est la plus grande possible. Ceci est de conséquence. Un travail se place entre l'*émotion* reçue ou l'*intention* conçue, et l'achèvement de la *machine* qui la restituera, ou restituera une affection analogue. Tout est redessiné ; la pensée reprise, etc. [5].

Valéry a montré, à propos des *Fables* de La Fontaine, comment la différence

... entre l'impression ou l'invention même les plus nettes, devient la plus grande possible — et donc la plus remarquable, quand l'écrivain impose à son langage le système des vers réguliers [6].

Le rôle des conventions déborde de beaucoup la littérature. Valéry dira dans la *Préface* ajoutée à la *Soirée avec M. Teste* : « seules les décisions arbitraires permettent à l'homme de fonder quoi que ce soit : langage, sociétés, connaissances, œuvres de l'art »[7]. Il les a cherchées de très bonne heure, et jusque dans

1. *Calepin d'un poète*, in O. C., t. C, p. 181-182.
2. *Situation de Baudelaire*, in *Variété II*, p. 156.
3. *Ibid.*
4. *Réflexions sur l'art*, in *Bulletin de la Société française de Philosophie*, 1935, p. 64.
5. *Rhumbs*, in *Tel quel*, II, p. 77.
6. *Littérature*, in *Tel quel*, I, p. 171-172.
7. In *Monsieur Teste*, p. 9. Sur le rôle des conventions dans la vie sociale et politique, voir, par exemple, *Réflexions*, in *La Revue des Vivants*, mars 1929, p. 371-380.

la stratégie : « Toute bataille est... pleine de conventions », écrit-il
en octobre 1897, dans un article du *Mercure de France* où il rend
compte d'un ouvrage militaire [1]. Un peu gêné pour participer à
un *Hommage* à Marcel Proust, dont il avait à peine lu un volume,
il loue en lui l'expression de la société qui se nomme le « Monde » :

... nos plus grands écrivains n'ont presque jamais considéré que
la Cour. Ils ne tiraient de la Ville que des comédies, et de la cam-
pagne que des fables. Mais le très grand art, l'art des figures sim-
plifiées et des types les plus purs, entités qui permettent le développement symétrique, et comme musical, des conséquences d'une
situation bien isolée, est lié à l'existence d'un milieu conventionnel
où se parle un langage orné de voiles et pourvu de limites, où le
paraître commande l'*être*, et le tient noblement dans une contrainte
qui change toute la vie en exercice de présence de l'esprit [2]...

On peut voir là que, pour Valéry, le classicisme repose sur un
langage surveillé et une discipline des manières, sur des conventions de politesse qui modèlent une société avant de régir la littérature qui lui convient. Mais le rôle des conventions dépasse
de beaucoup cette destination de l'œuvre à un public choisi ;
il est d'accomplir l'écrivain et de lui permettre de s'imposer :

Méthodes, poétiques bien définies, canons et proportions, règles
de l'harmonie, préceptes de composition, formes fixes, ne sont pas
(comme on le croit communément) des formules de création restreinte. Leur objet profond est d'appeler l'homme complet et organisé, *l'être fait pour agir, et que parfait, en retour, son action même*,
à s'imposer dans la production des ouvrages de l'esprit [3].

Ces conventions, il les définit : « liaisons qui pourraient être
différentes [4] » ou : « toute correspondance entre des actes et des
perceptions qui pourrait être substituée par une autre » [5]. Il marque
ainsi que leur caractère essentiel est d'être arbitraires. C'est par
quoi elles séduisent Valéry. Le goût de l'extrême liberté se concilie très bien chez lui avec celui de la discipline, c'est-à-dire la
pratique de l'arbitraire avec la soumission à l'arbitraire. Tout
lui paraît modifiable, et, se demandant d'où lui venait « ce sentiment très actif de l'arbitraire », Valéry a avoué qu'il ne pouvait

1. *Mercure de France*, octobre 1897, p. 258-260 : *Méthodes. Éducation et Instruction des Troupes, II* Partie. « Paroles » selon Mikhael Ivanovitch, par Loukhiane Carlovitch*, Berger-Levrault, 1897. Il s'agit respectivement du Général
Dragomirov et, croit-on, du Général Cardot.
2. *Hommage*, in *Variété*, p. 157-158.
3. *Mémoires d'un poème*, p. XII.
4. *La création artistique*, in *Bulletin de la Société française de Philosophie*,
1928, p. 6.
5. *Réflexions*, in *La Revue des Vivants*, mars 1929, p. 374.

se retenir « de modifier ou de faire varier par la pensée » tout ce
qui lui suggérait « une substitution possible » dans ce qui s'offrait
à lui. Il voit dans ce plaisir « une manie ou une méthode, ou les
deux à la fois ; il n'y a pas contradiction » [1]. Mais, en revanche,
il accepte fort bien de se charger de liens : « Je suis libre : donc,
je m'enchaîne. [2] » Nul poète ne sera plus prêt à obéir aux obli-
gations les plus rigoureuses, voire les moins fondées, de la prosodie
classique. Lui, qui ne trouvait dans les Lettres « qu'une combinaison de l'ascèse et du jeu » [3], justifiera totalement le double caractère des règles d'être astreignantes et contingentes : « Ces contraintes peuvent être tout arbitraires : il faut et il suffit qu'elles
gênent le cours naturel de la divagation ou création de proche
en proche. » Il compare cette régulation de l'invention à celle
des « impulsions » passant à l'acte : elles subissent « les exigences
de notre appareil moteur, et se heurtent aux conditions matérielles du milieu » ; nous acquérons par cette expérience « une
conscience de plus en plus exacte de notre forme et de nos forces » [4].
Les conditions sont un principe d'ordre et d'organisation ; elles
canalisent, mieux : elles informent une pensée qui, sans elles,
resterait amorphe et inconséquente.

Valéry a déclaré plus d'une fois que, dans le domaine esthétique, l'arbitraire produisait la nécessité. « Toutes recherches
sur l'Art et la Poésie tendent à rendre nécessaire ce qui a l'arbitraire pour essence. [5] » L'idéal de l'artiste est d'aboutir à une
œuvre à laquelle on ne puisse rien changer, qui résiste à l'arbitraire de l'amateur, qui impose à ce dernier une impression de
nécessité. Or, cet effet a pour cause l'arbitraire de l'auteur :
« Dans tous les arts, et c'est pourquoi il sont des arts, la *nécessité*
que doit suggérer une œuvre heureusement accomplie ne peut
être engendrée que par l'*arbitraire*. [6] » Cet effet de nécessité suppose la rigueur dans le travail (nous retrouvons l'idée du calcul
dans l'œuvre, de la fabrication concertée), mais cette rigueur
ne s'obtient elle aussi que par l'arbitraire :

Naturae non imperatur nisi parendo.

L'art ira à des constructions pareilles à celles des ingénieurs.
Innover dans la nature, au moyen de ses moyens. Ce que je puis

1. *Mémoires d'un poème*, p. VII-VIII. Cf. *Histoires brisées*, p. 10.
2. *Moralités*, in *Tel quel*, I, p. 121.
3. *Mémoires d'un poème*, p. XIII.
4. *Ibid.*, p. XII-XIII.
5. *Mauvaises pensées et autres*, p. 195.
6. *Les deux vertus d'un livre*, in *Pièces sur l'art*, p. 23-24.

ressentir par une « machine » appropriée. Le résultat sera un accroissement de moi, mais viable. Il n'est pas tiré directement de moi
par les circonstances du hasard, mais plutôt déduit de mes propriétés en général ; et s'il est bien déduit, il défiera tout scepticisme
et existera.

La rigueur ne s'atteint que par l'arbitraire [1].

Ce passage de l'arbitraire à la nécessité est associé par Valéry
à deux autres mouvements. D'abord à l'utilisation de l'inutile :
beaucoup de nos sensations sont, au regard de la vie, « inutiles » ;
beaucoup de nos actes sont en excès sur nos besoins ordinaires,
donc « arbitraires ». « L'invention de l'Art a consisté à essayer de
conférer aux uns une sorte d'utilité ; aux autres, une sorte de
nécessité. [2] » Ensuite, à la progression du désordre à l'ordre :

... qu'il le veuille ou non, l'artiste ne peut absolument pas se
détacher du sentiment de l'arbitraire. Il procède de l'arbitraire
vers une certaine nécessité, et d'un certain désordre vers un certain
ordre ; et il ne peut pas se passer de la sensation constante de cet arbitraire et de ce désordre, qui s'opposent à ce qui naît sous ses mains
et qui lui apparaît nécessaire et ordonné. C'est ce contraste qui lui
fait ressentir qu'il crée, puisqu'il ne peut déduire ce qui lui vient
de ce qu'il a [3].

Ainsi l'artiste va de l'arbitraire, et par l'arbitraire, au nécessaire,
de l'inutile à l'utile, du désordonné à l'ordonné. Ce parallélisme
aide à mieux comprendre la théorie de Valéry, qui n'est pas toujours exposée par lui avec une parfaite clarté. Pour s'y reconnaître, il faut distinguer trois espèces d'arbitraire : l'arbitraire
de l'auteur, l'arbitraire du lecteur, l'arbitraire des conventions,
et deux niveaux d'arbitraire : 1° l'arbitraire de base, condition
du fonctionnement psychique, chez l'auteur comme chez tout
individu, et contre lequel lutte le créateur, mais qui l'accompagne
pendant tout son travail, et qui lui est nécessaire puisque c'est
de lui qu'il tire ses trouvailles (soit par un jaillissement gratuit,
soit par la réponse aux conventions) ; 2° l'arbitraire final du résultat esthétique, qui aurait pu être autre, a été obtenu par des
décisions, et frappe cependant par son apparence de nécessité.
C'est ce qu'on arrive à discerner, sous le jeu des antithèses auxquels
se complaît Valéry, quand il caractérise ainsi le travail du poète :

1. *Cahier B*, in *Tel quel*, I, p. 215-216.
2. *Notion générale de l'art*, in *N. R. F.*, 1er novembre 1935, p. 686. Voir *Cours
de poétique*, leçon 2 : « L'art reprend ces sensations inutiles et ces actes arbitraires.
Il y a reprise de l'utilité à l'octave supérieure. »
3. *Discours prononcé au Deuxième Congrès international d'Esthétique et de
Science de l'art*, in *Variété*, IV. p. 254-255.

J. HYTIER. — *La poétique de Valéry.*   11

« L'artiste vit dans l'intimité de *son* arbitraire et dans l'attente de *sa* nécessité » [1], nous le montre parfois gratifié d'une « grâce soudaine » : « ce qui nous semble *avoir pu ne pas être* s'impose à nous avec la même puissance *de ce qui ne pouvait pas ne pas être, et qui devait être ce qu'il est* » [2], ou prétend enfermer l'effet produit par le beau, qui est de nous rendre muets, dans le langage de « la *contradiction* », en des « *expressions scandaleuses* » : « la nécessité de l'arbitraire ; la nécessité par l'arbitraire » [3] ; en effet, « nous sentons, d'une part, que la source ou l'objet de notre volonté », — cela veut dire que l'œuvre nous contraint à la désirer d'autant plus que nous la possédons davantage : théorie de l'infini esthétique — « nous convient de si près que nous ne pouvons le concevoir différent » [4] : impression de nécessité ; mais, d'autre part, « nous ne sentons pas moins, ni moins fortement... que le phénomène qui cause et développe en nous cet état... *aurait pu ne pas être* ; et même, *aurait dû ne pas être*, et se classe dans l'improbable » [5] : impression d'accident, de chance, d'arbitraire.

L'arbitraire délivre de l'arbitraire, c'est-à-dire que l'arbitraire accepté, choisi, voulu délivre de l'arbitraire subi, spontané, inconscient. De même, il y a deux sortes de conventions, celles auxquelles nous ne songeons pas et qui nous dominent, et celles que nous choisissons pour lois et qui nous permettent de créer. Le « malaise » que peut causer aux hommes, malgré les « prétentions du Moi » qui les poussent à se croire « sources d'eux-mêmes », le sentiment d'être des « marionnettes », vient de cette conscience d'être agis par une foule de conventions confuses :

Notre vie en tant qu'elle dépend de ce qui vient à l'esprit, qui semble venir de l'esprit et qui s'impose à elle après s'être imposé à lui, n'est-elle pas commandée par une quantité énorme et désordonnée de *conventions* dont la plupart sont implicites ? Nous serions bien en peine de les exprimer et de les expliquer [6].

Au contraire, les conventions claires, délibérément prises comme règles du jeu, nous permettent de mener la partie en toute lucidité [7]. C'est pourquoi Valéry a pu dire sans contradiction : « S'éloi-

1. *Discours prononcé au Deuxième Congrès d'Esthétique*, *op. cit.*, p. 258.
2. *Ibid.*, p. 258.
3. *Ibid.*, p. 256.
4. *Ibid.*, p. 257.
5. *Ibid.*, p. 257.
6. *Réflexions*, in *La Revue des Vivants*, mars 1929, p. 379-380.
7. Voir *Cours de poétique*, leçon 9 : « Ces conventions des arts sont calculées

gner de l'arbitraire ; se fermer à l'accidentel... cela me plaît » [1],
mais prescrire l'emploi rationnel d'un arbitraire supérieur :

Il faut... s'exciter à quelque perfection. Chacun peut se définir
la sienne, les uns d'après un modèle, les autres par des raisonnements
qui leur appartiennent. L'essentiel est de s'opposer à la pensée, de
lui créer des résistances, et de se fixer des conditions pour se dégager
de l'arbitraire désordonné par l'arbitraire explicite et bien limité [2].

Sans ces conventions rigoureuses, l'œuvre se détruit, et l'arbitraire inférieur triomphe de l'arbitraire supérieur :

Où serait la spécialité de l'artiste s'il ne considérait certains
détails comme inviolables ? Ainsi l'alternance des rimes masculines
et féminines. Pas d'emportement qui ne doive la respecter. *Cela*
est irritant, *cela* est chinois, mais sans *cela* tout se défait, et le poète
corrompt l'artiste, et l'arbitraire de l'instant l'emporte sur l'arbitraire d'ordre supérieur à l'instant [3].

C'est une condamnation de la spontanéité dans la création. Le
refus de la contrainte, les abus de la liberté sont dangereux pour
les arts.

Parmi les victimes de la liberté, les formes, et, dans tous les sens
du terme, le style. Tout ce qui exige un dressage, des observances
d'abord inexplicables, des reprises infinies ; tout ce qui mène par
contrainte d'une liberté de refuser l'obstacle à la liberté supérieure
de le franchir, tout ceci périclite, et la facilité couvre le monde de
ses œuvres. Une histoire véritable des arts montrerait combien de
mouvements, de prétendues découvertes et hardiesses ne sont que
des déguisements du démon de la moindre action [4].

Valéry aurait pu dire, comme son ami Gide : « L'art naît de
contrainte, vit de lutte, et meurt de liberté. »

L'éloge de la contrainte, des conventions et des règles n'est
pas chez Valéry une simple vue de l'esprit. Toute son œuvre
poétique porte la marque de cette conviction, et on pourrait
l'appuyer de nombreuses confidences sur son travail. Il dit, de
La Jeune Parque :

et indispensables, pour additionner les sensations successives : sans cela, la
sensibilité n'est qu'une série d'accidents. Les conventions sont aussi nécessaires,
fondamentales, efficaces dans les arts que dans les sciences pour poursuivre,
parmi des univers de possibilités, un but particulier entre des groupes de sensations. »

1. *Mélange*, p. 40. Voir le détail qu'il donne de cet arbitraire : politique, événements, mode.
2. *Mémoires d'un poème*, p. LI.
3. *Calepin d'un poète*, in *O. C.*, t. C, p. 194.
4. *Fluctuations sur la liberté*, in *O. C.*, t. J, p. 88-89.

Oui, je me suis imposé pour ce poème des lois, observances, constantes qui en constituent le véritable sujet... Qui saura me lire lira une autobiographie dans la forme [1].

Il a tenu à montrer combien, dans sa pratique, il s'éloignait du goût relâché de ses contemporains :

... j'ai été conduit... à donner à mon travail des conditions fort strictes, et plus nombreuses que « l'inspiration » généralement n'en supporte ; et j'ai attaché un prix singulier à toutes les conventions arbitraires, qui, limitant le choix des termes et des formes, sont devenues presque intolérables pour les modernes. J'ai un faible pour le formel [2].

Et il a tiré la leçon que cette ascèse esthétique comportait à ses yeux, s'étonnant seulement qu'elle soit moins comprise des artistes que des interprètes, quand il a donné les raisons purement morales de son attachement à la poésie :

J'avoue que je m'attachais à elle dans la mesure où elle me paraissait un exercice supérieur et une recherche de liberté par la contrainte. L'homme est ainsi fait qu'il ne peut découvrir tout ce qu'il possède que s'il est obligé de le tirer de soi, par un effort sévère et prolongé. On ne va au plus près de soi que contre soi. Un poète, d'ailleurs, peut bien s'imposer ce que s'impose le moindre chanteur, le moindre virtuose ; et ce que s'imposaient tous les artistes à l'époque où l'on n'avait perdu ni le loisir de mûrir, ni le dessein de durer [3]...

Cet arbitraire esthétique est donc à l'opposé de l'arbitraire anarchique de la sensibilité. Il est « raisonné », dit Valéry. Et c'est ainsi qu'il a défini la *composition*. Louant Corot, paysagiste « qui compose encore », il oppose la peinture composée à la peinture d'observation toute pure qui, selon lui, ne peut conduire qu'à « l'inconsistance totale » :

Il est clair, d'ailleurs, que si la composition — c'est-à-dire l'*arbitraire raisonné* — a été inventée et si longtemps exigée, ce fut pour répondre à quelque nécessité, — celle de substituer aux conventions inconscientes qu'entraîne l'imitation pure et simple de ce qu'on voit, une convention consciente laquelle (entre autres bienfaits) rappelle à l'artiste que ce n'est pas la même chose de voir ou concevoir le beau, et de le faire voir ou concevoir [4].

Ce que Valéry a dit des méfaits de la description en littérature,

1. Lettre de 1917 à André Fontainas, in *Réponses*, p. 16.
2. *Réponse*, in *Commerce*, Été MCMXXXII, p. 13.
3. *Ibid.*, p. 14.
4. *Autour de Corot*, in *Pièces sur l'art*, p. 193.

parallèlement aux méfaits du paysage dans la peinture [1], permet d'entrevoir ce qu'il pense des dangers que court l'écrivain qui ne s'impose pas de contraintes, ou à qui manque le sentiment de l'arbitraire. On sait que c'est précisément, aux yeux de Valéry, le cas du romancier :

Un Romancier me disait qu'à peine ses personnages nés et nommés dans son esprit, ils vivaient en lui à leur guise ; ils le réduisaient à subir leurs desseins et à consigner leurs actes. Ils lui empruntaient ses forces, et sans doute, ses gesticulations et les machines de sa voix (qu'ils devaient se passer de l'un à l'autre, cependant qu'il marchait à grands pas, en proie aux sentiments de quelqu'un de ces êtres de lettres).

J'ai trouvé admirable et commode, que l'on puisse faire faire de la sorte la substance de ses livres par des créatures qu'il suffit d'un instant pour appeler, toutes vivantes et libres, à jouer devant vous le rôle qu'elles veulent.

J'en ai conclu aussi que la sensation de l'arbitraire n'était pas une sensation de romancier [2].

Il y a dans les conventions adoptées par le poète une espèce de beauté et un enseignement particulier. C'est un des points où le Valéry esthéticien jette un pont entre la psychologie et la morale.

J'ai seulement voulu faire concevoir que les nombres obligatoires, les rimes, les formes fixes, tout cet arbitraire, une fois pour toutes adopté, et opposé à nous-mêmes, ont une sorte de beauté propre et philosophique. Des chaînes, qui se roidissent à chaque mouvement de notre génie, nous rappellent, sur le moment, à tout le mépris que mérite, sans aucun doute, ce familier chaos, que le vulgaire appelle pensée et dont ils ignorent que les conditions *naturelles* ne sont pas moins fortuites, ni moins futiles, que les conditions d'une charade [3].

On retrouve la même idée, en termes voisins, dans *Rhumbs,* où il ajoute :

Les règles nous enseignent *par leur arbitraire* que les pensées qui nous viennent de nos besoins, de nos sentiments, de nos expériences, ne sont qu'une petite partie des pensées dont nous sommes capables [4].

Il est donc naturel que Valéry conçoive la critique d'une façon

---

1. Voir *Degas. Danse. Dessin*, p. 129-135.
2. Autres *Rhumbs*, in *Tel quel*, II, p. 152.
3. *Au sujet d' « Adonis »*, in *Variété*, p. 65-66.
4. *Rhumbs*, in *Tel quel*, II, p. 77. Au lieu de la *beauté* des règles, il parle de leur *noblesse*.

toute morale. Elle est l'appréciation d'une lutte, d'un combat contre les difficultés qu'un auteur s'est créées volontairement. Le jugement esthétique doit être fondé sur l'estimation des contraintes que l'auteur s'est imposées.

> Tout jugement que l'on veut porter sur une œuvre doit faire état, avant toute chose, des difficultés que son auteur s'est données... Le relevé de ces gênes volontaires... révèle sur le champ le degré intellectuel du poète, la qualité de son orgueil, la délicatesse et le despotisme de sa nature [1].

Les conventions en littérature sont ou peuvent être très nombreuses. Il en est de très générales, il en est de très particulières. Parmi « les conventions formelles et explicites que l'esprit s'est opposées », « la plus connue et la plus importante » est la logique [2]. Il faudrait ensuite considérer les conventions se rapportant au langage. Elles sont indécises et d'un effet peu sûr, mais l'artiste peut bénéficier, tout comme il peut pâtir, de cette indétermination :

> Le langage comporte un ensemble de conventions qui se classent en vocabulaire et en syntaxe. *Conventions*, c'est-à-dire liaisons qui pourraient être différentes. Mais ces conventions sont généralement imprécises ; un grand nombre d'entre elles sont indéfinissables, ou presque. L'art littéraire joue des possibilités que lui laisse ce manque de rigueur, mais il en joue à ses risques et périls, pâtissant ou profitant des malentendus, des différences de valeurs ou d'effet des mots selon les personnes [3].

Enfin la poésie a ses conventions propres. Leur caractère essentiel consiste dans une espèce de conformité avec nos fonctions organiques.

> Il est remarquable que les conventions de la poésie régulière, les rimes, les césures fixes, les nombres égaux de syllabes ou de pieds imitent le *régime* monotone de la machine du corps vivant, et peut-être procèdent de ce mécanisme des fonctions fondamentales qui répètent l'acte de vivre, ajoutent élément de vie à élément de vie, et construisent le temps de la vie au milieu des choses, comme s'exhausse dans la mer un édifice de corail [4].

Cette régularité de la prosodie classique répondait, d'après Baudelaire, à notre besoin de monotonie. Dans sa belle apologie des

1. *Avant-propos*, in *Variété*, p. 108.
2. *Mémoires d'un poème*, p. xii.
3. *La création artistique*, in *Bulletin de la Société française de Philosophie*, 1928, p. 6.
4. *Littérature*, in *Tel quel*, I, p. 177.

vers réguliers (à propos d'*Adonis*), Valéry montre qu'en ajoutant aux règles du langage d'autres règles, dont l'arbitraire « n'est pas, en lui-même, plus grand que celui du langage », l'artifice de la prosodie stricte « confère au langage naturel les qualités d'une matière résistante » et définit « un monde absolu de l'expression ». Nos émotions n'en sont pas pour cela diminuées ; « elles se multiplient, elles s'engendrent aussi, par des disciplines conventionnelles », comme on peut bien le voir par les jeux, par exemple les échecs [1].

L'un des avantages de l'observance des formes conventionnelles dans la construction des vers, consiste dans l'extrême attention au détail que développe cette discipline, quand on la conçoit ordonnée à la musicalité continue et à l'enchantement de perfection constante, que doit (au sentiment de quelques-uns) offrir un véritable poème. L'absence de prose en résulte, c'est-à-dire, de rupture [2].

La rime est le type même de ces conventions bien fondées et bienfaisantes. « La Rime — constitue une loi indépendante du sujet et est comparable à une horloge extérieure. [3] » Elle est souvent mal comprise.

Ce n'est pas le moindre agrément de la rime que la fureur où elle met ces pauvres gens qui s'imaginent connaître quelque chose de plus important qu'une *convention*. Ils ont la croyance naïve qu'une pensée *peut* être plus profonde, plus organique... qu'une convention quelconque [4].

On peut mettre au rang des conventions certains matériaux déjà élaborés par la tradition ou certains procédés éprouvés. Le poète les reçoit tout faits, les utilise, et bénéficie de leur portée assurée en vue d'un effet supérieur :

Chaque temps littéraire et chaque fabricateur table sur certaines idées ou formes poétiques toutes prêtes et dont le seul emploi simplifie le problème poétique, permettant des combinaisons plus complexes et d'un ordre plus élevé comme une langue bien sue [5].

1. *Au sujet d' « Adonis »*, in *Variété*, p. 60-65.
2. *Mélange*, p. 39-40.
3. *Littérature*, in *Tel quel*, I, p. 151.
4. *Calepin d'un poète*, in *O. C.*, t. C, p. 191. Voir encore *Littérature*, in *Tel quel*, I, p. 151 : « La rime a ce grand succès de mettre en fureur les gens simples qui croient naïvement qu'il y a quelque chose sous le ciel de plus important qu'une convention. Ils ont la croyance naïve que quelque pensée *peut* être plus profonde, plus durable... qu'une convention quelconque... Ce n'est pas là le moindre agrément de la rime, et par quoi elle caresse le moins doucement l'oreille ! »
5. *Calepin d'un poète*, in *O. C.*, t. C, p. 190.

Le poète spécule enfin sur les réussites ; l'analyse des trouvailles lui permet de se fixer les moyens d'en obtenir d'équivalentes :

> Véritables et bonnes règles.
>
> Les bonnes règles sont celles qui rappellent et imposent les caractères des meilleurs moments. Elles sont tirées de l'analyse de ces moments favorisés.
>
> Ce sont règles pour l'auteur, bien plus que pour l'œuvre [1].

Des conventions les plus générales aux plus spécifiques et aux plus personnelles, on ne cesse de prendre appui sur une technique qui a fait ses preuves. L'esthétique des conventions est, très classiquement, une esthétique de l'imitation. C'est par le métier qu'on aboutit à des œuvres originales, non par l'abandon à l'impulsivité.

On se souvient que, pour Valéry, un poème se compose pratiquement de fragments de poésie pure enchâssés dans la matière d'un discours et qu'il vaut précisément ce qu'il contient de poésie pure, sans qu'il puisse jamais arriver cependant à n'être constitué que de tels éléments ; s'il en était ainsi, il ne serait plus un poème, car il ne serait pas construit. « Voltaire a dit merveilleusement bien que " La Poésie n'est faite que de beaux détails ". Je ne dis autre chose » [2], — mais, d'autre part, « jamais une trouvaille, ni un ensemble de trouvailles n'ont paru constituer un ouvrage » [3]. On peut donc dire que, dans une certaine mesure, le poème s'oppose à la poésie. De même, chez l'auteur du poème, il faut distinguer le poète et le constructeur, le détecteur de matériaux purs et l'architecte qui les met en œuvre. Le premier est sensible à « l'univers poétique », le second se livre à tout ce travail, si éloigné de l'inspiration, qui exige « quantité de réflexions, de décisions, de choix et de combinaisons, sans lesquelles tous les dons de la Muse et du Hasard » demeurent

> ... comme des matériaux précieux sur un chantier sans architecte. Or un architecte n'est pas nécessairement construit en matériaux précieux. Un poète, en tant qu'architecte de poèmes, est donc assez différent de ce qu'il est comme producteur de ces éléments précieux dont toute la poésie doit être composée, mais dont la composition se distingue, et exige un travail mental tout différent [4].

1. *Littérature*, in *Tel quel*, I, p. 155.
2. *Au sujet du « Cimetière marin »*, in *Variété III*, p. 67.
3. *Au sujet d' « Adonis »*, in *Variété*, p. 65.
4. *Poésie et pensée abstraite*, in *Variété V*, p. 158-159.

La composition du poème est donc conçue par Valéry comme étrangère à la nature poétique ; elle ne diffère pas, semble-t-il, de ce qu'elle est ailleurs, dans d'autres genres littéraires ou dans d'autres arts, comme la peinture ou l'architecture. La poésie est toute dans les matériaux, elle n'est pas dans le mouvement qui les assemble.

Valéry me paraît, ici, victime de la confusion habituelle entre le poétique et l'esthétique. J'admets que, dans beaucoup de poèmes, la composition a, en effet, cette allure intellectuelle et logique, qui peut avoir sa beauté et qui donne à une ode de Malherbe, ou à telle pièce éloquente de Hugo, la majesté d'une noble façade ou l'équilibre satisfaisant d'une fresque. Je reconnais que, chez beaucoup de poètes et des plus sensibles, un ordre assez sévère a pu se concilier avec un contenu poétique fort différent, ou contraindre celui-ci dans les griffes d'une armature dominatrice. Mais je crois qu'en revanche l'esprit poétique s'est souvent saisi de la composition elle-même, et que le mouvement de certains poèmes, tout illogique d'apparence, et en tout cas fort éloigné de la distribution du discours classique, obéit à des exigences purement sentimentales et satisfait en nous autre chose qu'un besoin de symétrie et de répartition des masses. Il ne s'agit pas ici du « beau désordre » qui, selon Boileau, serait encore « un effet de l'art » : cette conception témoigne assez de l'impuissance où le grand critique était de sortir de son idéal rationnel ; c'est encore en froid raisonneur qu'il s'imaginait le lyrisme. Il s'agit d'un mode de composition adapté au génie proprement poétique et qui ne pourrait être rattaché à la logique que par les expressions commodes de logique du cœur et de logique du sentiment. Ce qui en serait le moins éloigné, ce serait cet art d'agréer, dont a parlé Pascal, et qui, montrant toujours la fin, procède par perpétuelles digressions, — grand scandale aux yeux du pur géomètre. Encore serait-ce là traduire la composition poétique en termes d'intelligence. A mon avis, la composition poétique est celle qui a pour loi l'adaptation des détails au thème sentimental qui les soutient. L'ordre de ces détails n'a que peu de rapport avec les exigences de l'intelligence. Il est, sans doute, limité, comme le sentiment lui-même, par un minimum d'intelligibilité, mais ce n'est pas sur elle qu'il se fonde. La vraie composition poétique est une figure du désir, qui va de volupté en volupté, avec les apparences du caprice et la sûreté de la passion.

Quoi qu'il en soit, il est assez difficile de préciser comment Valéry se représente, au point de vue psychologique, cette composition du poème. Nous savons qu'elle l'a toujours exalté : « l'idée de composition », dit-il à propos du *Cimetière marin*, « demeure pour moi la plus poétique des idées » [1]. Mais il entendait par là « le mythe de la création », qui « nous séduit à vouloir faire quelque chose de rien », c'est-à-dire que Valéry rêve de trouver « progressivement » son « ouvrage à partir de pures conditions de forme, de plus en plus réfléchies, — ou du moins, une famille de sujets » [2]. C'est un peu le problème de Poe avant la solution du *Corbeau*. Mais on ne peut parler sérieusement de composition d'un poème au moment où des conditions fixées suggèrent « un sujet » ou « une famille de sujets ». Ce qu'on a, alors, c'est un programme, c'est, à la rigueur, un cadre, ou, tout au plus, un plan ; la vraie composition est intérieure ; dans le même réseau de conditions, elle peut varier du tout au tout. On admettrait, à la rigueur, que le plan d'une machine fût un équivalent de la machine elle-même. Le plan d'un poème n'est pas le poème. Valéry, guidé par ses comparaisons abusives avec l'ingénieur (« un poème est une sorte de machine à produire l'état poétique au moyen des mots ») [3], oublie que la composition d'un poème est bien plus organique que mécanique.

Au contraire, il semble s'en ressouvenir, quand il constate que « cent instants divins ne construisent pas un poème, lequel est une durée de croissance et comme une figure dans le temps... » [4]. Ici, Valéry, qui a réfléchi sur la durée et ses effets dans l'œuvre d'art, paraît s'orienter vers une psychologie biologique de l'invention, mais, si sa remarque est trop appuyée pour n'être qu'une distraction, elle s'accorde mal avec ce qui la suit, car Valéry y rétablit la juxtaposition des opérations :

Il faut donc beaucoup de patience, d'obstination et d'industrie, dans notre art, si nous voulons produire un ouvrage qui ne paraisse enfin qu'une série de ces coups heureux, heureusement enchaînés [5].

C'est certainement cette dernière formule qui représente la vraie pensée de Valéry ; elle fait du poème un chapelet de beautés

1. *Au sujet du « Cimetière marin »*, in *Variété III*, p. 70. Cf. *Propos me concernant*, p. 14 : « En fait de littérature, je ne regarde guère qu'aux formes et à la composition... »
2. *Ibid.*, p. 70.
3. *Poésie et pensée abstraite*, in *Variété V*, p. 159.
4. *Je disais quelquefois à Stéphane Mallarmé*, in *Variété III*, p. 15.
5. *Ibid.*, p. 15.

et rappelle «les éléments de poésie pure enchâssés dans la matière d'un discours ».

Dans *Eupalinos*, Socrate distingue dans les choses visibles « trois modes de génération, ou de production... » : le hasard, l'accroissement et la création humaine « par principes séparés » [1]. Cette fabrication « par abstraction » [2] s'oppose à la génération de la Nature («la Nature n'abstrait ni ne compose ») [3] ; l'ensemble y est moins complexe que la partie [4]. Ces vues ont été reprises par Valéry dans une communication à la Société de Philosophie, *Réflexions sur l'art*, dans *L'Homme et la Coquille*, et dans son *Discours aux chirurgiens*. Dans son étude sur les coquillages, il rapproche curieusement leurs formes naturelles de certaines formes artistiques.

Comme on dit : un « Sonnet », une « Ode », une « Sonate » ou une « Fugue », pour désigner des formes bien définies, ainsi dit-on : une « Conque », un « Casque », un « Rocher », un « Haliotis », une « Porcelaine », qui sont noms de coquilles ; et les uns et les autres mots donnent à songer d'une action qui vise à la grâce et qui s'achève heureusement [5].

A la question : « à quoi nous reconnaissons qu'un objet donné est ou non *fait par un homme* ? » [6], il répondait : « toute production positivement humaine, et réservée à l'homme, s'opère par gestes successifs, bien séparés, bornés, énumérables », mais, comme « certains animaux, constructeurs de ruches ou de nids, nous ressemblent assez jusqu'ici », il ajoutait que « l'œuvre propre de l'homme se distingue quand ces actes différents et indépendants exigent sa présence pensante expresse, pour produire et ordonner au but leur diversité. L'homme alimente en soi la durée du modèle et du vouloir » [7]. Le caractère pénible de cet effort l'amenait à en voir le côté artificiel et à l'opposer, dans l'homme même, à sa nature organique :

Nous savons trop que cette présence est précaire et coûteuse ; que cette durée est rapidement décroissante ; que notre attention se décompose assez vite, et que ce qui excite, assemble, redresse et ranime les efforts de nos fonctions distinctes, est d'une nature

1. *Eupalinos*, p. 179 et suiv.
2. *Ibid.*, p. 172 et suiv.
3. *Petit discours aux peintres graveurs*, in *Pièces sur l'art*, p. 139.
4. *Eupalinos*, p. 172-173.
5. *L'Homme et la Coquille*, in *Variété V*, p. 19.
6. *Ibid.*, p. 18.
7. *Ibid.*, p. 23.

tout autre : c'est pourquoi nos desseins *réfléchis* et nos constructions ou fabrications *voulues semblent très étrangers à notre activité organique profonde* [1].

Le spectacle d'objets comme les coquillages, ou les fleurs, ou les cristaux, nous fait prendre conscience de notre incapacité à produire de tels objets par le procédé qui nous a, nous, pourtant produits nous-mêmes :

> Nous concevons la *construction* de ces objets, et c'est par quoi ils nous intéressent et nous retiennent ; nous ne concevons pas leur *formation*, et c'est par quoi ils nous intriguent. Bien que faits ou formés nous-mêmes par voie de croissance insensible, nous ne savons rien créer par cette voie [2].

Il ne faut pas voir, dans cette incapacité, une infériorité de l'esprit humain. Cela serait contraire au primat de l'intelligence. Créer par calcul reste fort au-dessus de la création automatique. Le *Discours aux chirurgiens*, qui reprend l'analyse de l'action humaine par « actes distincts », constate « l'infériorité de la fabrication naturelle », qui a, elle aussi, ses incapacités : « la Nature ne connaît pas la roue », et elle n'a « pas créé non plus d'animal démontable » [3].

La composition d'une œuvre d'art se réduit-elle à une production par opérations séparées, comme l'est la construction d'une table ? La création artistique n'est-elle qu'une fabrication ? Loin d'opposer la création artistique à la formation organique, ne faudrait-il pas les rapprocher ? Bien souvent, la création intellectuelle se fait par croissance et bourgeonnement. Et chez Valéry lui-même on en relèverait bien des exemples. Sa production théorique, si abondante, tire la plupart du temps ses germes de remarques antérieures (même l'essai sur *L'Homme et la Coquille* a son origine dans les pages d'*Eupalinos* sur les modes de production).

L'analyste qu'il y a en Valéry a cherché à décomposer la création en élément simples, et il s'est persuadé qu'elle procédait à

---

1. *L'Homme et la Coquille, op. cit.*, p. 23.
2. *Ibid.*, p. 12. Il semble cependant que Valéry ait admis, sinon des créations complètes, au moins la formation spontanée de structures que l'œuvre utilisera. Voir *Cours de poétique* : « Il y a des formations naturelles dans l'esprit de l'artiste. Songeons aux ornements géométriques des populations primitives. Ce processus rappelle celui des fleurs ou de ces traces que la mer, en son reflux, abandonne sur le sable... La production des rythmes est l'une de ces productions directes de l'organisme humain qui sont le germe des productions organisées » (leçon 2). « La métaphore est une production naturelle de l'esprit » (leçon 4).
3. *Discours aux chirurgiens*, in *Variété V*, p. 46-47.

partir de ces éléments : « Les problèmes de la composition sont
réciproques des problèmes de l'analyse. [1] » Faisant l'éloge de la
géométrie grecque, Valéry y admire surtout « cette magnifique
division des moments de l'Esprit » et « cet ordre merveilleux où
chaque acte de la raison est nettement placé, nettement séparé
des autres : cela fait penser à la structure des temples, machine
statique dont les éléments sont tous visibles et dont tous déclarent
leur fonction ». Ces « membres de la science pure » : « définitions,
axiomes, lemmes, théorèmes, corollaires, porismes, problèmes... »
lui paraissent « la machine de l'esprit rendue visible, l'architecture
même de l'intelligence entièrement dessinée, — le temple érigé
à l'Espace par la Parole, mais un temple qui peut s'élever à
l'infini » [2]. Dans ce nouveau *Cantique des Colonnes*, Valéry exalte
la distinction opératoire qu'il voudra, plus tard, retrouver chez
l'écrivain. Dans une discussion à la Société de Philosophie, le
28 janvier 1928, après avoir distingué deux états chez l'écrivain :
l'éclair, phénomène de sensibilisation, et le travail dans « la
chambre noire » pour faire apparaître l'image, il notait : « je crois
qu'il faut distinguer, — quant à moi, je distingue excessivement,
— les différents moments de la création de l'ouvrage, et je répète
que ces moments d'espèces toutes diverses (et peut-être incomparables) sont nécessaires à toute production » [3]. Dans *Mémoires
d'un poème*, il reconnaît avoir été frappé dans sa jeunesse par les
raffinements des poètes après 1850, c'est-à-dire par « l'obligation
de séparer plus qu'on ne l'avait jamais fait, l'excitation et l'intention initiales de l'exécution » [4]. Valéry retrouve dans l'œuvre
même des traces de l'ajustement « des moments si différents de
l'esprit créateur » :

... presque toutes les œuvres littéraires exigent quantité de prolégomènes : expositions, descriptions, préparations, qui ont pour
fonction : les unes, de définir les pièces et les règles du jeu : les
autres, d'apprivoiser le lecteur inconnu à la sensibilité de l'auteur.
Ce sont les postulats, les conventions, les données à partir desquels
l'œuvre proprement dite pourra être entendue... En résumé, toute
spéculation sur la création artistique doit tenir grand compte de la

---

1. *Introduction à la méthode de Léonard de Vinci*, in *Variété*, p. 245.
2. *Note (Extrait d'une conférence donnée à l'Université de Zurich le 15 novembre
1922)*, in *Variété*, p. 47-48.
3. *La création artistique*, in *Bulletin de la Société française de Philosophie*,
1928, p. 17.
4. *Mémoires d'un poème*, p. XIII.

diversité « hétérogène » des conditions qui s'imposent à l'ouvrier et se trouvent nécessairement impliquées dans l'ouvrage [1].

Le comble de la séparation serait celle que rapporte Valéry dans son livre sur Degas : « Un grand géomètre me disait qu'il faudrait vivre deux vies ; l'une pour acquérir la possession de l'instrument mathématique, l'autre pour s'en servir. [2] »

Cependant les exemples de développement poétique que Valéry a cités, et tirés de sa propre expérience, iraient plutôt en sens contraire. Il avoue même avoir été séduit par la ressemblance qu'ils offraient avec un phénomène de croissance continue :

... un vers s'est présenté à moi, visiblement engendré par sa sonorité, par son timbre. Le sens que suggérait cet élément inattendu de poème, l'image qu'il évoquait, sa figure syntaxique (une apposition), agissant comme agit un petit cristal dans une solution sursaturée, m'ont conduit comme par symétrie à attendre, et à construire selon cette attente, en deçà et au delà de ce vers, un commencement qui préparât et justifiât son existence, et une suite qui lui donnât son plein effet. Ainsi, de ce seul vers, sont provenus de proche en proche tous les éléments d'un poème — le sujet, le ton, le type prosodique,... etc.

Je ne pus m'empêcher de comparer cette prolifération à celle qui s'observe dans la nature où l'on voit, paraît-il, un fragment de tige ou de feuille de certaines plantes reproduire un individu complet moyennant un milieu favorable. Le fragment, quoique différencié, se fait peu à peu un individu complet, il se fait des feuilles, une tige, des racines, tout ce qu'il faut pour vivre [3].

Mais tout aussitôt, le théoricien réfute le poète et repousse la tentation de l'organicisme :

Mais cette analogie séduisante ne doit point être retenue, à cause de l'indépendance radicale que j'ai soulignée tout à l'heure entre les constituants du langage, son et sens [4].

Ce n'est pas seulement le fait des deux développements indépendants (selon Valéry) qui contrarient l'image de la croissance d'un fragment vivant, c'est aussi, on l'aura remarqué, la comparaison physico-chimique de la cristallisation dans un milieu sursaturé. Dix ans plus tard, en 1939, Valéry reviendra à la com-

1. *La création artistique*, in *Bulletin de la Société française de Philosophie*, 1928, p. 11.
2. *Degas. Danse. Dessin*, p. 114.
3. *La création artistique*, in *Bulletin de la Société française de Philosophie*, 1928, p. 12-13. Il s'agit de la *Pythie*, sortie du vers : Pâle, profondément mordue (cf. *Journal* d'André Gide, 2 janvier 1923, p. 751).
4. *Ibid.*, p. 13.

paraison si naturelle d'un développement biologique. Il reprendra,
mais en l'authentifiant, l'exemple auquel il avait fait allusion :

... « la Pythie » s'offrit d'abord par un vers de huit syllabes dont
la sonorité se composa d'elle-même. Mais ce vers supposait une
phrase, dont il était une partie, et cette phrase supposait, si elle
avait existé, bien d'autres phrases. Un problème de ce genre admet
une infinité de solutions. Mais en poésie les conditions métriques
et musicales restreignent beaucoup l'indétermination. Voici ce qui
arriva : mon fragment se comporta comme un fragment vivant,
puisque, plongé dans le milieu (sans doute nutritif) que lui offraient
les désirs et l'attente de ma pensée, il proliféra et engendra tout ce
qui lui manquait : quelques vers au-dessus de lui, et beaucoup de
vers au-dessous [1].

Ici encore, on constate que l'image de la prolifération est minée,
de façon intestine, par une comparaison divergente, celle d'un
problème de mathématiques, cette fois. Au total, la croissance
de *La Pythie* aura suggéré à Valéry quatre analogies : deux biologiques, une physico-chimique, une mathématique. Ajoutons que
le génie métaphorique de Valéry lui a dicté, à propos d'un autre
poème, *La Jeune Parque,* une image mixte qui concilie, de façon
toute verbale, la théorie du développement organique et la théorie
de la fabrication :

... c'est du langage que je suis parti, — d'abord pour faire un
morceau grand d'une page ; puis d'écart en écart, cela s'est enflé
aux dimensions définitives. Croissance naturelle d'une fleur artificielle [2].

Comment se fait-il qu'entre les deux explications, Valéry ait
opté pour la moins plausible ? C'est justement parce qu'il tenait
à séparer nettement les moments de la création. Or, ce n'est possible qu'exceptionnellement, dans la phase de préparation de
l'œuvre (et pas toujours, car ce n'est pas toujours méthodiquement qu'elle est conçue), dans certaines opérations qui nécessitent
des activités incompatibles (la correction, ou revision, par exemple,
est toujours postérieure, fût-ce d'une seconde, à l'expression) ;
mais dans l'exécution, ou même dans l'inspiration qui souvent
se confond avec elle, tout travaille simultanément : le sentiment,
les images, le mouvement, le ton, la phrase se manifestent en
même temps. Le poète est un animal qui sait faire beaucoup de
choses à la fois. Son travail peut, sans doute, être analysé, mais
plutôt en facteurs qu'en instants et en actes leur correspondant.

1. *Poésie et pensée abstraite,* in *Variété V,* p. 161.
2. Lettre de 1917 à André Fontainas, in *Réponses,* p. 17.

Quand le psychologue discerne plusieurs fonctions, il n'est point tenu nécessairement à faire jouer chacune d'elles dans une période déterminée, car il se heurte à l'indivisibilité de la continuité spirituelle, s'il prétend imposer à sa réalité mouvante une chronologie trop précise. Ne serait-on pas tenté, dès lors, de penser que le poème s'est fait comme il a pu (« les auteurs ne savent ce qu'ils font », a dit très bien Valéry, et il aurait dit mieux s'il avait dit « ne savent qu'à moitié »). La série de comparaisons que propose Valéry marque plus le mystère de l'élaboration qu'il ne l'élucide. Bergson recommandait, pour diriger l'intuition, de varier les images. Celles de Valéry sont peu concordantes, et peu réductibles, à moins d'un artifice logique qui ferait rentrer de proche en proche les unes dans les autres les conditions mathématiques, les conditions physico-chimiques et les conditions biologiques, — problème qui fait le désespoir de l'épistémologie. Il resterait encore à y ajuster les conditions psychologiques, dont il est curieux que, dans ces deux passages, Valéry fasse si peu état (il invoque seulement les désirs et l'attente), car enfin, si un poème se fait, c'est certainement d'une façon qui n'est assimilable ni à la résolution d'un problème d'algèbre, ni à une cristallisation, ni à un cancer.

La composition par principes et actes bien distincts, applicable à la poésie et à tous les arts, a été portée par Valéry, dès sa jeunesse, à un degré de généralisation extraordinaire. Il a pensé que toute création, scientifique, artistique, et même politique, pouvait être indifféremment à la disposition d'un grand esprit qui en aurait découvert la loi la plus générale et n'aurait plus qu'à en faire, à son gré, dans les domaines de son choix, des applications particulières. En 1894, le jeune Valéry, dans l'*Introduction à la Méthode de Léonard de Vinci*, s'efforçant de percer le mystère de la « génération » des œuvres, insistait sur la maturation du génie, qui le distingue des autres hommes :

Une fois de plus on croit qu'il s'est créé quelque chose, car on adore le mystère et le merveilleux autant qu'ignorer les coulisses ; on traite la logique de miracle, mais l'inspiré était prêt depuis un an. Il était mûr. Il y avait pensé toujours — peut-être sans s'en douter ; — et où les autres étaient encore à ne pas voir, il avait regardé, combiné et ne faisait plus que lire dans son esprit [1].

1. P. 210-211. Voir *La Conquête allemande* (1897) : « Tous les grands inventeurs d'idées ou de formes me semblent s'être servis de méthodes particulières. Je veux dire que leur force et leur maîtrise est fondée sur l'usage de certaines *habitudes* et de certaines conceptions qui disciplinent toutes leurs pensées » (*Mercure de France*, 1er août 1915, p. 65).

Dans ces pages parfois abstruses, où, s'adressant aux artistes et aux amoureux d'art, il pensait avoir « effleuré le problème, capital pour eux, de la composition » [1], il y a un passage révélateur sur la simplification accomplie par l'homme de génie :

Le secret — celui de Léonard comme celui de Bonaparte, comme celui que possède une fois la plus haute intelligence — est et ne peut être que dans les relations qu'ils trouvèrent, — qu'ils furent forcés de trouver, — *entre des choses dont nous échappe la loi de continuité.* Il est certain qu'au moment décisif, ils n'avaient plus qu'à effectuer des actes définis. L'affaire suprême, celle que le monde regarde, n'était plus qu'une chose simple, — comme de comparer deux longueurs [2].

Le génie aboutit, « après de longs errements » [3], à « l'unité de méthode », à une « propriété », à un « instrument », dont « les ressources implicites » lui permettent de déclarer : « Il est aisé de se rendre universel. [4] » Le *Facil cosa e farsi universale* de Léonard répond au : « Le génie est facile » de M. Teste.

Cette vue était renforcée, quelques pages plus loin, par une analyse de la construction, qui aboutissait à mettre en valeur « une commune mesure des termes mis en œuvre » et à dégager la *continuité* psychique sous les modifications qu'elle manifeste dans l'œuvre. Mais la page est trop allusive pour qu'on se contente de la résumer :

Construire, dès que cet effort aboutit à quelque compréhensible résultat, doit faire songer à une commune mesure des termes mis en œuvre, un élément ou un principe que suppose déjà le fait simple de prendre conscience et qui peut n'avoir d'autre existence qu'une abstraite ou imaginaire. Nous ne pouvons nous représenter un tout fait de changements, un tableau, une édifice de qualités multiples, que comme lieu des modalités d'une seule *matière* ou *loi,* dont la *continuité* cachée est affirmée par nous au même instant que nous reconnaissons pour un ensemble, pour domaine limité de notre investigation, cet édifice. Voici encore ce postulat psychique de continuité qui ressemble dans notre connaissance au principe de l'inertie dans la mécanique [5].

1. *Introduction à la méthode de Léonard de Vinci,* p. 250.
2. *Ibid.,* p. 211. Voir, in *O. C.,* t. I, p. 70-71, une note marginale écrite en 1930 : « Le mot de continuité n'est pas du tout le bon. Il me souvient de l'avoir écrit à la place d'un autre mot que je n'ai pas trouvé. Je voulais dire : entre des choses que nous ne savons pas transposer ou traduire dans un système de l'ensemble de nos actes. C'est-à-dire : le système de nos pouvoirs. »
3. P. 211.
4. P. 211.
5. P. 235-236.

Valéry renonçait à choisir dans la peinture « l'exemple saisis-
sant » qu'il lui fallait « de la communication entre les diverses
activités de la pensée » [1] ; il le prenait dans l'architecture :

Le monument (qui compose la Cité, laquelle est presque toute la
civilisation) est un être si complexe que notre connaissance y épelle
successivement un décor faisant partie du ciel et changeant, puis
une richissime texture de motifs selon hauteur, largeur et profondeur,
infiniment variés par les perspectives ; puis une chose solide, résistante, hardie, avec des caractères d'animal ; une subordination,
une membrure, et finalement, une machine dont la pesanteur est
l'agent, qui conduit de notions géométriques à des considérations
dynamiques et jusqu'aux spéculations les plus ténues de la physique
moléculaire dont il suggère les théories, les modèles représentatifs
des structures. C'est à travers le monument, ou plutôt parmi ses
échafaudages imaginaires faits pour accorder ses conditions entre
elles — son appropriation avec sa stabilité, ses proportions avec
sa situation, sa forme avec sa matière — et pour harmoniser chacune
de ces conditions avec elle-même, ses millions d'aspects entre eux,
ses équilibres entre eux, ses trois dimensions entre elles, que nous
recomposons le mieux la clarté d'une intelligence léonardienne [2].

L'intérêt de l'architecture est d'attirer notre attention sur les
structures ; par là on peut joindre la construction à l'échelle
humaine et la construction microscopique, on peut également
passer de l'interprétation de l'espace à la constitution de la matière.

L'être de pierre existe dans l'espace : ce qu'on appelle espace
est relatif à la conception de tels édifices qu'on voudra ; l'édifice
architectural interprète l'espace et conduit à des hypothèses sur
sa nature, d'une manière toute particulière, car il est à la fois un
équilibre de matériaux par rapport à la gravitation, un ensemble
statique visible et, dans chacun de ces matériaux, un autre équilibre,
moléculaire et mal connu. Celui qui compose un monument se
représente d'abord la pesanteur et pénètre aussitôt après dans
l'obscur royaume atomique. Il se heurte au problème de la structure :
savoir quelles combinaisons doivent s'imaginer pour satisfaire
aux conditions de résistance, d'élasticité, etc., s'exerçant dans un
espace donné. On voit quel est l'élargissement logique de la question, comment du domaine architectural, si généralement abandonné aux praticiens, l'on passe aux plus profondes théories de
physique générale et de mécanique.
Grâce à la docilité de l'imagination, les propriétés d'un édifice
et celles intimes d'une substance quelconque s'éclairent mutuellement [3].

1. *Introduction à la méthode de Léonard de Vinci*, p. 240.
2. P. 241-242.
3. P. 243-244.

Qu'on remarque autour de soi de quelles façons différentes l'espace est occupé, c'est-à-dire formé, concevable, et qu'on fasse un effort vers les conditions qu'impliquent, pour être perçues avec leurs qualités particulières, les choses diverses, une étoffe, un minéral, un liquide, une fumée, on ne s'en donnera une idée nette qu'en grossissant une particule de ces textures et en y intercalant un édifice tel que sa simple multiplication reproduise une structure ayant les mêmes propriétés que celle considérée [1]...

Valéry cherche ensuite dans l'architecture un type de pensée qui permette de passer de façon continue à tous les domaines où l'idée de composition est essentielle, et il semble espérer que la décomposition analytique des structures permettra toute espèce de synthèse, artistique ou scientifique. C'est, du moins, ce que je crois lire, quand il dit :

A l'aide de ces conceptions, nous pouvons circuler sans discontinuité à travers les domaines apparemment si distincts de l'artiste et du savant, de la construction la plus poétique, et même la plus fantastique, jusqu'à celle tangible et pondérable. Les problèmes de la composition sont réciproques des problèmes de l'analyse ; et c'est une conquête *psychologique* de notre temps que l'abandon de concepts trop simples au sujet de la constitution de la matière, non moins que de la formation des idées [2].

Il y aurait à admirer chez Léonard une « logique imaginative » [3], la conscience d'une sorte d'expérimentation psychique « consistant dans l'établissement d'une relation mentale concrète entre des phénomènes — disons, pour être rigoureux, entre les images des phénomènes » [4], dont la méthode a été retrouvée par quelques savants comme Faraday, Maxwell, Lord Kelvin... ; grâce à « de tels hommes », on peut se permettre « d'étendre ces méthodes au-delà de la science physique », « il ne serait ni absurde ni tout à fait impossible de vouloir se créer un modèle de la continuité des opérations intellectuelles d'un Léonard de Vinci ou de tout autre esprit déterminé par l'analyse des conditions à remplir... » [5].

Ces textes ne sont guère explicités par la *Note et digression* qu'un quart de siècle plus tard Valéry y ajouta : « J'aimais dans mes ténèbres la loi intime de ce grand Léonard. [6] » « Je n'avais pas

1. *Introduction à la méthode de Léonard de Vinci*, p. 244-245.
2. P. 245.
3. P. 247.
4. P. 247.
5. P. 249-250.
6. P. 169.

trouvé mieux que d'attribuer à l'infortuné Léonard mes propres agitations, transportant le désordre de mon esprit dans la complexité du sien. [1] » Mais la *Note* nous fournit, du moins, la formule qui résume la situation mentale de l'esprit universel :

> Je sentais que ce maître de ses moyens, ce possesseur du dessin, des images, du calcul avait trouvé l'attitude centrale à partir de laquelle les entreprises de la connaissance et les opérations de l'art sont également possibles ; les échanges heureux entre l'analyse et les actes, singulièrement probables [2]...

Le « mythe » de Léonard a donc permis à Valéry de rêver d'une méthode universelle, mais il va sans dire qu'il ne la lui a pas révélée. Sur un plan plus restreint, Eupalinos rêvera, en méditant sur les rapports de l'architecture et de la musique, d'arriver à ce point central d'où mille possibilités se déduiraient :

> Imagine donc fortement ce que serait un mortel assez pur, assez raisonnable, assez subtil et tenace, assez puissamment armé par Minerve, pour méditer jusqu'à l'extrême de son être, et donc jusqu'à l'extrême réalité, cet étrange rapprochement des formes visibles avec les assemblages éphémères de sons successifs ; pense à quelle origine intime et universelle, il s'avancerait ; à quel point précieux il arriverait ; quel dieu il trouverait dans sa propre chair ! Et se possédant enfin dans cet état de divine ambiguïté, s'il se proposait alors de construire je ne sais quels monuments, de qui la figure vénérable et gracieuse participât directement de la pureté du son musical, ou dût communiquer à l'âme l'émotion d'un accord inépuisable, — songe, Phèdre, quel homme ! Imagine quels édifices !... Et nous, quelles jouissances !
> — Et toi, lui dis-je, tu le conçois ?
> — Oui et non. Oui, comme rêve. Non, comme science.
> — Tires-tu quelque secours de ces pensées ?
> — Oui, comme aiguillon. Oui, comme jugement. Oui, comme peines... Mais je ne suis pas en possession d'enchaîner, comme il le faudrait, une analyse à une extase. Je m'approche parfois de ce pouvoir si précieux [3]...

Cette *attitude centrale*, qui consiste dans la possession d'une *commune mesure*, il semble que Valéry l'ait poursuivie dans ses années de silence. Nous la retrouverons encore à propos du rôle de l'ornement dans la composition. Un fragment d'une lettre qu'il adressait à Mallarmé, en 1894, montre qu'il recherchait une formule commandant tous les procédés fondamentaux de toutes les techniques possibles.

1. *Introduction à la méthode de Léonard de Vinci*, p. 200.
2. P. 165.
3. *Eupalinos*, p. 111-113.

J'ai simplement songé à comprendre dans une même *figure*, tout ce qui, en toute chose, est le Moyen — ou, depuis la bêche, la plume, la parole, la flûte, jusqu'aux fugues et au calcul intégral — une théorie de l'Instrument [1]...

Valéry n'a pas écrit de prolégomènes à toute technique possible, mais son rêve d'une science opératoire universelle se fondait sur la conviction que tout individu contient en lui une pluralité de personnes virtuelles, dont la vie révèle certaines, à moins qu'elle ne les empêche de se manifester, comme chez Socrate, philosophe qui aurait pu être architecte, et qui disait : « je suis né *plusieurs*... mort un *seul*. [2] » Sans cette potentialité, l'artiste ou le savant ne pourrait même pas être ce qu'il est simplement ; et dans l'activité même qu'il pratique, on constate des spécialisations diverses : le poète est et doit être tour à tour poète et abstracteur, de même qu'Einstein est nécessairement un mathématicien et un artiste « de première grandeur » [3].

J'ajouterai même sur ce point cet avis paradoxal : que, si le logicien ne pouvait jamais être que logicien, il ne serait pas et ne pourrait pas être un logicien ; et que, si l'autre ne fût jamais que poète, sans la moindre espérance d'abstraire et de raisonner, il ne laisserait après soi aucune trace poétique. Je pense très sincèrement que, si chaque homme ne pouvait pas vivre une quantité d'autres vies que la sienne, il ne pourrait pas vivre la sienne.

Mon expérience m'a donc montré que le même *moi* fait des figures fort différentes, qu'il se fait abstracteur ou poète, par des spécialisations successives, dont chacune est un écart de l'état purement disponible et superficiellement accordé avec le milieu extérieur, qui est l'état moyen de notre être, l'état d'indifférence des échanges [4].

Sans doute, peu d'individus sont absolument limités à un métier unique. Sans doute, quelques-uns ont pu réussir dans des carrières diverses. Sans doute, toute activité requiert des qualités différentes. Mais comment savoir que Socrate eût pu bâtir le Parthénon et qu'Einstein contient un architecte génial ? Si le logicien a besoin d'imagination et le poète de raisonnement, ce n'est pas de la même façon, au même degré, ni dans le même sens que Victor Hugo ou Spinoza. L'universalité du génie est un beau mythe de puissance et d'orgueil, qu'une théorie comparable à

1. Fragment d'une lettre de Paul Valéry à Stéphane Mallarmé, 15 janvier 1894, communiquée par Mme E. Bonniot à Henri Mondor (*Vie de Mallarmé*, p. 677).
2. *Eupalinos*, p. 151.
3. *L'Idée fixe*, p. 182.
4. *Poésie et pensée abstraite*, in *Variété V*, p. 136.

celle de la caractéristique universelle peut s'efforcer de justifier, mais qui se heurte, sur le terrain de l'expérience, à l'inégalité des dons. Même Léonard n'a pas été grand musicien. Le compositeur universel n'a pas encore paru.

*
* *

Redescendons de ces sommets. Point n'est besoin, pour composer un poème, de s'être rendu maître de la formule métatechnique la plus générale. Aussi bien, les difficultés de la composition poétique sont-elles suffisamment ardues. Valéry les déclare « presque décourageantes ».

C'est qu'ici le détail est à chaque instant d'importance essentielle et que la prévision la plus belle et la plus savante doit composer avec l'incertitude des trouvailles [1].

Composer veut dire ici tenir compte de, s'arranger de, et finalement faire des concessions. « Écrire, c'est prévoir » [2], mais, en poésie, le détail, la trouvaille est imprévisible, et elle peut être de nature telle qu'elle bouleverse tout ou partie du développement projeté. Nous savons déjà que le Racine de Valéry n'aurait pas hésité à modifier le caractère d'un personnage pour ne pas renoncer à un bel accident formel. Ces variations de la composition engendrées par les hasards de l'exécution amènent, comme nous le verrons au chapitre suivant, à ne pas séparer ces deux fonctions l'une de l'autre. Il n'en reste pas moins que la prévision, le dessein, le projet, ou, plus simplement encore, l'intention de composer est un facteur capital pour Valéry. Seulement, ce schéma, d'une souplesse variable, a besoin de s'incarner, comme on s'en rend bien compte par les traductions, qui ne nous offrent qu'une espèce d'épure :

Les traductions des grands poètes étrangers, ce sont des plans d'architecture qui peuvent être admirables ; mais elles font évanouir les édifices mêmes, palais et temples... Il y manque la *troisième dimension*, qui de concevables, les ferait sensibles [3].

C'est ce souci de préserver la savoureuse sensibilité du poème qui a fait souvent prendre le terme de composition par Valéry dans le sens de combinaison (comme en chimie). La combinaison

1. *Au sujet du « Cimetière marin »*, in *Variété III*, p. 71.
2. *Rhumbs*, in *Tel quel*, II, p. 59.
3. *Ibid.*, p. 81-82.

poétique doit unir des ingrédients particuliers, et surtout se
montrer par la suite indécomposable. Il ne faut pas que devant
l'amateur le composé poétique se défasse. Plusieurs formules
voisines, mais non tout à fait équivalentes, nous ont été données
par Valéry, de la synthèse poétique. La composition, en ce sens,
c'est surtout l'inséparabilité du son et du sens, dont nous avons
longuement parlé : « Si le sens et le son (ou si le fond et la forme)
se peuvent aisément dissocier, le poème se *décompose*. [1] » On peut
rapprocher de cette formule la définition qui fait de la poésie
« un *compromis*, ou une certaine proportion » de deux fonctions
du langage : « transmettre un fait, — produire une émotion » [2].
Mais déjà l'idée, ou plutôt l'image des éléments composants fait
place à celle de deux activités conjuguées. C'est parfois trois
facteurs que Valéry mettra en jeu : « la conduite simultanée de la
syntaxe, de l'harmonie et des idées » présente « le problème de la
plus pure poésie » [3]. Cette fois, la représentation de la synthèse
statique fait tout à fait place à l'idée d'une combinaison en mouvement, d'un triple développement parallèle qui amorce des
comparaisons avec la composition au sens musical du mot. Il
est rare, lorsqu'on parle de composition en poésie, qu'on songe
au sens que ce terme prend en chimie. On pense plutôt à la disposition de l'ensemble et au rapport des parties. C'est ce qu'on
fait également en parlant de peinture. Mais il est difficile de se
maintenir dans des considérations spatiales, et, si l'on tient compte
du mouvement du poème, on arrive à des comparaisons avec la
musique. Valéry a noté, comme une tendance assez générale, le
peu de goût des artistes modernes pour la construction équilibrée.
« Les artistes d'aujourd'hui », dit-il à propos des fresques de Véronèse, « ne sont pas à l'aise devant les problèmes de la composition...
S'ils inventent, ils succombent trop souvent dans le détail ; s'ils
n'inventent pas, ils sont incapables d'ensembles. Le morceau les
absorbe : ce devrait être le contraire. [4] » Même remarque sur la
pauvreté de composition chez les poètes, mais sans restriction
d'époque :

La composition est ce qu'il y a de plus rare dans certains arts.

1. *Au sujet du « Cimetière marin »*, in *Variété III*, p. 71.
2. *Je disais quelquefois à Stéphane Mallarmé*, in *Variété III*, p. 18.
3. *Au sujet du « Cimetière marin »*, in *Variété III*, p. 65.
4. *Les Fresques de Paul Véronèse*, in *Pièces sur l'art*, p. 125.

Par exemple, en poésie. Je connais infiniment peu de poèmes vraiment composés [1].

Rien ne m'a plus étonné chez les poètes et donné plus de regrets que le peu de recherche dans les compositions [2].

Si Valéry est déçu par la rareté des poèmes composés, c'est qu'il élimine par principe certains schémas d'organisation. Il en repousse surtout deux : le plan chronologique (celui du récit ou de l'histoire) et le plan logique (celui du discours ou de l'essai) :

... je connais très peu de poèmes composés, à condition : 1° qu'on n'entende pas par composition une énumération chronologique. Les événements se suivent, on les conte dans l'ordre des temps. Ils commencent tel jour et à telle heure, ils finissent tel autre jour. Ceci est une succession d'événements, mais il n'y a pas composition, car n'est pas composition la suite des choses dans la vie de quelqu'un, ou dans la rue, de l'heure H à l'heure H. L'œuvre d'art qui reproduit ces événements n'est pas une œuvre composée. Elle est un enregistrement. 2° N'est pas composition, au sens artistique, le procédé qui consiste à suivre un *plan* (*plan* au sens logique du mot, catégories, espèces et genres, etc.) ; en effet, ce plan n'engage que d'une façon tout incomplète la solidarité des diverses parties de l'œuvre, ce qui est le point capital [3].

Une autre fois, il distingue deux types de prétendue composition qui ne lui agréent pas ; le second est encore chronologique, mais le premier, qu'il appelle « linéaire », est surtout caractérisé par l'association :

Dans les lyriques les plus illustres, je ne trouve guère que des développements purement linéaires, — ou... délirants, — c'est-à-dire qui procèdent de proche en proche, sans plus d'organisation successive que n'en montre une traînée de poudre sur quoi la flamme fuit. (Je ne parle pas des poèmes dans lesquels un récit domine, et la chronologie des événements intervient : ce sont des ouvrages mixtes ; opéras, et non sonates ou symphonies. [4])

Valéry ne s'est pas demandé si le développement qu'il qualifie de « délirant » ne pouvait être secrètement ordonné par la passion, c'est-à-dire constituer le type même de la véritable composition poétique. Il ne s'est pas demandé non plus si le récit ne pouvait pas, en compliquant l'ordre chronologique par un autre ordre, aboutir à des effets complexes, dont l'effet poétique n'est pas

1. *Réflexions sur l'art*, in *Bulletin de la Société française de Philosophie*, 1935, p. 74.
2. *Au sujet du « Cimetière marin »*, in *Variété III*, p. 70.
3. *Réflexions sur l'art*, in *Bulletin de la Société française de Philosophie*, 1935, p. 74.
4. *Au sujet du « Cimetière marin »*, in *Variété III*, p. 70-71.

exclu. Quant au plan logique, on admet, en général, qu'il n'est pas poétique par lui-même, et que, s'il est trop apparent, il peut nuire au contenu poétique qu'il renferme, mais il est très difficile de le condamner sans nuances, car, dès que l'analyse d'un poème laisse apparaître un ordre quelconque (même inconscient chez son auteur), si cet ordre apparaît conforme à son but, rien n'empêche de le déclarer logique : dès que l'intelligence intervient, même dans le domaine affectif, elle logifie tout ce qu'elle touche.

Mais Valéry, dans ses vues sur la composition, pense beaucoup plus à l'art qu'à la poésie ; ce qui l'intéresse, c'est l'accord d'une multiplicité ; c'est pourquoi il insiste sur « la solidarité des diverses parties de l'œuvre ». C'est par là que se relient, dans son esprit, les deux sens, si éloignés dans l'usage courant, du mot composition : celui de combinaison et celui d'architecture. Toute composition véritable est indissolubilité de ses relations internes. Et toutes les fois qu'on peut défaire cette unité, l'œuvre perd sa vie. C'est le cas du poème philosophique, où l'on peut mettre à part la pensée. C'est le cas du poème didactique où la musique n'est pas indispensable au sens. C'est le cas du poème historique ou narratif, qu'on peut réduire à une suite d'anecdotes. Tout ce qui peut se résumer ou se raconter est antipoétique. « On ne peut pas résumer un poème... [1] » C'est par où pèche l'épopée : « Un poème épique est un poème qui peut se raconter. Si on le *raconte*, on a un texte bilingue » [2], c'est-à-dire de la prose à côté des vers. « Rien de beau ne se peut résumer », comme le font, pour l'*Énéide* et l'*Odyssée*, les « barbares pédagogues ». [3] Au reste, les poèmes épiques « sont beaux quoiqu'ils soient grands, et le sont par fragments. Démonstration : Un poème de longue durée est un poème qui se peut *résumer*. Or est *poème* ce qui ne se peut résumer. On ne résume pas une mélodie » [4]. On aura noté, en passant, la condamnation, tout à fait dans la ligne de Poe, du long poème. Mais où commence l'excès de dimension ? C'est évidemment pour éviter qu'on puisse résumer ou raconter *La Jeune Parque* que Valéry en a brouillé la chronologie et le système d'idées. Les poèmes dramatiques partagent avec les poèmes épiques « ce défaut, cette propriété anti-poétique, qu'ils peuvent se résumer, se raconter... tandis que dans la poésie qui n'est que poésie... le

1. *Léonard et les philosophes*, in *Variété III*, p. 158.
2. *Autres Rhumbs*, in *Tel quel*, II, p. 154.
3. *Rhumbs*, in *Tel quel*, II, p. 81.
4. *Ibid.*, p. 80.

poème ne peut, sans périr entièrement, être mis en prose »[1]. A la limite, Valéry généralise sa critique : « Résumer (ou remplacer par un schéma) une œuvre d'art, c'est en perdre l'essentiel. On voit combien cette circonstance (si on en comprend la portée) rend illusoire l'analyse de l'esthéticien.[2] » Inutile de discuter cette thèse puérile qui repose sur la confusion du plaisir et de la psychologie du plaisir. Retenons seulement que le rejet du lien chronologique et du lien logique explique en partie la théorie et la pratique de Valéry dans la conduite du poème.

Par quoi remplacer ces principes d'unité ? Par quoi assurer la « solidarité » des parties de l'œuvre ? Introduisant la notion de matière de l'œuvre d'art (il la définit : ce qui « se conserve » à l'audition d'un poème), et reprenant sa conception de « l'indissolubilité si précieuse de la forme avec le fond », Valéry note que la composition « exige que chaque élément soit dans une solidarité particulière avec un autre élément ». Ayant écarté comme incapable le « lien logique, ou chronologique », il est amené à « chercher la composition dans et par la matière de l'ouvrage : c'est-à-dire que la substance du poème doit s'opposer à la transformation immédiate de la parole en signification. Il y faut des similitudes de sonorité, de rythme, de forme, etc..., qui devront se correspondre et ramener l'attention à la forme »[3]. C'est donc au chant, à la partie musicale du poème, qu'est réservé le rôle conducteur. C'est lui qui empêche la « décomposition », en attirant l'attention sur la forme, en la détournant de transformer le langage en pensée aussitôt consommée. On notera que la forme reçoit elle-même une composition propre, par un jeu interne de relations (similitudes, correspondances, symétries...). Valéry a indiqué aussitôt une solution, une des moins ardues, mais non la plus élevée à son gré, de ce problème d'organisation interne : « Cela se fait assez facilement dans un poème par strophes. On peut ainsi obtenir une sorte d'unité de l'ouvrage qui tient à son *corps*.[4] » Une sorte d'unité seulement, car, si la strophe se suffit à elle-même et si les

1. *La création artistique*, in *Bulletin de la Société française de Philosophie*, 1928, p. 13.
2. *Léonard et les philosophes*, in *Variété III*, p. 158.
3. *Réflexions sur l'art*, in *Bulletin de la Société française de Philosophie*, 1935, p. 74-75.
4. *Ibid.*, p. 75. Cf. *Fontaines de mémoire*, in *Pièces sur l'art*, p. 307-308 : « Il existe un moyen de résoudre sans des peines infinies ce problème de la composition... : l'emploi de strophes, mais de strophes qui s'enchaînent... Ce parti-pris s'oppose nettement au développement libre... »

strophes se ressemblent par leur structure, le poème n'est encore qu'une suite d'unités semblables.

Si, dans la composition totale du poème, Valéry semble distinguer, en même temps qu'il lui donne une fonction directrice et régulatrice, une composition de la forme, ce n'est pas qu'il néglige pour autant la distribution des significations. On pourrait parler d'une composition du sens. S'il rejette la composition logique ou chronologique, il envisage une organisation des valeurs des mots qui déborde la syntaxe. Elle semble porter à la fois sur la multiplicité des sens que suggère toute figure de style et sur les rapports que le poète introduit dans la suite des termes qu'il emploie. On se souvient des accords non syntaxiques qu'il signalait entre deux mots importants d'un beau vers. Mais l'essentiel est de détourner le lecteur d'une simplicité unilatérale d'interprétation comme on la rencontre dans un exposé d'idées dont le courant se doit d'être clair et sans ambiguïté. La polyvalence est sans doute la loi du langage poétique, à la fois dans les termes et dans leurs rapports : « entre les significations successives doivent exister des relations *surabondantes*, plus de relations qu'il n'en faut pour la compréhension nette et *linéaire*. C'est là ce qui induit les poètes à l'emploi de figures, métaphores, tropes, etc... » [1]. Ces correspondances se jouent généralement dans un passage déterminé du poème, mais il n'est pas exclu que des rappels ou des symétries ou des contrastes les apparentent à distance éloignée ; il y en a des exemples dans *La Jeune Parque* (et ailleurs ; le procédé n'est pas inconnu des prosateurs, ni des romanciers). Mais les harmonies d'idées, si elles tissent des liens entre les fragments d'une œuvre, ne peuvent suffire à en assurer l'unité de pensée. Elles sont, par rapport à la composition du sens, ce que sont les allitérations par rapport à la composition phonique : la mélodie est plus complexe que ces rappels. Ce que le poème compose, au point de vue de la signification (j'aimerais mieux dire de l'imagination), c'est l'ensemble de ses valeurs mentales. Un commencement d'analyse du *Cimetière marin*, fait par Valéry lui-même, jette quelque lumière sur la façon dont il entendait la distribution, le contraste, le rapport et l'équilibre des parties psychologiques. Il commence par rappeler le parti-pris formel qui est à l'origine du poème (« strophes de six vers de dix syllabes ») et grâce auquel il a pu « distribuer assez facilement » dans son œuvre « ce qu'elle

1. *La création artistique*, in *Bulletin de la Société française de Philosophie*, 1928, p. 13.

devait contenir de sensible, d'affectif et d'abstrait pour suggérer,
transporter dans l'univers poétique, la méditation d'un certain
moi ». On voit ensuite le poète soucieux de « l'exigence des contrastes à produire et d'une sorte d'équilibre à observer entre les
moments de ce *moi* ». C'est ce qui l'a conduit à rappeler la philosophie de Zénon d'Élée ; les vers où paraissent ses arguments
(« mais, animés, brouillés, entraînés... ») sont destinés à « compenser, par une tonalité métaphysique, le sensuel et le " trop
humain " de strophes antécédentes », et à déterminer plus précisément « *la personne qui parle* — un amateur d'abstractions ». Mais, dit-il, « je n'ai entendu prendre à la philosophie
qu'un peu de sa couleur »[1]. Contraste et équilibre des moments
d'un moi, c'est-à-dire d'états émotifs différents, compensation du
sensuel et du trop humain par la tonalité métaphysique qui
succède, emprunt de la couleur philosophique par allusion à des
images célèbres, suggestion d'ensemble d'un personnage particulier, tout cela donne l'idée d'une composition que j'appellerais
volontiers *tonale* : il s'agit de concilier avec le ton général de l'amateur d'abstractions les tons divers de ses sentiments successifs.
C'est par ces tons, qui commandent le choix du langage et des
images, que le poète exprime la couleur affective de sa pensée.
Si *Le Cimetière marin* est un des plus beaux poèmes de Valéry,
il le doit certainement à cette composition en profondeur. On
trouvera peut-être que, sur la foi de certains mots employés ici
par Valéry (tonalité, couleur...), je le tire un peu trop vers une
explication que ses théories récusent ; il est certain qu'on est un
peu surpris, mais c'est à propos du plus personnel de ses poèmes,
le seul où il ait avoué avoir mis un peu de sa vie, de le voir paraître
accorder quelque chose aux valeurs de sentiment dans l'élaboration d'un poème. Mais, outre que la nature des choses l'amène
parfois, dans ses théories mêmes, jusqu'au bord de concessions
à la vie du cœur, il n'est pas interdit de penser qu'en revenant
par le souvenir sur la composition du *Cimetière marin*, il s'est
laissé entraîner à faire leur place aux sentiments très réels qui
l'ont inspiré, on peut le croire, un peu plus que le sixain de déca-
syllabes. Ma conclusion serait que la composition des significations, pour être poétique, ne peut être qu'affective, jouer sur des
thèmes de sentiment, que le ton, ou les tons du poème ont pour
fonction de faire passer dans le langage.

1. *Au sujet du « Cimetière marin »*, in *Variété III*, p. 72.

Solidarité harmonique et surabondante, dans la forme et dans le fond, à l'opposé de la prose, telle est donc la loi générale de la composition du poème. Il ne serait pas difficile d'y rattacher des prescriptions que Valéry a énoncées de temps à autre, et auxquelles, sans trop de complaisance, on pourrait donner le nom de lois. *Loi de corrélation* : « Les parties d'un ouvrage doivent être liées les unes aux autres par plus d'un fil. [1] » *Loi de relation des détails à l'ensemble* : à propos de la musique et de l'architecture, Valéry définit très brièvement la composition comme « la liaison de l'ensemble avec le détail » [2]. *Loi d'économie* : « Toutes les parties d'une œuvre doivent travailler. [3] » Cet aménagement efficace de la composition vise à faire du poème une machine du plus grand rendement par le plus petit nombre de procédés. Dans son *Petit discours aux peintres graveurs*, Valéry, rapprochant aimablement leur art de celui de l'écrivain, qui communie avec eux « dans le *Blanc* et le *Noir* », assure que « l'art le plus proche de l'esprit est... celui qui nous restitue le *maximum* de nos impressions ou de nos inventions par le *minimum* de moyens sensibles » [4]. Valéry a repris aussi une formule de Racine pour affirmer que « le mythe de la " création " nous séduit à vouloir faire quelque chose de rien » [5].

Mais il y a encore une façon d'apprécier la composition ; on peut l'envisager sous l'aspect ornemental, et c'est sans doute le point de vue que Valéry considère comme le plus important, bien qu'il soit d'une application restreinte, puisque Valéry considère ce type de construction comme un idéal impossible à atteindre dans un long poème. Il en est de même de la composition musicale, dont nous avons déjà vu qu'elle hantait la pensée du poète, et qu'il n'y a pas lieu d'exposer à part, puisque Valéry —assez curieusement — ne la distingue pas de l'autre, et même en fait précisément le type de la composition ornementale en poésie. Parlant, en 1928, à la Société de Philosophie, de la « difficulté presque insurmontable que l'on trouve en poésie à composer », il précisait :

Je ne sais rien de plus rare, — en ce qui concerne les œuvres qui

1. *Littérature*, in *Tel quel*, I, p. 156.
2. *Histoire d'Amphion*, in *Variété III*, p. 90.
3. *Littérature*, in *Tel quel*, I, p. 156.
4. In *Pièces sur l'art*, p. 140.
5. *Au sujet du « Cimetière marin »*, in *Variété III*, p. 70.

comptent plus de... quatorze vers ! — que la composition, au sens
que j'appellerai ornemental de ce terme.[1]

Il y voyait « une tâche presque au-dessus des forces humaines ».
Rejetant, une fois de plus, le « système qui consiste à suivre pour
fil conducteur une succession d'événements datés, ou à adopter
une ordonnance de concepts », il reconnaissait qu'on trouvait
« bien dans la poésie lyrique de nombreux exemples de développements qui suggèrent une figure simple, une courbe sensible.
Mais ce ne sont jamais que des types élémentaires ». Quand il
pense à ce que devrait être la composition, il « songe à des poèmes
dans lesquels on tâcherait de rejoindre la complexité savante de
la musique en introduisant entre leurs parties des rapports " harmoniques ", des symétries, des contrastes, des correspondances..., etc. »[2]. Confidence très précieuse, et qui se raccorderait
assez bien avec les soucis d'équilibre que nous venons de voir
présider à la composition du *Cimetière marin*. Mais le poète, pour
nous dissuader peut-être, concluait avec une belle modestie décou-
ragée : « Je confesse qu'il m'est arrivé quelquefois de concevoir
et même d'entreprendre dans ce sens, mais mes essais n'ont jamais
abouti, — même à quelque chose de mauvais.[3] » Sans doute, ce
rêve de donner à la composition poétique la complexité de la
composition musicale était-il trop vaste et trop ambitieux. On
peut croire aussi qu'il méconnaissait la différence des deux arts.
Mais il en est passé quelque chose dans certaines des poésies de
Valéry, dans les plus étendues, du reste, et singulièrement dans
La Jeune Parque, dont la recherche symphonique est souvent
apparente. C'est même toute la littérature que Valéry, dès sa
vingtième année, souhaitait de traiter selon la méthode musicale,
elle-même rapprochée de celle des sciences mathématiques :

Je n'ai jamais pu depuis 1891 considérer l'art de littérature qu'en
lui comparant et opposant un idéal de travail, — un travail qui
serait assez comparable à celui du compositeur de musique (savante)
ou du constructeur d'une théorie physico-mathématique. L'on
accorde au musicien qu'il pâlisse sur des combinaisons d'harmonie.
On refuse au poète la recherche d'un développement volontaire
et organisé de ses moyens[4]...

1. *La création artistique*, in *Bulletin de la Société française de Philosophie*,
1928, p. 13-14.
2. *Ibid.*, p. 14. Il dira dans *L'Idée fixe*, p. 172 : « rien de plus rare que la faculté
de coordonner, d'harmoniser, d'orchestrer un grand nombre de *parties*. »
3. *Ibid.*, p. 14.
4. *Propos me concernant*, p. 55. Cf. *Mémoires d'un poème*, p. xxxvii : « J'avoue
que je me sens parfois au cœur une morsure de l'envie quand je me représente

Pour bien saisir toute la portée de cette ambition, il faut revenir encore à l'essai de jeunesse, l'*Introduction à la Méthode de Léonard de Vinci*, dont j'ai rappelé et cité tout à l'heure les pages sur la composition. J'avais omis exprès un passage extrêmement curieux sur l'ornement. On sait que Valéry, lycéen, après avoir dévoré avec passion le *Dictionnaire d'architecture* de Viollet-le-Duc, avait lu la *Grammaire de l'ornement* d'Owen Jones. C'est avec une perspective de mathématicien qu'il aborde ce sujet dans l'*Introduction*. Après avoir déclaré que « construire » revient à « une commune mesure des termes mis en œuvre », il constate que « seules les combinaisons purement abstraites », par exemple « les numériques », sont susceptibles de « se construire à l'aide d'unités déterminées », et « qu'elles sont dans le même rapport avec les autres constructions possibles que les portions régulières dans le monde avec celles qui ne le sont pas ». Cette relation a pour but de faire saisir qu'il y a des formules abstraites (mathématiques ou non) qui régissent toutes les variétés d'ornements, et qu'elles s'enchâssent dans des complexes « irréguliers », pratiquement impossibles à ramener à une loi et à des facteurs numérables.

Il y a dans l'art un mot qui peut en nommer tous les modes, toutes les fantaisies, et qui supprime d'un coup toutes les prétendues difficultés tenant à son opposition ou à son rapprochement avec cette nature, jamais définie, et pour cause : c'est *ornement*. Qu'on veuille bien se rappeler successivement les groupes de courbes, les coïncidences de divisions couvrant les plus antiques objets connus, les profils de vases et de temples ; les carreaux, les spires, les oves, les stries des anciens ; les cristallisations et les murs voluptueux des Arabes ; les ossatures et les symétries gothiques ; les ondes, les feux, les fleurs sur la laque et le bronze japonais, et dans chacune de ces époques, l'introduction des similitudes des plantes, des bêtes et des hommes, le perfectionnement de ces ressemblances : la peinture, la sculpture. Qu'on évoque le langage et sa mélodie primitive, la sculpture, la séparation des paroles et de la musique, l'arborescence de chacune, l'invention des verbes, de l'écriture, la complexité *figurée* des phrases devenant possible, l'intervention si curieuse des mots abstraits ; et, d'autre part, le système des sons s'assouplissant, s'étendant de la voix aux résonances des matériaux, s'approfondissant par l'harmonie, se variant par l'usage des timbres. Enfin qu'on aperçoive le parallèle progrès des formations de la pensée à travers les sortes d'onomatopées psychiques primitives, les symétries et les contrastes élémentaires, puis les idées de substances, les métaphores, les bégayements de la logique, les formalismes et les entités, les êtres métaphysiques...

ce musicien savant aux prises avec l'immense page aux vingt portées... pouvant véritablement *composer*... Son action me semble sublime. »

Toute cette vitalité multiforme peut s'apprécier sous le rapport ornemental. Les manifestations énumérées peuvent se considérer comme les portions finies d'espace ou de temps contenant diverses variations, qui sont parfois des objets caractérisés et connus, mais dont la signification et l'usage ordinaire sont négligés, pour que n'en subsistent que l'ordre et les réactions mutuelles. De cet ordre dépend l'effet. L'effet est le but ornemental, et l'œuvre prend ainsi le caractère d'un mécanisme à impressionner un public, à faire surgir les émotions et se répondre les images [1].

L'art serait donc une sorte de mathématique incluse dans une matière. Mais l'artiste et l'amateur ne seraient sensibles qu'à l'organisation des éléments abstraits qui font la véritable signification de l'œuvre. On comprend, dès lors, qu'une sorte d'esthétique pythagoricienne puisse dominer tous les arts : « De ce point de vue, la conception ornementale est aux arts particuliers ce que la mathématique est aux autres sciences. » Le parallèle est expliqué dans ses effets :

De même que les notions psychiques de temps, longueur, densité, masse, etc., ne sont dans les calculs que des quantités homogènes et ne retrouvent leur individualité que dans l'interprétation des résultats, de même les objets choisis et ordonnés en vue d'un effet sont comme détachés de la plupart de leurs propriétés et ne les reprennent que dans cet effet, dans l'esprit non prévenu du spectateur [2].

L'œuvre d'art est abstraite, à des degrés variables selon la complexité des éléments qu'elle tire du réel :

C'est donc par une abstraction que l'œuvre d'art peut se construire, et cette abstraction est plus ou moins énergique, plus ou moins facile à définir, selon que les éléments empruntés à la réalité en sont des portions plus ou moins complexes [3].

L'appréciation de l'œuvre d'art se fait, inversement, par une sorte d'induction, par une « production d'images mentales », « plus ou moins énergique », « plus ou moins *fatigante* », selon que l'amateur a affaire à « un simple entrelacs sur un vase ou une phrase brisée de Pascal » [4].

Il peut paraître étrange, au premier abord, de faire entrer l'ornement dans la composition. L'ornement semble, en effet, un embellissement qui se surajoute à un ensemble ou à une struc-

1. *Introduction à la méthode de Léonard de Vinci*, in *Variété*, p. 236-237.
2. *Ibid.*, p. 238.
3. *Ibid.*, p. 238.
4. *Ibid.*, p. 238.

ture préexistante. Mais la conciliation est facile à opérer — théoriquement — entre les deux exigences, si l'on rejette les ornements
accidentels et si l'on exige que les ornements soient tirés du fond,
ou plutôt de la forme de l'œuvre. Ils ne sont plus alors que des
aspects particulièrement sensibles d'une continuité variée. Comme
ils ne peuvent alors s'en séparer sans la détruire, rien n'est
ornement et tout est ornement. Le mot peut donc prendre deux
valeurs, péjorative ou approbative, et Valéry l'a employé tantôt
dans une intention, tantôt dans l'autre, selon qu'il a fait de
l'ornement un superflu ou la loi même de la composition.

Valéry a esquissé une théorie des origines de l'ornement. Celui-ci
naîtrait du vide et de l'ennui.

Un lieu vide, un temps vide sont insupportables.
L'ornement de ces vides naît de l'ennui — comme l'image des
aliments naît du vide de l'estomac. — Comme l'action naît de
l'inaction et comme le cheval piaffe, et le souvenir naît, dans l'intervalle des actes, et le rêve.
La fatigue des sens crée. Le vide crée. Les ténèbres créent. Le
silence crée [1]. L'incident crée. Tout crée, excepté celui qui signe
et endosse l'œuvre [2].

La sensibilité éprouve le besoin de remplir le vide, et elle crée
automatiquement à cet effet ; elle répond au vide par une production spontanée tout à fait comparable à l'apparition des couleurs
complémentaires sur la rétine.

La sensibilité... a horreur du vide. Elle réagit spontanément
contre la raréfaction des excitants. Toutes les fois qu'une durée
sans occupation ni préoccupation s'impose à l'homme, il se fait
en lui un changement d'état marqué par une sorte d'émission,
qui tend à rétablir l'équilibre des échanges entre la *puissance* et
l'*acte* de la sensibilité. Le tracement d'un décor sur une surface
trop nue, la naissance d'un chant dans un silence trop ressenti,

1. Le silence est une sorte de vide particulièrement important pour le poète.
Dans son *Calepin d'un poète*, où Valéry établit que le poète est une attente, il
affirme que « le silence et l'attention sont incompatibles », et il se fixe ce programme : « Créer donc l'espèce de silence à laquelle répond *le beau*. Ou le vers
pur, ou l'idée lumineuse... Alors le vers semble né de lui-même, né de la nécessité... » (*O. C.*, t. C, p. 184). C'est que le vers, attendu et imprévisible à la fois,
est une réponse de la sensibilité au vide du silence, un phénomène de complémentarité, comparable au dessin qui répond à la sollicitation d'un espace vide.
Il n'est pas très facile de saisir, dans ces pages un peu obscures, comment le
silence spécial que le poète se crée comme excitation de l'invention est en même
temps dépourvu d'attention, surtout lorsqu'on se souvient de l'attitude de guet
que Valéry attribue, fort justement, au poète.
2. *Autres Rhumbs*, in *Tel quel*, II, p. 150-151. Comme toujours, Valéry est
porté à étendre la notion : « La saveur *orne* la surface de ton manger, la forme
de la gorgée de vin est décorée d'aromes... » (*Instants*, in *Mélange*, p. 168).

ce ne sont que des réponses, des compléments, qui compensent l'absence d'excitations — comme si cette *absence*, que nous exprimons par une simple négation, *agissait positivement* sur nous... On peut surprendre ici le germe même de la production de l'œuvre d'art [1].

L'ornement n'est qu'une fonction complémentaire du vide.

Il me semble que, pour certaines formes très simples et primitives d'œuvre d'art, par exemple, l'ornement géométrique ou une combinaison de couleurs dans la paille tressée ou le tissage d'une étoffe, on trouverait que cette ornementation a une origine complémentaire. Il est probable qu'au début l'œuvre d'art ne répond qu'à un besoin de l'auteur ; il n'y a pas de public encore, c'est l'action qui intéresse celui qui la fait ; c'est un homme qui s'ennuie. C'est l'horreur du vide, dont la complémentaire sera l'ornement : c'est le vide du temps ou de l'espace, la page blanche que la sensibilité ne peut pas supporter [2].

Avec le progrès des techniques, « le besoin *complémentaire* d'orner cet objet, c'est-à-dire de remplir les vides » s'est spécialisé et compliqué :

Alors, ce n'est plus seulement la spontanéité, le travail presque machinal (comme celui de l'homme qui chante pour soi-même une mélopée monotone, ou qui remplit un espace de dessins arbitraires) qui suffit ; on voit agir autre chose que la pure sensibilité ; ce qu'on appelle l'intellect, l'intelligence, intervient ; et avec l'intelligence, la prévision consciente. Dans l'œuvre d'art, on voit apparaître une sorte de calcul. On voit apparaître aussi une complication des formes, une tentative pour les rendre plus intéressantes.

A l'ornement abstrait s'ajoute la représentation des choses. Par conséquent, il a fallu que l'intellect, avec toutes ses ressources, peu à peu entrât en ligne, et l'observation réfléchie [3].

1. *Notion générale de l'art*, N. R. F., 1er novembre 1935, p. 689.
2. *Réflexions sur l'art*, in *Bulletin de la Société française de Philosophie*, 1935, p. 71. *Le Cours de poétique* insiste longuement sur la complémentarité et en donne des exemples intéressants : « Le caractère récepto-émetteur me semble essentiel à la sensibilité... Alors, si devant nous, prisonniers, est une muraille nue, nous y tracerons des dessins... L'ennui est un grand générateur de poésie. Comme le rouge fait du vert sur la rétine, le vide est créateur par complémentaire, par besoin du plein. Une négation agit ainsi positivement sur nous... » (leçon 3). « Je retrouve la notion de complémentaire dans tous les domaines de la sensibilité et même dans le monde mathématique. Elle est aussi dans la poésie et en tous les points : par exemple dans la notion très obscure du rythme, par exemple dans la question très difficile des « figures », images, etc... » (leçon 4). « On rencontre dans tous les arts des phénomènes de complémentarité et des effets de continuité. La nécessité sensorielle engendrera la création significative. Un peintre... se dit : là manque un vert, et il y place un arbre. Ici le fait sensoriel engendre un fait significatif. La réciproque se produit » (leçon 6).
3. *Ibid.*, p. 72. Mêmes idées, à propos de la reliure, dans *Le Physique du Livre*.

Ornement et calcul, ce pourrait être, autant que sensibilité et méthode, un résumé de l'esthétique valéryenne.

Mais, si l'on veut bien comprendre la prédilection de Valéry pour l'ornement, il faut en exclure, autant que possible, toute décoration ayant avec la nature un rapport direct, et singulièrement les ornements rappelant la vie. On pourrait parler d'un goût de l'ornement pur. C'est ici que les deux sens du mot ornement se séparent, que l'ornement d'imitation est rejeté à l'impur de la vitalité trop humaine, et que l'ornement abstrait rejoint la sévère beauté des proportions mathématiques.

Parfois je ressens comme barbare et bizarre le fait d'orner de statues et de représentations d'êtres vivants, une construction.

Je comprends les Arabes qui n'en veulent pas. Je perçois presque douloureusement le contraste entre la forme et la matière qui s'accuse dans ce monde ornemental, où la pierre passe de son rôle mécanique à son déguisement théâtral.

Je sens que ce ne sont pas des actes de même attention qui ont fait le mur ou la voûte, et le saint perché dans la niche.

Un Parthénon est fait de relations qui n'empruntent rien à l'observation des objets. On le peuple ensuite de personnages, on le souligne de feuillages.

J'aimerais mieux que l'œil ne reconnaisse rien sur ce tas ; mais n'y trouve qu'un nouvel objet, sans référence de similitudes extérieures, qui se fasse percevoir comme *créé par lui*, ŒIL, pour une contemplation infinie de ses propres lois [1].

Ce dégoût de l'ornementation des monuments par des statues, ou des fresques, trop vivantes, s'accompagne de la condamnation de la musique à programme, de « l'harmonie imitative » en musique : « n'est-elle pas tenue pour un artifice secondaire et grossier ? »

Imiter, décrire, représenter l'homme ou les autres choses, ce n'est pas imiter la Nature dans son opération ; c'est en imiter les produits, ce qui est fort différent. Si l'on veut se faire semblable à ce qui produit (Natura : productrice), il faut, au contraire, exploiter l'entier domaine de notre sensibilité et de notre action, poursuivre les combinaisons de leurs éléments, dont les objets et les êtres donnés ne sont que des singularités, des cas très particuliers, qui s'opposent à l'ensemble de tout ce que nous pouvons voir et concevoir [2]...

D'où l'éloge enthousiaste des Arabes, « qui proscrivent religieusement la recherche de la ressemblance des êtres », et dont

1. *Mélange*, p. 89-90.
2. *Orientem versus*, in *O. C.*, t. J, p .181.

l'imagination déductive invente l'*Arabesque* [1]. Les confidences de *Mémoires d'un poème* confirment cette nostalgie : « Bien plutôt que dans les Lettres, j'aurais placé mes complaisances dans les arts qui ne reproduisent rien, qui ne feignent pas... [2] », où chaque valeur de notre sensibilité est

... détachée de toute référence et de toute fonction de *signe*. Ainsi réduite à elle-même, la suite de nos sensations n'a plus d'ordre chronologique, mais une sorte d'ordre intrinsèque et instantané qui se déclare de proche en proche... il suffit de songer aux productions que l'on groupe sous le nom général d'*Ornement*, ou bien à la *musique pure*, pour m'entendre... Par là, il n'y a jamais confusion possible de l'effet de l'œuvre avec les apparences d'une vie étrangère ; mais bien communion possible avec les ressorts profonds de toute vie.
Mais je n'avais ni les dons ni les connaissances techniques qu'il eût fallu pour suivre cet instinct formel des productions de la sensibilité développée à l'écart de toute représentation, qui manifestent la structure de ce qui ne ressemble à rien, et qui tendent à s'ordonner en constructions complètes par elles-mêmes [3].

Comme à la recherche de l'attitude centrale ou à la composition poétique sur le modèle musical, Valéry a donc renoncé à la pure composition ornementale. Mais le sentiment de la création à partir de formes vides données par la sensibilité ne l'a jamais abandonné. Notons que ces figures ne sont plus tout à fait ce vide absolu qu'il nous montrait tout à l'heure à l'origine de l'art. Il s'agit maintenant d'une sollicitation qui n'est plus quelconque, mais qui a une orientation et surtout une forme qui s'impose à la réponse qu'elle réclame et en prédétermine l'aspect général :

Il y a un certain vide qui demande — appelle ; ce *vide* peut être plus ou moins déterminé. Ce peut être un certain rythme — une figure contour ; une question, un état — un temps devant moi ; un outil, une page blanche, une surface morale, un terrain ou un emplacement [4].

En poésie, la sensibilité produit des rythmes, des figures, etc..., qui veulent se donner un contenu. « Certains poèmes que j'ai faits n'ont eu pour germe qu'une de ces sollicitations de sensibilité " formelle " antérieure à tout " sujet ", à toute idée exprimable

---

1. *Orientem versus*, p. 181.
2. *Mémoires d'un poème*, p. XVI.
3. *Ibid.*, p. XVII-XVIII.
4. *Aphorismes* (extraits des Cahiers inédits de Paul Valéry), in *Hommes et Mondes*, n° 3, octobre 1946, p. 188.

et finie. [1] » Nous en avons déjà vu des exemples. Mais Valéry ne s'est pas contenté de mettre l'ornement à la source du poème, il en a fait la loi de l'invention du détail et lui a donné un rôle prépondérant dans la composition : « Le monde du poème est essentiellement fermé et complet en lui-même, étant le système pur des ornements et des chances du langage », et il est significatif que, dans ce même texte (*Hommage* à Marcel Proust), il oppose au poème, détaché du réel, le roman qui s'y relie comme tous les arts de trompe-l'œil [2].

Ces ornements, chances du langage, qui sont essentiels à la poésie, tirent sans doute leur prix de leur originalité. Mais Valéry les a surtout considérés sous les formes où la tradition la plus ancienne les classait, c'est-à-dire comme figures de rhétorique. Ce n'est pas à dire qu'il fût satisfait « de l'analyse très imparfaite qu'avaient tentée les anciens de ces phénomènes « rhétoriques » [3]. Il pense que la question est à reprendre tout entière. Bien loin de s'y appliquer, la « critique des modernes » [4] et « l'enseignement » [5] l'ont à peu près complètement négligée. Valéry lui-même ne s'y est intéressé de près qu'assez tard (quand il se remit à écrire des vers), si l'on en croit une de ses lettres, de 1917, à Pierre Louÿs :

Où trouve-t-on ces définitions de figures de rhétorique, et quel est le livre à consulter sur l'ancienne théorie de la rhétorique ?

J'ai souvent eu l'envie de reprendre cette analyse antique, mais d'abord faudrait-il la connaître et je ne sais où la trouver. J'ai la rhét. d'Aristote où il n'y a rien [6].

Il avait dû feuilleter un peu rapidement cette *Rhétorique* d'Aristote, où, quoi qu'il en dise, il aurait eu de quoi prendre, et qu'il aurait pu compléter par sa *Poétique*. Il est difficile de savoir ce qu'eût été la rhétorique de Valéry, que Thibaudet et Du Bos l'encourageaient à écrire [7], mais on devine que l'ancien lecteur de la *Sémantique* de Bréal a rêvé, une fois de plus, d'une symbolique valable dans le domaine entier des emplois du langage. Il constate, comme l'ont fait tant de linguistes, que le langage figuré est une création populaire autant que scientifique ou littéraire.

1. *Mémoires d'un poème*, p. XVIII.
2. *Hommage*, in *Variété*, p. 152.
3. *Questions de poésie*, in *Variété III*, p. 48.
4. *Ibid.*, p. 48.
5. *De l'enseignement de la poétique au Collège de France*, in *Variété V*, p. 290.
6. Lettre du 13 juin 1917 à Pierre Louÿs, in *O. C.*, t. B, p. 139.
7. Charles Du Bos, *Journal*, 30 janvier 1923, p. 223.

Les figures jouent un rôle de première importance, non seulement dans la poésie déclarée et organisée, mais encore dans cette poésie perpétuellement agissante qui tourmente le *vocabulaire* fixé, dilate ou restreint le sens des mots, opère sur eux par symétries ou par conversions, altère à chaque instant les valeurs de cette monnaie fiduciaire ; et tantôt par les bouches du peuple, tantôt pour les besoins imprévus de l'expression technique, tantôt sous la plume hésitante de l'écrivain, engendre cette variation de la langue qui la rend insensiblement tout autre [1].

Il voit, très justement, dans la propension du poète à renouveler le langage par les figures, la reprise d'une activité spontanée qui a fait ce langage même. Il arrive à la Littérature, dit-il,

... de développer les effets que peuvent produire les rapprochements de termes, leurs contrastes, et de créer des contractions ou user de substitutions qui excitent l'esprit à produire des représentations plus vives que celles qui lui suffisent à entendre le langage ordinaire... La formation de figures est indivisible de celle du langage lui-même, dont tous les mots « abstraits » sont obtenus par quelque abus ou quelque transport de signification, suivi d'un oubli du sens primitif. Le poète qui multiplie les figures ne fait donc que retrouver en lui-même le langage à l'état naissant [2].

Mais ce qui l'intéresse par-dessus tout, c'est la recherche du système général des figures, qui embrasserait à la fois les mathématiques et les ornements du langage :

Personne ne semble avoir même entrepris de reprendre cette analyse. Personne ne recherche dans l'examen approfondi de ces substitutions, de ces notations contractées, de ces méprises réfléchies et de ces expédients, si vaguement définis jusqu'ici par les grammairiens, les propriétés qu'ils supposent et qui ne peuvent pas être très différentes de celles que met parfois en évidence le génie géométrique et son art de se créer des instruments de pensée de plus en plus souples et pénétrants. Le Poète, sans le savoir, se meut dans un ordre de relations et de transformations *possibles,* dont il ne perçoit ou ne poursuit que les effets momentanés et particuliers [3]...

C'est par où Mallarmé lui semble supérieur aux autres poètes. Quand il le louera d'avoir « compris le langage comme s'il l'eût inventé », c'est une sorte de génie d'abstraction qu'il voudra voir en lui. Il a eu

1. *Questions de poésie,* in *Variété III*, p. 48-49.
2. *De l'enseignement de la Poétique au Collège de France,* in *Variété V*, p. 290.
3. *Questions de poésie,* in *Variété III*, p. 49. Cf. *Cours de poétique,* leçon 4 : « La métaphore est une production naturelle de l'esprit. Capital est son rôle même dans tout le progrès scientifique. »

... l'ambition extraordinaire de concevoir et de dominer le système entier de l'expression verbale.

Il rejoignait par là, — je le lui dis, un jour — l'attitude des hommes qui ont approfondi en algèbre la science des formes et la partie symbolique de l'art mathématique. Ce genre d'attention se rend la structure des expressions plus sensible et plus intéressante que leurs sens ou leurs valeurs. Les propriétés des transformations sont plus dignes de l'esprit que ce qu'il transforme [1]...

Il marquera nettement comment les figures passent, chez un Mallarmé, du rôle d'accident à celui d'essence :

Dans l'ordre du langage, les *figures*, qui jouent communément un rôle accessoire, semblent n'intervenir que pour illustrer ou renforcer une intention, et paraissent donc adventices, pareilles à des ornements dont la substance du discours peut se passer — deviennent, dans les réflexions de Mallarmé, des éléments essentiels : la *métaphore*, de joyau qu'elle était, ou de moyen momentané, semble, ici, recevoir la valeur d'une relation symétrique fondamentale [2].

Valéry n'a pas entrepris d'établir cette rhétorique dont il sentait qu'une analyse scientifique renouvellerait la portée [3]. Les indications qu'on peut glaner, çà et là, dans son œuvre sont assez rares, et elles ne visent guère que la métaphore (à laquelle, il est vrai, on peut réduire la plupart des figures de mots ; c'est entre elle et la comparaison qu'hésitent les linguistes dans cette tentative d'unification). Il ne fait guère qu'utiliser l'étymologie de ce mot, quand il rappelle que Foch « usait volontiers d'images, qui sont le moyen de transport le plus prompt, sinon le plus sûr, entre deux éclats de l'esprit » [4]. Il ne nous instruit pas beaucoup plus quand il constate, non sans quelque ironie secrète, que

... le philosophe se fait poète. et souvent grand poète : il nous emprunte la métaphore, et, par de magnifiques images que nous lui devons envier, il convoque toute la nature à l'expression de sa profonde pensée [5].

1. *Je disais quelquefois à Stéphane Mallarmé*, in *Variété III*, p. 29.
2. *Ibid.*, p. 30.
3. Comme on peut s'y attendre, Valéry n'a jamais envisagé cette étude sous la forme d'une histoire des figures. On ne relèverait chez lui qu'un nombre infime de remarques du genre de celle-ci : « Pétrarque a inventé tous les tours qui ont paru bien plus tard dans le vers français. Je ne lui vois point de modèle. Mais ma vision est en cause » (Lettre du 6 juin 1917 à Pierre Louÿs, in *O. C.*, t. B, p. 137).
4. *Réponse au Remerciement du Maréchal Pétain à l'Académie française*, in *Variété IV*, p. 86.
5. *Descartes*, in *Variété IV*, p. 216. Voir l'éloge du style de Bergson : « Il osa emprunter à la Poésie ses armes enchantées... Les images, les métaphores les

Plus intéressante est la vue qui rattache la création des métaphores à la puissance de modification de l'esprit, parallèlement à la création dramatique. Valéry note chez Gœthe la même « aptitude à s'accommoder et à se donner les formes qui conviennent aux circonstances » que celui-ci, dans ses recherches biologiques, avait reconnu aux êtres vivants. Or « ce génie de transformations est... essentiellement poétique, puisqu'il préside aussi bien à la formation des métaphores et des figures, par lesquelles le poète joue de la multiplicité des expressions, qu'à la création des personnages et des situations du théâtre. Mais dans le poète et dans la plante, c'est le même principe naturel... » [1]. C'est cette virtualité de formes verbales, dont le poète dispose, qui caractérise l'expression métaphorique ; si la pensée allait rigoureusement jusqu'au bout de son effort, la surabondance de l'expression disparaîtrait et ferait place à l'expression univoque, c'est-à-dire à la prose. C'est pourquoi Valéry donne la métaphore comme exemple de « cette partie des idées qui ne peut pas se mettre en prose », celles « qui ne sont possibles que dans un mouvement trop vif, ou rythmique, ou irréfléchi de la pensée » (on croit reconnaître ici, à côté des figures, les formations naturelles de la sensibilité que sont précisément les rythmes donnés spontanément et les trouvailles involontaires) :

La métaphore, par exemple, marque dans son principe naïf, un *tâtonnement*, une hésitation entre plusieurs expressions d'une pensée, une impuissance explosive et dépassant la puissance *nécessaire* et *suffisante*. Lorsqu'on aura repris et précisé la pensée jusqu'à sa rigueur, jusqu'à un seul objet, alors la métaphore sera effacée, la prose reparaîtra [2].

Il en résulte que le « domaine véritablement propre » de la poésie, c'est

... l'expression de ce qui est inexprimable en fonctions finies de mots. L'objet propre de la poésie est ce qui n'a pas un seul nom, ce qui en soi provoque et demande plus d'une expression. Ce qui suscite pour son unité devant être exprimée, une pluralité d'expressions [3].

Comment naissent les métaphores ? Comme les rythmes, elles

plus heureuses et les plus neuves obéirent à son désir de reconstruire dans la conscience d'autrui les découvertes qu'il faisait dans la sienne » (*Discours sur Bergson*, in *Vues*, p. 389-390).

1. *Discours en l'honneur de Gœthe*, in *Variété IV*, p. 104-105.
2. *Calepin d'un poète*, in *O. C.*, t. C, p. 186-187.
3. *Ibid.*, p. 187.

sont des formations naturelles de la sensibilité. Nous savons aussi qu'elles peuvent surgir comme une réponse au vide ou à l'ennui, ainsi que tous les ornements. Malheureusement, cette explication manque de clarté, car, s'il y a quelque chose d'assuré dans la création d'une métaphore, ou de toute figure dont l'essence est une relation entre deux termes, c'est qu'elle part, non du vide, mais d'un objet, pour l'exprimer, sous un aspect particulier, par un autre objet. Valéry aurait peut-être pu utiliser ici sa théorie de la création par ajustement de la convention au hasard. Si le poète se fixe, comme condition, de comparer, bien des représentations qui lui viennent à l'esprit lui paraîtront propres à recevoir ce traitement. Et il n'est pas douteux que l'intention figurative est toujours plus ou moins présente dans le travail poétique. Mais elle ne suffit pas à provoquer cette espèce d'éclair qui jaillit entre deux images. Valéry a bien vu que ce phénomène était mystérieux. Selon lui, la métaphore résulte d'une attitude psychologique, mais qu'on ne sait pas encore analyser :

... une métaphore est *ce qui arrive* quand *on regarde de telle façon*, comme un éternuement est ce qui arrive quand on regarde un soleil ?
De quelle façon ? Vous le sentez. Un jour, on saura peut-être le *dire* très précisément.
Fais ceci et cela, — et voici toutes les métaphores du monde [1]...

La comparaison avec l'éternuement (dont le sens est de déprécier l'inspiration) nous ramène, conformément à la théorie de la sensibilité de réponse, à faire de la métaphore un simple réflexe. Un peu plus de clarté nous est fourni quand Valéry rattache la métaphore au geste. Le langage, à l'origine, était purement moteur ; or, le langage des gestes est métaphorique :

Les gestes de l'orateur sont des métaphores. Soit qu'il montre nettement entre le pouce et l'index, la chose bien saisie ; soit qu'il la touche du doigt, la paume vers le ciel. Ce qu'il touche, ce qu'il pince, ce qu'il tranche, ce qu'il assomme, ce sont des imaginaires, actes jadis réels, quand le langage était le geste ; et le geste, une action [2].

C'est peut-être ce qui reste de mouvement dans les métaphores verbales — ce trajet que l'esprit parcourt d'une représentation à une autre — qui a amené une fois Valéry à les désigner brièvement par cette formule frappante : « ces mouvements station-

---

1. *Calepin d'un poète,* in *O. C.,* t. C, p. 192.
2. *Autres rhumbs,* in *Tel quel,* II, p. 155-156.

naires » [1], qui exprime si bien, d'autre part, ce fait que l'expression métaphorique se manifeste sur place, dans l'éclat d'un moment du poème, et ne participe pas, comme le rythme, au courant poétique. Ceci cesserait d'être vrai pour la métaphore continuée et la comparaison développée.

Il semblerait, d'après ce qui précède, que Valéry fasse une large place à l'emploi des figures dans le style. Pourtant, il a souvent marqué sa prédilection pour un style dépouillé : « Le style sec traverse le temps comme une momie incorruptible... [2] » Sans rejeter absolument les ornements, il note la difficulté de leur emploi : « Celui-là seul sait vraiment orner un style qui est capable d'un style nu et net. [3] » Louant Racine de son « étonnante économie des moyens de l'art », compensée « d'une possession si entière du petit nombre de ces moyens qu'il se réserve », il admire son art des sacrifices, et manifeste à ce propos un dédain des images assez révélateur :

Peu de personnes conçoivent nettement combien il faut d'imagination pour se priver d'images et pour rejoindre un idéal si dégagé. Dans les lettres comme dans les sciences, une image sans doute remplace quelquefois un certain calcul qui serait laborieux. Mais Racine préférait accomplir [4].

Racine a rejeté « tout ce qui fut tant recherché après lui ». Valéry a condamné l'excès d'images :

L'abus, la multiplicité des images produit à l'œil de l'esprit un désordre incompatible avec le *ton*. Tout s'égalise dans le papillotement [5].

Mais il y a un moyen de sauver les ornements, c'est de les légitimer. La poésie, qui ne saurait s'en passer, pose le problème sous sa forme aiguë. On conçoit une architecture nue, une prose sans images, non une poésie sans figures. L'intégration des figures peut se faire de deux façons, ou mieux encore à deux degrés. On peut d'abord montrer qu'elles constituent, non des beautés surajoutées, mais la substance même de la poésie. Celle-ci est littéralement faite de figures.

L'ancienne rhétorique regardait comme des ornements et des artifices ces figures et ces relations que les raffinements successifs

1. *Calepin d'un poète*, in *O. C.*, t. C, p. 185.
2. *Suite*, in *Tel quel*, II, p. 334.
3. *Choses tues*, in *Tel quel*, I, p. 32.
4. *Remerciement à l'Académie*, in *Variété IV*, p. 42.
5. *Littérature*, in *Tel quel*, I, p. 152.

de la poésie ont fait enfin connaître comme l'essentiel de son objet ; et que les progrès de l'analyse trouveront un jour comme effets de propriétés profondes, ou de ce qu'on pourrait nommer : *sensibilité formelle* [1].

A vrai dire, cette théorie ne débarrasse pas la poésie des images parasites, mais elle donne aux images le rôle constitutif le plus important. Le second degré d'intégration des figures les intériorise plus profondément et ne laisse plus de place — théoriquement — à leurs manifestations superflues. Mais pour bien saisir cette conception, véritable aboutissement de toute la théorie valéryenne de l'ornement, il faut d'abord considérer l'unité du poème sous l'aspect d'une durée, d'une continuité.

Nous avons déjà vu que la continuité d'une œuvre ne s'obtient que par des reprises incessantes.

... l'inégalité dans les ouvrages... me choque, et même m'irrite ; peut-être un peu plus qu'il ne faut. Quoi de plus impur que le mélange si fréquent de l'excellent et du médiocre ?... Il est remarquable qu'on ne puisse obtenir cette continuité et cette égalité, ou cette plénitude, qui sont pour moi les conditions d'un plaisir sans mélange, et qui doivent envelopper toutes les autres qualités d'un ouvrage, que par un travail nécessairement *discontinu*. L'art s'oppose à l'esprit. Notre esprit... admet tout... Il vit littéralement d'incohérences, il ne se meut que par bonds... Ce n'est que par des reprises qu'il peut accumuler hors de soi, dans une substance constante, des éléments de son action, choisis pour s'ajuster de proche en proche et tendre vers l'unité de quelque composition [2]...

Valéry a étendu bien au delà de l'art cette exigence de la continuité. En tous domaines, elle est le fruit de la simulation. On obtient « *le Continu par le Mensonge* » :

La continuité de l'amour, de la foi, de l'attitude vertueuse ou noble ; la permanence du génie, de l'intelligence, de l'énergie, de la pureté, et même du vice, — est assurée par la simulation, par la pieuse imitation de l'état le plus élevé par le moindre, de l'état rare par le fréquent [3].

La simulation est une vertu de l'artiste, qui doit s'efforcer d'égaler ce qu'il y a eu de meilleur en lui et dans son œuvre.

Il est essentiel pour l'artiste qu'il sache s'imiter soi-même. C'est le seul moyen de bâtir une œuvre, — qui est nécessaire-

1. *Littérature*, in *Tel quel*, I, p. 150.
2. *Mémoires d'un poème*, p. LI-LII.
3. *Moralités*, in *Tel quel*, I, p. 110-111.

ment une entreprise contre la mobilité, l'inconstance de l'esprit, de la vigueur et de l'humeur.

L'artiste prend pour modèle son meilleur état. Ce qu'il a fait de mieux (à son jugement) lui sert d'unité de mesure [1].

Valéry n'est pas loin de penser que l'obligation de continuité est créatrice par elle-même, à la façon dont les conventions se montraient excitatrices d'invention. Le souci des transitions ou des rapports entre les parties fait trouver les détails nécessaires qui paraîtront naturels :

Une idée charmante, touchante, « profondément humaine » (comme disent les ânes), vient quelquefois du besoin de lier deux strophes, deux développements. Il fallait jeter un pont, ou tisser des fils qui assurassent la suite du poème ; et comme la suite toujours possible est l'homme même, ou une vie d'homme, ce besoin *formel* trouve une réponse — fortuite et heureuse chez l'auteur — qui ne s'attendait pas de la trouver, — et *vivante*, une fois mise en place, pour le lecteur [2].

On sait la prédilection de Valéry pour les « enchaînements » [3]. Il a été jusqu'à regretter de ne pouvoir assurer des passages entre les parfums. « On ne peut, et donc ne sait enchaîner les parfums. Si on le pouvait et savait, quelle musique ! [4] » Hélas ! « les odeurs s'ignorent entre elles » [5]. La continuité peut s'établir entre diverses sortes d'éléments, et alors la complexité des liaisons rejoint la complexité de cette composition non linéaire dont nous avons parlé, et qui donne à l'œuvre sa solidité et son indépendance absolue. C'est cette espèce de liaisons que Valéry admire chez Mallarmé.

Ces petites compositions merveilleusement achevées s'imposaient comme des types de perfection, tant les liaisons des mots avec les mots, des vers avec les vers, des mouvements avec les rythmes étaient assurées, tant chacune d'elles donnait l'idée d'un objet en quelque sorte absolu, dû à un équilibre de forces intrinsèques, soustrait par un prodige de combinaisons réciproques à ces vagues velléités de retouche et de changements que l'esprit pendant ses lectures conçoit inconsciemment devant la plupart des textes [6].

Cette continuité, désespérante à atteindre dans un texte un peu long, est déjà presque introuvable dans une courte suite.

1. *Rhumbs*, in *Tel quel*, II, p. 69-70.
2. *Ibid.*, p. 76.
3. *Au sujet d' « Adonis »*, in *Variété*, p. 83.
4. *Analecta*, XCIX.
5. *Ibid.*, C.
6. *Lettre sur Mallarmé*, in *Variété II*, p. 224.

Valéry déclare « une merveille de huit vers... infiniment plus rare...
que huit beaux vers » [1]. C'est pour préserver la continuité du chant
que les beaux vers eux-mêmes doivent parfois céder à son exigence.
C'est ce que Valéry écrivit à M. Fernand Lot, qui avait prié le
poète de distinguer dans quelques-uns de ses propres vers les
résultats du travail de ceux de l'inspiration, —à quoi il se déroba :

Je vais même jusqu'à penser qu'il faut ne pas craindre de sacrifier de « beaux vers » isolés à la continuité en quelque sorte mélodique d'une phrase poursuivie au travers des rimes et des césures [2].

C'est cet art des sacrifices — images ou beaux vers — qu'il
croit deviner chez Racine, et qui se serait exercé au bénéfice de
la sûreté du dessin mélodique.

Tel vers qui nous semble vide a coûté le sacrifice de vingt vers
magnifiques *pour nous*, mais qui eussent rompu une ligne divine
et troublé l'auguste durée d'une phase parfaite du mouvement de
l'âme [3].

Valéry imagine Racine à son mode, et peut-être gratuitement,
mais avec une sympathie lumineuse :

Je le vois tout d'abord dessiner, définir, déduire enfin, d'une
pensée longtemps reprise et retenue, ces périodes pures, où même
la violence chante, où la passion la plus vive et la plus véritable
sonne et se dore, et ne se développe jamais que dans la noblesse
d'un langage qui consomme une alliance sans exemple d'analyse
et d'harmonie [4].

Si on regarde ces textes de près, on voit qu'il y est question de
deux sortes de continuité : une continuité psychique (« l'auguste
durée d'une phase parfaite du mouvement de l'âme ») et une
continuité mélodique (« période pure »). Le miracle de Racine est
de les infuser l'une dans l'autre, de tirer la seconde de la première
(« déduire... d'une pensée longtemps reprise et retenue... »), ou,
mieux encore, parti de « l'idée qu'il s'est donnée pour thème »,
Racine, « par de délicates substitutions », la « séduit au chant
qu'il veut rejoindre » [5]. Son souci est évidemment de n'abandonner
jamais « la ligne de son discours » [6].

1. *Au sujet d' « Adonis »*, in *Variété*, p. 75.
2. In Fernand Lot, *Regard sur la prosodie de Paul Valéry, La Grande Revue*,
mars 1930, p. 93. Cf. *Existence du Symbolisme*, in *O. C. t. L.*, p. 125 : « Le beau
vers est souvent l'ennemi du poème. »
3. *Remerciement à l'Académie française*, in *Variété IV*, p. 42.
4. *Ibid.*, p. 42.
5. *Rhumbs*, in *Tel quel*, II, p. 75.
6. *Ibid.*, p. 75.

Dans Racine, l'ornement perpétuel semble tiré du discours et c'est là le moyen et le secret de sa prodigieuse continuité, tandis que chez les modernes, l'Ornement rompt le discours [1].

Ainsi, chez Racine, l'ornement cesse d'être superflu en se prolongeant indéfiniment jusqu'à ne plus se distinguer du courant poétique. Tel est le degré suprême de l'intégration de l'ornement [2].

Après avoir vanté la continuité, psychique ou mélodique, il restait à caractériser son allure. C'est ce qu'a fait excellemment Valéry quand il l'a définie une *modulation*. Comme nous l'avons constaté si souvent, l'idée a pris chez lui une large extension. Il l'applique aux domaines les plus variés. Dans *Mélange*, il décrit, ou plutôt il chante une longue caresse, « descente par les épaules sur les seins », comme une « suite de modulations de forces » dans les doigts [3]. Gœthe, nous dit-il, « décèle les modulations morphologiques » [4]. A propos du livre de Frazer, *La peur des morts*, « le passage presque insensible... d'une croyance à une autre, à peine différente, mais qui s'observe à des milliers de milles de la première », est déclaré « analogue à une modulation » [5]. Le Maréchal Pétain est loué en ces termes :

Monsieur, vous avez à Verdun assumé, ordonné, incarné cette résistance immortelle, qui, peu à peu, sous vos mains, comme par une savante et surprenante modulation, s'est renversée en réaction offensive, et changée... en puissance pressante, en reprise des lieux perdus, en contre-attaque victorieuse [6].

Chaque vie a « son timbre de plainte et ses modulations à elle

1. *Rhumbs*, in *Tel quel*, II, p. 75.
2. On est un peu surpris que Valéry ait fait à un obscur traducteur des cantiques de saint Jean de la Croix, le Père Cyprien, l'honneur d'une louange analogue à celle qu'il adressait à son illustre contemporain. Il est vrai qu'il se borne à louer chez lui la continuité mélodique (l'autre étant due à son modèle), mais en quels termes privilégiés : « Je crains fort que l'on puisse compter sur ses doigts le nombre de poètes chez lesquels le délice de la mélodie continue commence avec le poème et ne cesse qu'avec lui. C'est pourquoi l'étonnant succès du Père Cyprien dans son entreprise m'a ravi au point que j'ai dit » (« *Cantiques spirituels* », in *Variété V*, p. 182). On a l'impression que bien des versificateurs du XVIIe et du XVIIIe siècle ont partagé avec le Père Cyprien cette élégance de diction, nullement négligeable, mais dont Valéry surfait peut-être le mérite, fait surtout d'une fluidité sans heurts, non de la divine musique racinienne toute nourrie de timbres.
3. *Mélange*, p. 87.
4. *Discours en l'honneur de Gœthe*, in *Variété IV*, p. 112.
5. In *Variété III*, p. 200.
6. *Réponse au Remerciement du Maréchal Pétain à l'Académie française*, in *Variété IV*, p. 77-78.

de dégoût, de douleur, de fatigue et d'ennui » [1]. Si l'on veut un
pur exemple de modulation psychologique, il n'y a qu'à lire la
page où Valéry retrace le parcours spirituel de Descartes dans
la journée mémorable du 10 novembre 1619 et la nuit de visions
qui la suivit [2]. Mais c'est surtout l'architecture qui se prête à ces
analogies musicales. Considérez, à Notre-Dame de Paris,

> ... les profils des formes de passage, des moulures, des nervures,
> des bandeaux, des arêtes qui conduisent l'œil dans ses mouvements,
> vous trouverez dans la compréhension de ces moyens auxiliaires
> si simples en eux-mêmes, une impression comparable à celle que
> donne en musique l'art de moduler et de transporter insensiblement
> d'un état dans un autre une âme d'auditeur [3].

Eupalinos, au dire de Phèdre,

> ... connaissait... la vertu mystérieuse des imperceptibles modu-
> lations. Nul ne s'apercevait, devant une masse délicatement allégée,
> et d'apparence si simple, d'être conduit à une sorte de bonheur
> par des courbures insensibles, par des inflexions infimes et toutes-
> puissantes [4]....

qui s'apparentent, pour le lecteur de Valéry, à « ce dessin délicat
de l'inflexion, ce mode transparent de discourir » dont il nous dit
que Racine ne savait sans doute pas lui-même où il le prenait [5],
et à cette « souplesse extraordinaire » de la forme chez La Fontaine, qui « admet tous les tons du discours... et ménage ces modulations à tous les degrés qu'il faut... » [6]. Dans cet art délié, Eupalinos a été précisément comparé aux poètes et aux orateurs.
C'est donc encore une technique universelle que Valéry s'efforce
d'atteindre ou, du moins, pressent avec une sorte de ferveur émouvante. Comme dit la Pythie,

Toute lyre
Contient la modulation.

Cette valeur générale de la formule est expressément rappelée
quand Valéry l'applique à la poésie et nous confie que

> la « Jeune Parque » fut une recherche, littéralement indéfinie,
> de ce qu'on pourrait tenter en poésie qui fût analogue à ce qu'on
> nomme « modulation » en musique. Les « passages » m'ont donné

1. *Lettres à Albert Coste*, in *Cahiers du Sud*, mai 1932, p. 247.
2. *Une vue de Descartes*, in *Variété V*, p. 218-219.
3. *Images de la France*, in *Regards sur le monde actuel et autres essais*, p. 133.
4. *Eupalinos*, p. 91-92.
5. *Au sujet d' « Adonis »*, in *Variété*, p. 67.
6. *La poésie de La Fontaine*, in *Vues*, p. 163.

beaucoup de mal... Rien ne m'intéresse plus dans les arts que ces transitions où je vois ce qu'il y a de plus délicat et de plus savant à accomplir, cependant que les modernes les ignorent ou les méprisent. Je ne me lasse pas d'admirer par quelles nuances de formes la figure d'un corps vivant, ou celle d'une plante, se déduit insensiblement et s'accorde avec elle-même ; et comme s'ouvre enfin l'hélice d'une coquille, après quelques tours, pour se border d'une nappe de sa nacre intérieure [1]. L'architecture d'une belle époque usait des modénatures les plus exquises [2] et les plus calculées pour raccorder les surfaces successives de son œuvre [3]...

Mais la modulation n'est pas seulement, comme dans quelques-uns de ces exemples, un moyen de lier heureusement des parties hétérogènes ; lorsqu'elle est *perpétuelle,* qu'on n'y peut plus distinguer fond et forme, ligne et ornement, elle est la courbe ininterrompue qui dessine la figure de l'œuvre, lui donne son style, accomplit la fin même de la composition.

1. Cf. *L'Homme et la Coquille,* in *Variété V,* p. 34 : « Rien... ne nous permet d'imaginer ce qui module si gracieusement des surfaces,... et ce qui raccorde à miracle ces courbures... avec une hardiesse, une aisance, une décision dont les créations les plus souples du potier ou du fondeur de bronze ne connaissent que de loin le bonheur. » L'anthologie valéryenne de la modulation comporte encore les fumées ; voir dans *Propos me concernant,* p. 37-38, la description ravissante d'une fumée de cigarette, où n'apparaît pas, mais où tout suggère le mot de modulation.

2. Voir dans *Pensée et art français,* in *Regards sur le monde actuel et autres essais,* p. 184, l'éloge de la pierre, tirée du sol national, « qui se prête aux élégantes liaisons, aux modénatures charmantes... »

3. *Mémoires d'un poème,* p. xviii-xix.

CHAPITRE VII

LE PROBLÈME DE L'EXÉCUTION

En expliquant les difficultés de la composition lyrique, Valéry insistait sur deux conditions de ce travail : 1° la « prévision » doit tenir compte de «l'incertitude des trouvailles», 2° «chaque moment doit consommer une alliance indéfinissable du sensible et du significatif » [1]. C'était dire que le projet d'ensemble, au cours de sa réalisation, était modifié par le détail, et que le traitement de chaque partie portait simultanément sur la forme et le fond. Valéry en tirait immédiatement la conclusion qu'il est impossible de dissocier la composition de l'exécution :

> Il en résulte que la composition est, en quelque manière, continue, et ne peut guère se cantonner dans un autre temps que celui de l'exécution. Il n'y a pas un temps pour le « fond » et un temps de la « forme » ; et la composition en ce genre ne s'oppose pas seulement au désordre ou à la disproportion, mais à la décomposition [2].

Il n'est donc pas étonnant, quand on en vient à examiner les idées de Valéry sur l'opération théoriquement ultime de la création poétique, de rencontrer à nouveau tous les problèmes que celle-ci soulevait dans sa nature ou dans ses phases préparatoires. C'est ce que montrent bien les déclarations de Valéry à la Société de Philosophie en 1935. Après avoir dit de l'exécution qu'on peut la « qualifier magnifiquement de passage du désordre à l'ordre, de l'informe à la forme ou de l'impur au pur, de l'arbitraire au nécessaire, etc., du confus au net, comme un changement dont

---

1. *Au sujet du « Cimetière marin »*, in *Variété III*, p. 71.
2. *Ibid.*, p. 71.

l'œil s'accommode... », il y rattache à peu près toute son esthétique.

L'exécution soulève une foule de questions et d'idées : par exemple, le problème de la facilité, des impossibilités, des difficultés ; l'immense problème des conventions diverses, des libertés, du métier lui-même ; le hasard, qui joue un rôle immense si l'on peut parler de rôle à propos de hasard ; la part du raisonnement et des analogies ; celle de ce qu'on peut appeler le *modèle*, le type que certains artistes doivent avoir en vue...

A quoi il ajoute encore « l'éthique des artistes et leur vie affective de relation » : « orgueil », « vanité », « jalousie », « la manière dont l'artiste se représente son public », et enfin les « idoles en art » : « mythes », « superstitions », « croyances »... [1].

On voit que la solution du problème de l'exécution doit faire intervenir à la fois tous les facteurs séparés artificiellement par l'analyse, et qu'en somme elle semble contrecarrer le dogme valéryen de la création par principes séparés. Mais ce serait méconnaître la vitalité chez un théoricien d'une conviction bien ancrée, car la page suivante, une des plus valéryennes qu'on puisse citer, reprend avec une force accrue la thèse des actes bien articulés. Valéry se demande « pourquoi l'exécution de l'œuvre d'art » ne serait pas « elle-même une œuvre d'art », et il emprunte à Goncourt un exemple démonstratif :

Goncourt raconte qu'un peintre japonais, venu à Paris, donna une séance de travail devant quelques amateurs d'art. Après avoir préparé ses outils, il mouilla, avec une éponge, son papier tendu sur un châssis, puis il jeta une goutte d'encre de Chine sur ce papier mouillé. La goutte étalée, il alluma des journaux roulés en boule pour sécher le papier. Il mouilla une seconde fois, sur un autre coin, le papier sec, fit une deuxième tache, etc. *C'est un fumiste,* disait-on. Mais lorsqu'il eut terminé les séchages et les projections d'encre de Chine, il reprit le papier tendu, et, avec un pinceau fin, il fit deux ou trois traits, par ci, par là. L'œuvre aussitôt parut : un oiseau hérissant ses plumes. Pas une opération n'avait été manquée, et tout avait été fait avec un ordre scrupuleux qui prouvait qu'il avait fait cela des centaines de fois et était parvenu à ce prodige d'exécution. Cet homme-là faisait de l'exécution de l'œuvre une autre œuvre d'art. On peut donc concevoir un peintre ou un sculpteur, qui exécuterait dans une sorte de danse, opérerait rythmiquement. L'exécution, après tout, est une mimique. Si on pouvait en reconstituer tous les mouvements, on expliciterait le tableau par une suite d'actions ordonnées ; cette suite pourrait

---

1. *Réflexions sur l'art,* in *Bulletin de la Société française de Philosophie,* 1935, p. 76. J'ai corrigé l'erreur manifeste qui mettait parmi les idoles les *superpositions,* au lieu des *superstitions.*

donc se répéter, se reproduire, et l'artiste devenir comparable
à l'acteur qui joue cent fois le même rôle.

Ceci montre, sous forme de fantaisie, que tous ces actes de l'art,
une fois qu'ils sont bien acquis, sont susceptibles de certaine
répétition, et que le véritable artiste est celui qui arrive à posséder
(mais non pas aussi précisément que j'ai dit) une connaissance
de soi-même poussée jusqu'à la pratique et à l'usage *automatique*
de sa personnalité, de son *originalité* [1].

On retrouve donc ici, au moins comme idéal, l'idée essentielle
de la création par ordre (et les idées accessoires de l'auto-imitation
et de la résorption de l'originalité dans le mécanisme). Mais ce
n'est là qu'un idéal. La complexité de la poésie interdit, en fait,
une telle manière de procéder. On trouverait difficilement des
exemples d'exécution poétique presque instantanée analogues à
celui du peintre japonais. Ce qui s'en rapprocherait le plus serait
la composition des impromptus ou des bouts-rimés, à condition
que le versificateur ne cessât point de penser tout haut. On a vu
parfois sur la scène s'exhiber de tels jongleurs qui demandent au
public de leur jeter des rimes, et on raconte que le poète Glatigny,
disciple de Banville, gagna quelque temps sa vie de cette façon
(Mendès a mis au théâtre cette circonstance pittoresque). Notons
que cette exécution sans bavures rejoint le goût de Valéry pour
la virtuosité, mais s'oppose à son expérience du travail poétique,
pleine de retouches et de tâtonnements. En fait, l'art littéraire
est le plus loin de cette perfection opératoire. Il ne peut se réduire
à une succession de mouvements purs et bien enchaînés, car il
met en jeu toute l'activité spirituelle :

L'art littéraire, dérivé du langage, et dont le langage, à son
tour, se ressent, est donc, entre les arts, celui dans lequel la convention joue le plus grand rôle ; celui où la mémoire intervient à chaque
instant, par chaque *mot* ; celui qui agit surtout par *relais*, et non
par la sensation directe, et qui met en jeu simultanément, et même
concurremment, les facultés intellectuelles abstraites et les propriétés émotives et sensitives. Il est, de tous les arts, celui qui engage
et utilise le plus grand nombre de parties indépendantes (*son, sens,
formes syntaxiques, concepts, images*...). Son étude... est au fond...

---

1. *Réflexions sur l'art*, p. 77. Quand Mme R. Vautier sculpta le buste de Valéry,
celui-ci fut de nouveau séduit par l'idée de considérer comme une œuvre d'art
l'exécution d'une œuvre d'art. La sculpture lui parut une espèce de danse, et,
continuant « à rêver sur ce thème », il entrevit même « le dessein de noter la
musique de cette danse. A une sculpture donnée, on pourrait ainsi faire correspondre un certain morceau de musique, construit sur les rythmes des actes
du sculpteur » (*Mon buste*, in *Pièces sur l'art*, p. 289-290).

une analyse de l'esprit dirigée dans une intention particulière [1]...

Il n'est pas facile de décrire le travail d'exécution. Son mouvement général est un passage du chaos au cosmos, du désordre à l'ordre. Le désordre initial est celui de la sensibilité générale. Il s'agit de changer le « désordre en ordre » et « la chance en pouvoir » [2]. Entreprise hasardeuse qui connaît comme extrêmes le « génie » et la « démence » : « Dans le courant des eaux l'un et l'autre tombés, l'un nage et l'autre se noie. [3] » Pour opérer la transformation, un agent est nécessaire : « ... il faut introduire l'*esprit*, c'est-à-dire ce qu'il faut pour que, la partie étant donnée, un ordre apparaisse » [4]. L'esprit va s'opposer au désordre ; mais, foncièrement, l'esprit ne se distingue pas de la sensibilité incohérente dont il doit se détacher pour lui répondre, car il est lui-même désordre : « Dès que l'esprit est en cause, tout est en cause ; tout est désordre et toute réaction contre le désordre est de même espèce que lui » [5], mais un désordre qui se retourne contre lui-même pour se vaincre et se discipliner :

L'esprit qui produit semble ailleurs chercher à imprimer à son ouvrage des caractères tout opposés aux siens propres. Il semble fuir dans une œuvre l'instabilité, l'incohérence, l'inconséquence qu'il se connaît et qui constituent son régime le plus fréquent [6].

Le désordre est nécessaire à la création de l'esprit ; il est « la condition de sa fécondité » [7], — non seulement comme base primordiale de son travail, puisque « cette fécondité dépend de l'inattendu » [8], mais dans son fonctionnement : « le vague est indestructible, son existence nécessaire au fonctionnement psychique », car « l'esprit se meut dans le vague, du vague au précis » [9]. Dans la création, le désordre n'est pas qu'une entrave, il est une source de découvertes :

1. *De l'enseignement de la poétique au Collège de France*, in *Variété V*, p. 291.
2. *Je disais quelquefois à Stéphane Mallarmé*, in *Variété III*, p. 23. Une indication du *Cours de poétique*, malheureusement peu poussée, attribue au langage la fonction de sauver l'esprit de son incohérence naturelle : « Si nous étions à la merci de ces effets de sensibilité, notre pensée ne serait que désordre.. Mais, à chaque instant, la présence du langage rappelle la possibilité d'un plan directeur » (leçon 11).
3. *Suite*, in *Tel quel*, II, p. 356.
4. *L'Invention esthétique, Discussion*, in *L'Invention*, p. 156.
5. *Leçon inaugurale du Cours de poétique*, in *Variété V*, p. 322.
6. *Ibid.*, p. 312.
7. *Ibid.*, p. 322.
8. *Ibid.*, p. 322.
9. *Analecta*, CXX.

... cette dispersion, toujours imminente, importe et concourt à la production de l'ouvrage presque autant que la concentration elle-même. L'esprit à l'œuvre, qui lutte contre sa mobilité, contre son inquiétude constitutionnelle et sa diversité propre, contre la dissipation ou la dégradation naturelle de toute attitude spécialisée, trouve, d'autre part, dans cette condition même, des ressources incomparables. L'instabilité, l'incohérence, l'inconséquence dont je parlais, qui lui sont des gênes et des limites dans son entreprise de construction ou de composition bien suivie, lui sont tout aussi bien des trésors de possibilités dont il pressent la richesse au voisinage du moment même où il se consulte. Ce lui sont des réserves desquelles il peut tout attendre, des raisons d'espérer que la solution, le signal, l'image, le mot qui manque sont plus proches de lui qu'il ne le voit [1].

L'artiste doit donc éviter de solidifier prématurément sa composition ; il stériliserait d'avance les chances d'enrichissement de son œuvre ; il doit se ménager jusqu'au bout des réserves de désordre, de fécondité :

L'esprit va, dans son travail, de *son* désordre à *son* ordre. Il importe qu'il se conserve jusqu'à la fin, des ressources de *désordre*, et que l'ordre qu'il a commencé de se donner ne le lie pas si complètement, ne lui soit pas un si rigide maître, qu'il ne puisse le changer et user de sa liberté initiale [2].

Somme toute, la marche vers l'ordre s'accompagne d'un maintien relatif du désordre, et c'est le jeu de ces deux tendances qui assure au mieux l'exécution. Valéry a comparé ce fonctionnement à celui d'une machine à transformation d'énergie. Pour que l'esprit opère « sa transformation caractéristique, il faut bien lui fournir... du désordre... Et il prend son désordre où il le trouve. En lui, autour de lui, partout... Il lui faut une différence *Ordre-Désordre* pour fonctionner, comme il faut une différence thermique à une machine... Voici, en tout cas, la Poésie justifiée » [3]. Mais la comparaison a besoin d'être ajustée ; en effet, l'esprit « travaille en sens contraire de la transformation qui s'opère par les machines, lesquelles changent une énergie plus ordonnée en énergie moins ordonnée... » [4]. D'autre part, il est bien évident que, si le désordre est maintenu pour sa fécondité, il cède de plus en plus au besoin

1. *Leçon inaugurale du Cours de poétique*, in *Variété V*, p. 313.
2. *Analecta*, XXIV.
3. *L'Idée fixe*, p. 77-78.
4. *Ibid.*, p. 77.

d'organisation. L'exigence du désordre est limitée : « Notre esprit ne serait rien sans son désordre — mais borné. [1] »

Comment l'artiste va-t-il du désordre à l'ordre ? Ce mouvement peut-il, lui-même, être méthodique ? Valéry se l'est demandé dans son *Calepin d'un poète*, dans une page où contrastent curieusement la précision de la question et la confusion qu'il lui oppose.

> Poésie. Est-il impossible, moyennant le temps, l'application, la finesse, le désir, de procéder par ordre pour arriver à la poésie ?
> Finir par *entendre* précisément ce que l'on désire entendre, par une habile et patiente conduite de ce même désir ?
> Tu veux faire tel poème, de tel effet environ, sur tel sujet : ce sont d'abord des images de divers *ordres*.
> Les unes, personnages, paysages, aspects, attitudes ; les autres, voix informes, notes...
> Les mots ne sont encore que des écriteaux.
> D'autres mots ou lambeaux de phrases n'ont pas leur emploi, mais veulent être employés et flottent.
> Je vois tout et je ne vois rien.
> D'autres images me font voir de tout autres conditions. Elles semblent présenter les états d'un individu subissant le poème, ses éveils, ses suspens, ses attentes, ses pressentiments, qu'il faut créer, amuser, déjouer ou satisfaire.
> J'ai donc plusieurs étages d'idées, les unes de résultat, les autres d'exécution ; et l'idée de l'incertain par-dessus toutes ; et enfin celle de ma propre attente, prompte à saisir les éléments tout réalisés, écrivables, qui se donnent ou se donneraient, même non restreints au sujet [2].

Le poète a donc conscience d'un but, de moyens variés, de l'incertitude de ses démarches, de l'attitude d'attente qui lui permettra de saisir les hasards heureux. Cette analyse ne révèle qu'un mélange d'intentions précises et d'escomptes de la chance. Ce que Valéry nous a dit ailleurs de l'inspiration et du travail, des conventions et du hasard, confirme l'idée que l'exécution ne peut être entièrement régulière et que la spéculation du poète repose sur une part majeure d'inconnu. Le poète est bien un calculateur, mais, d'autre part, il ne sait ce qu'il fait.

Dans la mesure où l'on peut distinguer des phases dans l'exécution, Valéry s'est attaché particulièrement à son début. Il a été frappé par le fait, éprouvé dans son expérience personnelle, que le poème pouvait naître à peu près de n'importe

---

1. *Mauvaises pensées et autres*, p. 204.
2. *Calepin d'un poète*, in *O. C.*, t. C, p. 181-182.

quel élément destiné à entrer dans sa synthèse, ou même à
en disparaître. Cette espèce d'égalité entre les sources du poème
l'a amené à formuler une sorte de théorie de l'équivalence
des germes. Elle est intéressante non seulement parce qu'elle
nous rappelle son goût de la généralisation, mais parce qu'elle
reprend aussi le problème de la composition sous la forme de
la croissance de proche en proche, du tout à partir d'un fragment,
contrairement à sa conviction de la création humaine par actes
nettement séparés, et enfin comme une application du principe
de complémentarité, que nous avons étudié à propos de sa théorie de l'ornement et du vide : il semblerait, cette fois, que le
poème se complète à mesure, à partir d'une partie donnée, jusqu'à se constituer une totalité en réponse à la sollicitation de
son élément initial. Dans le texte cité plus haut, où Valéry disait
qu'il fallait introduire l'esprit pour qu'un ordre apparût, il
ajoutait : « Ou encore, un élément déterminé, si on lui accorde
une valeur utilisable, finit par donner l'ensemble, par voie de
compléments. [1] » Cet élément particulier, choisi, utilisé, peut,
en fait, être quelconque :

> ... l'état naissant des poèmes peut être très divers : tantôt un
> certain sujet, tantôt un groupe de mots, tantôt un simple rythme,
> tantôt (même) un schéma de forme prosodique, peuvent servir
> de germes et se développer en pièce organisée.
> C'est un fait important à noter que cette équivalence des germes.
> J'oubliais, parmi ceux que j'ai cités, de mentionner les plus éton-
> nants. Une feuille de papier blanc ; un temps vide ; un lapsus ;
> une erreur de lecture ; une plume agréable à la main [2].
> On peut dire que chaque œuvre eût pu être produite par plu-
> sieurs voies. Rien ne nous montre dans un examen objectif si tel
> poème est né d'un certain hémistiche donné, d'une rime, ou d'un
> projet abstraitement formulé [3].

Cependant, deux séries se distinguent dans ces origines : le
poète part d'un contenu qui cherche sa forme ou d'un procédé
formel qui cherche son application.

Le poète s'éveille dans l'homme par un événement inattendu,
un incident extérieur ou intérieur : un arbre, un visage, un « sujet », une émotion, un mot. Et tantôt, c'est une volonté d'expression qui commence la partie, un besoin de traduire ce que l'on sent ;
mais tantôt, c'est, au contraire, un élément de forme, une esquisse

1. *L'Invention esthétique, Discussion,* in *L'Invention,* p. 156.
2. *Ibid.,* p. 150.
3. *La création artistique,* in *Bulletin de la Société française de Philosophie,*
1928, p. 13.

d'expression qui cherche sa cause, qui se cherche un sens dans l'espace de mon âme... Observez bien cette dualité possible d'entrée en jeu : parfois quelque chose veut s'exprimer ; parfois, quelque moyen d'expression veut quelque chose à servir [1].

Valéry admet que les poèmes de longues dimensions entrent dans la première catégorie :

Le cas le plus général, quand il s'agit de très grandes œuvres, est naturellement celui dans lequel l'auteur part d'un sujet pour parvenir enfin à la versification. C'est le cas des épopées classiques, des poèmes dramatiques [2]...

Ce sont précisément les types de poèmes les plus mêlés, les plus impurs pour Valéry, ceux qui peuvent se résumer. C'est pourquoi ils partent d'un sujet. Mais Valéry n'accorde pas pour autant que le sujet ne puisse résulter de la création : « Il peut arriver... que le *germe* ne soit qu'un mot ou lambeau de phrase, un vers qui cherche et travaille pour se créer une justification et engendre ainsi un contexte, un sujet, un homme, etc... [3] » Il a dit que le sujet du *Cimetière marin*, celui de *La Pythie* avaient été obtenus ; le sens général de *La Jeune Parque* n'a été trouvé qu'après coup. C'est que le sujet n'est vraiment pour Valéry qu'un cadre favorable pour la mise en valeur d'une série de beautés synthétiques. « Le poète a essentiellement " l'intuition " d'un type de combinaisons à part. » Parmi ces combinaisons, il distingue la « combinaison de choses » (à côté de la « combinaison de sons »), c'est-à-dire « des figures d'un ordre particulier ». Or, « un " sujet " pour ce poète est le dispositif où le maximum des choses de cet ordre peut être placé, ou » obtenu. La « combinaison de choses », qu'il lui « faudra traduire », s'oppose à la combinaison de mots (jouissant de telle ou telle propriété), qu'il lui faudra « justifier » [4] : c'est le double mouvement du sens vers le son et du son vers le sens, qui recouvre parfaitement le passage de la pensée à l'expression et inversement.

Il est plus difficile de se représenter l'exécution après sa phase initiale, à moins de se borner à ce que nous ont appris

---

1. *Poésie et pensée abstraite*, in *Variété V*, p. 160-161.
2. *La création artistique*, in *Bulletin de la Société française de Philosophie*, 1928, p. 13.
3. *Calepin d'un poète*, in *O. C.*, t. C., p. 182.
4. *Ibid.*, p. 193.

l'étude de la composition ou les considérations sur la conduite simultanée du sens et du son. Ce sont plutôt des principes généraux qu'un examen de la pratique de la poésie. Valéry a cependant jeté quelques lueurs sur cette instrumentation, mais d'une manière très générale et plutôt à propos de l'art tout entier. « Qu'est-ce qu'un artiste ? Avant tout, il est un agent d'exécution de sa propre pensée, quand cette pensée peut se réaliser de plusieurs manières », c'est-à-dire quand l'exécution ne se réduit pas à un code, à une recette, « et donc, que la personnalité intervient non plus à l'étage purement psychique où se forme et se dispose l'idée, mais dans l'acte même. L'idée n'est rien, et en somme ne coûte rien »[1], c'est-à-dire que l'artiste se révèle, non par son sujet, mais par sa technique, par ce qu'il y a de personnel dans sa technique. Ceci mène au style. « C'est dans l'acte de l'expression que la personne se marque. On y trouve ses rythmes singuliers, les constances nerveuses de son caractère, ses ressources verbales plus ou moins originales, ses procédés familiers et ses entraînements ou ses réserves... »[2] Le style « n'est donc point le seul esprit appliqué à une action particulière » ; « c'est le *tout* d'un système vivant qui se dépense, qui s'imprime, qui se fait reconnaissable dans l'expression »[3]. Et ceci mène au corps. On sait l'étrange et admirable prière que lui adresse Eupalinos. Dans son travail d'architecte, il lui semble que son corps « est de la partie »[4]. Il en va de même dans la création poétique, où la collaboration de l'être vivant tout entier, agissant comme un *résonateur* sensible, transmet à l'expression beaucoup plus que l'intelligence, dans son pur travail d'abstraction, ne pourrait lui donner, retrouve le caractère magique du langage primitif, et manifeste une personne complète et particulière.

Si au lieu d'abstraire, on maintient et on invoque, pendant le travail de l'expression, je ne sais quelle présence de l'être tout entier, de sa vie sensitive et motrice, alors la participation de ce véritable *résonateur* communique au discours de tout autres puissances, lui restitue des caractères tout primitifs. Le rythme, le geste, la collaboration de la voix par les timbres des voyelles, les accents, introduisent, en quelque sorte, le corps vivant, réagissant et agissant — et ajoutent à l'expression *finie* d'une « pensée »

1. *Discours aux chirurgiens*, in *Variété V*, p. 55.
2. *Style*, in *Vues*, p. 311-312.
3. *Ibid.*, p. 312.
4. *Eupalinos*, p. 117.

ce qu'il faut pour suggérer ce qu'elle est d'autre part — la réponse, l'acte et l'instant d'un homme [1].

Mais, ce qui est encore plus significatif pour la théorie de l'exécution, c'est qu'il s'établit entre le corps et l'intelligence (ou l'esprit) une communication singulière, un régime d'échanges favorable à la création :

Mais ce corps et cet esprit, mais cette présence invinciblement actuelle, et cette absence créatrice qui se disputent l'être, et qu'il faut enfin composer ; mais ce fini et cet infini que nous apportons, chacun selon sa nature, il faut à présent qu'ils s'unissent dans une construction bien ordonnée ; et si, grâce aux dieux, ils travaillent de concert, s'ils échangent entre eux de la convenance et de la grâce, de la beauté et de la durée, des mouvements contre des lignes, et des nombres contre des pensées, c'est donc qu'ils auront découvert leur véritable relation, leur acte [2].

Ces échanges mystérieux et salutaires de pouvoirs, de qualités, ou d'éléments hétérogènes qui se répartissent en deux séries (corps et esprit), mais auxquelles on ne peut faire correspondre la dualité du fond et de la forme, supposent un moyen commun d'évaluation, une possibilité de les mettre en équation. Comme les germes créateurs, ces facteurs de l'exécution ont aussi leur équivalence. Valéry note chez l'artiste « la collaboration inévitable et indivisible, la collaboration *à chaque instant* et dans chacun de ses actes, de l'arbitraire et du nécessaire, de l'attendu et de l'inattendu, de son corps, de ses matériaux, de ses volontés, de ses absences mêmes... » [3], alors, qu'au contraire, selon lui, il répugne au philosophe « de penser à un échange intime, perpétuel, égalitaire », entre le vouloir et le pouvoir, l'accident et la substance, la forme et le fond, la conscience et l'automatisme, la circonstance et le dessein, la matière et l'esprit [4] ; « le philosophe ne conçoit pas facilement que l'artiste passe presque indifféremment de la *forme* au *contenu* et du *contenu* à la *forme* » [5]. Déjà, Valéry, relatant son expérience des rythmes musicaux, qui s'étaient un jour imposés à lui et dont il ne savait que faire, avait remarqué : « il y avait... un moment de mon fonctionnement au point duquel idées, rythmes, images, souvenirs ou inventions

1. Frédéric Lefèvre, *Une heure avec Paul Valéry.*
2. *Eupalinos,* p. 120.
3. *Léonard et les philosophes,* in *Variété III,* p. 158.
4. *Ibid.,* p. 157.
5. *Ibid.,* p. 159.

n'étaient que des équivalents » [1]. Sans doute ne s'agit-il dans
cet exemple que d'une excitation, celle de la marche, « qui se
dépensait comme elle pouvait », mais Valéry, en notant que
« l'équivalence, ressource de l'esprit — lui offre des substitutions
très précieuses » [2], nous invite à admettre qu'au cours de tout
le travail de l'exécution cette ressource est ouverte à l'artiste.
La fin de sa première leçon de poétique met précisément l'accent
sur ce climat singulier :

> Chez l'artiste, il arrive en effet — c'est le cas le plus favorable —
> que le même mouvement interne de production lui donne à la fois
> et indistinctement l'impulsion, le but extérieur immédiat et les
> moyens ou les dispositifs techniques de l'action. Il s'établit, en
> général, un régime d'exécution pendant lequel il y a un échange
> plus ou moins vif, entre les exigences, les connaissances, les inten-
> tions, les moyens, tout le mental et l'instrumental [3]...

Dans l'improvisation géniale, ou, comme dit Valéry, « de degré
supérieur »,

> ... entre les intentions et les moyens, entre les conceptions de *fond*
> et les actions qui engendrent la *forme*, il n'y a plus de contraste.
> Entre la pensée de l'artiste et la matière de son art, s'est instituée
> une intime correspondance, *remarquable par une réciprocité dont
> ceux qui ne l'ont pas éprouvée ne peuvent imaginer l'existence* [4].

Ce qui peut nous étonner dans cette équivalence et cet échange
de valeurs ou de procédés, aussi différents que le sont, par exemple,
un rythme et une image, dont nous ne voyons pas bien comment
le poète les égalise et les substitue, se trouve éclairci par une
formule que nous avons déjà rencontrée, à un étage supérieur,
quand Valéry, faisant l'éloge de l'attitude centrale qui commande
l'ensemble des sciences, des arts et des pouvoirs, l'expliquait par
la découverte d'une « commune mesure ». Sur le plan plus restreint
de la création dans un art particulier, Valéry croit également
à une sorte de dénominateur commun, à « l'existence dans l'artiste d'une sorte de commune mesure cachée entre des éléments
d'une extrême différence de nature » [5], « comme si toutes nos
facultés devenaient tout à coup commensurables entre elles » [6].

1. *Mémoires d'un poème*, p. XXII.
2. *Ibid.*, p. XXII.
3. *Leçon inaugurale du Cours de poétique*, in *Variété V*, p. 321.
4. *Autour de Corot*, in *Pièces sur l'art*, p. 175-176.
5. *Léonard et le philosophe*, in *Variété III*, p. 157-158.
6. *Autour de Corot*, in *Pièces sur l'art*, p. 178.

Cette caractéristique exaltante, qui serait vraiment la clef de la poétique, reste malheureusement, comme l'attitude centrale, à l'état de pur inconnu. On a beau nous suggérer que le grand poète s'en sert, elle reste un secret non dévoilé. Si nous comprenons sans peine qu'au cours de l'exécution, le poète passe du fond à la forme, d'un rythme à une idée, d'une figure à un jeu de sonorités, nous concevons moins bien la formule idéale qui ferait communiquer et réduirait à l'unité la diversité de ses opérations. Ne faudrait-il pas se contenter de constater plus modestement qu'entre les éléments spirituels et les éléments formels, entre le fond et l'expression, il y a une adaptation à ménager, des rapports de convenance, qui sont déjà suffisamment obscurs par eux-mêmes sans qu'on les transcende par une entité plus abstruse ? Mais peut-être Valéry n'entendait-il pas beaucoup plus que cet accord réciproque quand il lui donnait pour raison une racine quasi mathématique, car, lorsqu'il remarque que, dans l'état poétique, tout se passe comme si toutes nos facultés devenaient commensurables entre elles, ce n'est que cet ajustement du fond et de la forme qu'il donne pour exemple d'application de sa commune mesure psychologique : « Ceci se marque dans les œuvres par une correspondance mystérieusement exacte entre les *causes* sensibles, qui constituent la *forme* et les *effets* intelligibles, qui sont le *fond*. [1] » Un jeu brillant de notions excitantes, qui déguise en spéculation intellectuelle, à la faveur d'images empruntées aux mathématiques, une rêverie de poète féru de l'idée de rigueur, aboutit au conseil le plus traditionnel de la rhétorique.

S'il renonçait à la découverte du secret, un peu bien mythique, qui réduit à l'usage souverain d'un outil universel la résolution du problème de l'exécution, un poète risquerait fort d'être découragé par les énoncés de difficultés que Valéry lui présente :

... mesurez tout ce qu'il faut pour qu'un poème de Keats ou de Baudelaire vienne se former sur une page vide, devant le poète. Songez aussi qu'entre tous les arts, le nôtre est peut-être celui qui coordonne le plus de parties ou de facteurs indépendants : le son, le sens, le réel et l'imaginaire, la logique, la syntaxe et la double invention du fond et de la forme... et tout ceci au moyen de ce moyen essentiellement pratique, perpétuellement altéré, souillé, faisant tous les métiers, le *langage commun*, dont il s'agit pour nous de tirer une Voix pure, idéale, capable de communiquer sans faiblesses, sans effort apparent, sans faute contre l'oreille et sans

1. *Autour de Corot*, in *Pièces sur l'art*, p. 178.

rompre la sphère instantanée de l'univers poétique, une idée de quelque *moi* merveilleusement supérieur à *Moi* [1].

Si l'on y réfléchissait,

... l'exécution d'une œuvre poétique... en rendant explicites les problèmes à résoudre... nous apparaîtrait impossible. Dans aucun art, le nombre des conditions et des fonctions indéfinies à coordonner n'est plus grand [2].

Il y a cependant des poèmes. Les problèmes posés sont résolus, les difficultés surmontées. C'est, sans doute, que les poètes n'en prennent pas autant conscience que Valéry le souhaiterait. Ils évitent l'impuissance et la paralysie en agissant au lieu d'analyser [3], ou bien le génie tranche le nœud gordien au lieu de tenter vainement de le dénouer. Valéry ne s'explique pas clairement ce pouvoir de résolution, mais il l'envisage comme une simplification. « Par bonheur, je ne sais quelle vertu réside dans certains moments de certains êtres qui simplifie les choses et réduit les difficultés insurmontables dont je parlais à la mesure des forces humaines. [4] » Et je me demande si ce n'est pas ici le lieu de rappeler cette mystérieuse petite formule qu'il a lancée un jour : « " Ingéniosité " se change en " génie " quand elle se manifeste par une simplification. [5] »

Ces problèmes résolus par les poètes le sont dans l'inconscience, et c'est pourquoi, sans doute, ils ne le sont pas toujours. D'où l'inégalité de leur production. C'est surtout à propos du langage poétique qu'ils se posent. Valéry voit en eux la suite naturelle de la double nature des mots : il faut faire concorder le son et le sens, et il faut les prolonger, d'où deux types, entre autres, de questions propres à la poésie :

... il y a un langage poétique dans lequel les mots ne sont plus les mots de l'usage pratique et libre. Ils ne s'associent plus selon les mêmes attractions ; ils sont chargés de deux valeurs simultanément engagées et d'importances équivalentes : leur son et leur effet psychique instantané. Il font songer alors à ces nombres

1. *Poésie et pensée abstraite,* in *Variété* V, p. 162.
2. *Ibid.,* p. 160.
3. Valéry a vu ce danger : « On conçoit... qu'un poète puisse légitimement craindre d'altérer ses vertus originelles, sa puissance immédiate de production par l'analyse qu'il en ferait... Achille ne peut vaincre la tortue s'il songe à l'espace et au temps », mais Valéry répond, d'une façon qui lui ressemble bien, qu'on peut s'intéresser plus passionnément à *l'action qui se fait qu'à la chose faite* (*Leçon inaugurale du Cours de poétique,* in *Variété* V, p. 300-301).
4. *Poésie et pensée abstraite,* in *Variété* V, p. 160.
5. *Choses tues,* in *Tel quel,* I, p. 54.

complexes des géomètres, et l'accouplement de la *variable phoné-tique* avec la *variable sémantique* engendre des problèmes de prolongement et de convergence que les poètes résolvent les yeux bandés, mais ils les résolvent (et c'est là l'essentiel) de temps à autre... *De Temps à Autre*, voilà le grand mot ! Voilà l'incertitude, voilà l'inégalité des moments et des individus. C'est là notre fait capital. Il faudra y revenir longuement, car tout l'art, poétique ou non, consiste à se défendre contre cette inégalité du moment [1].

On peut dire que le poète est aidé dans une certaine mesure par l'inspiration. Il n'a pas à faire le vers que les dieux lui donnent pour rien, et qui n'est pas toujours, ni seulement, le premier. Mais il lui reste à faire les vers « calculés ».

Les vers calculés sont ceux qui se présentent nécessairement sous forme de *problèmes à résoudre* — et qui ont pour conditions initiales d'abord les vers donnés, et ensuite la rime, la syntaxe, le sens déjà engagés par des données.
Nous sommes toujours, même en prose, conduits et contraints à écrire ce que nous n'avons pas voulu et que veut ce que nous voulions [2].

Le vers à faire dépend donc des vers inspirés, et aussi des vers faits et acceptés antérieurement, puis des conventions (prosodiques, grammaticales, logiques), et de la direction déjà imposée à l'idée. Ce ne serait pas forcer la pensée de Valéry que de dire que le problème posé est, de ce fait, résolu, puisque nous savons que l'esprit, ou la sensibilité, réagira d'elle-même à ces obstacles qui sont en même temps des excitants. Le vers ainsi ne se fera-t-il pas de lui-même ? C'est, en tout cas, ce que semble suggérer un petit récit d'Alain. Au cours d'un déjeuner chez Lapérouse, auquel il avait été invité avec Valéry par M. Henri Mondor, Alain avait lancé cet axiome : « Ce qui est difficile, ce n'est pas de faire, mais de défaire. » Là-dessus, Valéry

... tira ses accessoires de fumeur. Vous allez me dire, dit-il, si je vous comprends bien. Voici une pincée de tabac dont je veux faire une cigarette ; or, cette pincée est quelque chose ; je la couche dans ce papier et je la défais ; voyez, je m'interdis de faire la cigarette ; or, la voilà ; elle se fait toute seule et voilà comment on fait un vers.

Alain ajoute, excitant notre envie : « J'aurais payé cher ma place, car les écailles me tombaient des yeux... [3] » Et, en effet, les vers

1. *Leçon inaugurale du Cours de poétique*, in *Variété V*, p. 319.
2. *Littérature*, in *Tel quel*, I, p. 150.
3. Alain, *Le déjeuner chez Lapérouse*, N. R. F., 1er août 1939, p. 236-237. Alain avait déjà cité cette comparaison dans ses *Propos de Littérature*, p. 62 :

se font tout seuls. Ils se font dans le moule des conditions, et « les yeux bandés ». Tout le monde sait qu'on peut rouler une cigarette sans la regarder, mais qu'il est impossible si on se regarde la faire dans un miroir.

On aimerait connaître quelques exemples de problèmes résolus par Valéry. Il me semble avoir reconnu celui-ci :

> Je cherche un mot (dit le poète) un mot qui soit :
>   féminin,
>   de deux syllabes,
>   contenant P ou F,
>   terminé par une muette,
>   et synonyme de brisure, désagrégation ;
>   et pas savant, pas rare.
> Six conditions — au moins ! [1]

En lisant ce curieux énoncé, j'eus la tentation d'y répondre. « Terminé par une muette » et « deux syllabes » : c'est un mot de trois syllabes comptant pour deux en fin de vers ; « féminin », « synonyme de brisure », et « contenant P ou F », il me vient à l'esprit : *fracture*, puis *rupture*. Et aussitôt chante dans ma mémoire le vers des *Grenades* :

> Cette lumineuse rupture.

Est-ce à ce vers que songeait Valéry ? Peu importe. Mais je constate que je n'ai pas eu beaucoup de peine à résoudre le problème : « six conditions — au moins ! » J'ai beau me dire que j'ai été orienté inconsciemment par le souvenir du vers de Valéry, je reste tout de même sur l'impression que Valéry surfaisait quelquefois la difficulté. Tous les poètes ont cherché des mots ou des rimes répondant à des conditions déterminées ; quand le mot existait, ils l'ont presque toujours trouvé ; quand il n'existait pas (car cela arrive), force leur était bien de changer de forme. Ces minuties, qui sont essentielles, car le tissu du poème en est fait, nous attestent que, comme le dit si bien Eupalinos : « Il n'y a point de détails dans l'exécution. [2] » « Eupalinos était l'homme de son précepte.

« Avez-vous fait des cigarettes ? Oui ? Voyez, il s'agit de défaire, et encore de défaire, et même de refuser de faire. Elle se fait sans qu'on y pense. »

1. *Autres Rhumbs*, in *Tel quel*, II, p. 153-154. Ce texte est suivi de cette *Note* : « Si quelqu'un écrivait véritablement pour soi, il lui suffirait d'inventer ce mot que six conditions définissent. On prouve par l'absence de mots inventés, que nul n'écrit pour soi seul, ne convient avec soi seul de parler son langage propre. »

2. *Eupalinos*, p. 86.

Il ne négligeait rien. [1] » Et Socrate, ramenant Phèdre de l'architecture à l'éloquence, avant de passer à la médecine, a bien raison d'insister, dans le même sens, sur l'importance des « moindres petits mots », des « moindres silences » et des « détails insignifiants en apparence » [2].

Mais la matière résiste à l'artisan. Celui-ci doit donc adopter une attitude qui se la concilie. Ce n'est plus l'architecte Eupalinos, mais son analogue, le madré constructeur de navires, Tridon le Sidonien, qui fournit cette fois la formule royale. Il « disait crûment qu'il fallait ruser avec la nature ; et suivant l'occurence, l'imiter pour la contraindre, l'opposer à elle-même, et lui ravir des secrets qui se retournassent contre son mystère » [3]. C'est aussi ce que nous dit Valéry de l'écrivain. Nous l'avons vu comparer le poète à un architecte, à un ingénieur, à un économiste, à un stratège, mais dans l'exécution, c'est surtout à un diplomate qu'il ressemble :

Une œuvre est faite par une multitude « d'esprits » et d'événements — (ancêtres, états, hasards, écrivains antérieurs, etc.) — sous la direction de l'Auteur.
Ce dernier doit donc être un profond politique attaché à mettre d'accord ces larves et ces actions intellectuelles concurrentes. Il faut ruser ici ; et là passer ; il faut retarder, éconduire, supplier de venir, intéresser à l'ouvrage. Évocations, conjurations, séductions — nous n'avons à l'égard de notre personnel et matériel intérieurs que des ressources de l'ordre magique et symbolique. La directe volonté ne sert de rien ; elle n'a pas de prise sur les hasards de cet ordre auxquels il faut opposer quelque puissance aussi imprévue, aussi vive et variable qu'eux-mêmes [4].

L'exécution a ses joies et sa récompense : « ... j'exécuterais sans fin » [5], avoue Valéry. Dans un *Petit discours aux peintres graveurs*, il a montré que ce plaisir était lié aux difficultés :

Le bonheur passif nous fatigue et nous écœure ; il nous faut aussi le *plaisir de faire*. Plaisir étrange, plaisir complexe, plaisir traversé de tourments, mêlé de peines, et plaisir dans la poursuite duquel ne manquent ni les obstacles, ni les amertumes, ni les doutes, ni même le désespoir... plaisir laborieux [6]...

1. *Eupalinos*, p. 90.
2. *Ibid.*, p. 87-90. Cf. *Mauvaises pensées et autres*, p. 195 : » Qui veut faire de grandes choses doit penser profondément aux détails. »
3. *Ibid.*, p. 191.
4. *Littérature*, in *Tel quel*, I, p. 175-176.
5. *Propos me concernant*, p. 57.
6. In *Pièces sur l'art*, p. 137.

Au surplus, la domination des procédés finit par procurer l'aisance, qui, chez les plus grands, constitue la maîtrise. Alors on est frappé par l'allure souveraine de l'exécution, qui semble aller droit au but et ignorer l'hésitation.

Ce qui apparaît le plus nettement dans une œuvre de maître, c'est la « volonté », le parti pris. Pas de flottement entre les modes d'exécution. Pas d'incertitude sur le but [1].

Il y a chez Manet une puissance décisive, une sorte d'instinct stratégique de l'action picturale [2].

Ce qui a manqué à Flaubert dans *La Tentation de saint Antoine*, c'est l'« esprit décisionnaire », comme le montrent déjà « ses scrupules d'exactitude et de références » ; « enivré par l'accessoire aux dépens du principal », il a oublié d'animer son héros, « négligé la substance même de son thème » et « l'unité de sa composition » ; « égaré dans trop de livres et de mythes, il y a perdu la pensée stratégique... » [3]. Valéry a confessé son goût pour la réussite spontanée : « Je ne hais pas le virtuose, — l'homme des moyens. [4] » Mais il a distingué deux degrés bien différents de la virtuosité, l'un qui n'est que facilité d'un don naturel, l'autre qui est récompense d'une ascèse. « J'aime que l'on soit dur pour son génie. S'il ne sait se tourner contre soi-même, le " génie " à mes yeux n'est qu'une virtuosité native, mais inégale, et infidèle. [5] » Rappelons-nous encore Teste : « Le génie est facile. » Valéry a stigmatisé les œuvres de ce splendide laisser-aller : « curieusement bâties d'or et de boue : d'éblouissants détails quoique toutes chargées, le temps désagrège bientôt et entraîne l'argile ; il ne reste que quelques vers de bien des poèmes. [6] » Les véritables virtuoses sont ceux

... chez qui le développement des moyens devient si avancé, et d'ailleurs si bien identifié à leur intelligence, qu'ils parviennent à « penser », à « inventer » dans le mode de l'exécution à partir des moyens mêmes [7].

Cette virtuosité acquise et surmontée a pour conséquence que, « la partie réelle des arts excitant leur partie imaginaire », on peut déduire la musique des propriétés des sons, l'architecture de la

1. *Instants*, in *Mélange*, p. 163.
2. *Degas. Danse. Dessin*, p. 44-45.
3. *La Tentation de (saint) Flaubert*, in *Variété V*, p. 203-207.
4. *Je disais quelquefois à Stéphane Mallarmé*, in *Variété III*, p. 23.
5. *Ibid.*, p. 24.
6. *Ibid.*, p. 24.
7. *Ibid.*, p. 24.

J. HYTIER, — *La poétique de Valéry.*

matière et des forces, la littérature « de la possession du langage et de son rôle singulier et de ses modifications » [1]. Mallarmé serait l'exemple de cette virtuosité accomplie et supérieure.

Valéry a repris cette distinction, à propos de Corot, sous une forme un peu différente. Comme il y a deux espèces de virtuosité, il y a deux sortes d'improvisation.

Je prétends que l'artiste finisse par le naturel ; mais le naturel d'un nouvel homme. Le spontané est le fruit d'une conquête. Il n'appartient qu'à ceux qui ont acquis la certitude de pouvoir conduire un travail à l'extrême de l'exécution, d'en conserver l'unité de l'ensemble en réalisant les parties et sans perdre en chemin l'esprit ni la nature... Ils peuvent considérer orgueilleusement toute leur carrière comme accomplie entre deux états de facilité heureuse : une facilité toute première, — éveil de l'instinct naïf de produire qui se dégage des rêveries d'une adolescence vive et sensible (mais bientôt se révèle au jeune créateur l'insuffisance de l'ingénuité et le grand devoir de n'être jamais content de soi). L'autre facilité est le sentiment d'une liberté et d'une simplicité conquises, qui permettent le plus grand jeu de l'esprit entre les sens et les idées. Il en résulte *la merveille d'une improvisation de degré supérieur* [2].

Le droit à l'improvisation doit être « acquis par un travail immense et une réflexion continuelle » [3]. Aussi le suprême de l'art est-il la simplicité.

Mais la simplicité n'est pas le moins du monde une méthode. Elle est, au contraire, un but, une limite idéale, qui suppose la complexité des choses et la quantité des regards possibles et des essais, réduites, épuisées, — substituées enfin par une forme ou une formule d'acte qui soit essentielle pour quelqu'un. Chacun a son point de simplicité, situé assez tard dans sa carrière [4].

Le plus difficile dans la danse, c'est de marcher. La danseuse Athikté « commence par le suprême de son art : elle marche... » [5]. Peut-être cette idée a-t-elle été suggérée à Valéry par la très

1. *Je disais quelquefois à Stéphane Mallarmé*, p. 25.
2. *Autour de Corot*, in *Pièces sur l'art*, p. 174-175.
3. *Ibid.*, p. 191. Sur ce que requiert l'improvisation dans la fresque, cf. *Les Fresques de Paul Véronèse*, in *Pièces sur l'art*, p. 128.
4. *Autour de Corot*, in *Pièces sur l'art*, p. 162. A propos du mot rare « funéral » qu'il avait employé dans *Narcisse parle*, Valéry déclare : « si la simplicité est chose des plus désirables, ce n'est pas par elle qu'il faut commencer ; c'est à elle qu'il faut tendre. Il faut apprendre par l'expérience que la nullité apparente du langage coûte beaucoup plus cher que tous ces ornements » (*Sur les « Narcisse »*, fragments d'une conférence faite le 19 septembre 1941, in *Paul Valéry vivant, Cahiers du Sud*, 1946, p. 286).
5. *L'Ame et la danse*, p. 128.

belle anecdote qu'il raconte en vue d'illustrer le rapprochement controversé du « simple » et du « classique ».

Un des premiers hommes de cheval qui fut jamais étant devenu vieux et pauvre reçut du Second Empire une place d'écuyer à Saumur. Là, vint le visiter un jour son élève favori, jeune chef d'escadron et brillant cavalier. Baucher lui dit : « Je vais monter un peu pour vous. » On le met à cheval ; il traverse *au pas* le manège ; revient... L'autre, ébloui, regarde s'avancer un Centaure parfait. « Voilà, lui dit le maître. Je ne fais pas d'esbroufe. Je suis au sommet de mon art : *Marcher sans une faute.* [1] »

Et quand, à la fin de sa vie, Valéry reprendra la vieille figure de Faust, il lui prêtera comme accomplissement suprême la maîtrise de la plus simple des activités : « Je vis. Et je ne fais que vivre... Je suis au comble de mon art, à la période classique de l'art de vivre. Voilà mon œuvre... [2] »

* *

L'exécution doit aboutir. Selon Valéry, le grand artiste, « dans l'état vulgairement connu sous le nom d'*inspiration* », ne peut guère arriver qu'à produire « *un fragment* » ; elle ne peut livrer « *toute* une œuvre de quelque étendue ».

C'est ici qu'interviennent le savoir, la durée, les reprises, les jugements. Il faut une bonne tête pour exploiter les bonheurs, maîtriser les trouvailles, et *finir* [3].

L'état d'achèvement de l'œuvre ne s'obtient que par des opérations discontinues. « *Paradoxe.* L'homme n'a qu'un moyen de donner de l'unité à un ouvrage : l'interrompre et y revenir. [4] » Il y a, d'ailleurs, quelque chose d'encourageant dans ces reprises incessantes. L'artiste y acquiert le sentiment d'un perfectionnement toujours possible au moment où il est le plus près de désespérer. Ce qui est raté un jour sera réussi le lendemain.

Une chose réussie est une transformation d'une chose manquée. Donc une chose manquée n'est manquée que par abandon [5].

Mais il faut, de toute nécessité, parfaire, car

Ce qui n'est pas entièrement achevé n'existe pas encore.

1. *Autour de Corot*, in *Pièces sur l'Art*, p. 163-164.
2. *Lust*, in « *Mon Faust* », p. 95-96.
3. *Degas. Danse. Dessin*, p. 80-81.
4. *Rhumbs*, in *Tel quel*, I, p. 62.
5. *Littérature*, in *Tel quel*, I, p. 154.

Ce qui n'est pas achevé est moins avancé que ce qui n'est pas commencé [1].

Le travail est achevé lorsqu'il ne reste plus signe des opérations et des procédés, quand la technique a été entièrement résorbée dans l'exécution.

Achever un ouvrage consiste à faire disparaître tout ce qui montre ou suggère sa fabrication. L'artiste ne doit... s'accuser que par son style, et doit soutenir son effort jusqu'à ce que le travail ait effacé les traces du travail [2].

C'est une leçon qui à pu être transmise par Mallarmé, qui la tenait de Whistler, et que Valéry a appliquée à *La Jeune Parque* :

C'est bien un exercice, et voulu, et repris, et travaillé : œuvre seulement de volonté ; et puis, d'une seconde volonté, dont la tâche dure est de masquer la première [3].

Valéry montre, ici, un goût tout classique, qui rappelle la formule de Vauvenargues : « la netteté est le vernis des maîtres ». Aussi condamne-t-il chez les modernes, surtout chez les peintres, la tendance à se contenter des ébauches ou des œuvres non finies sous le prétexte que l'originalité de l'auteur transparaît mieux dans une exécution qui conserve sa spontanéité :

... le souci de la personne et de l'instant l'emportant peu à peu sur celui de l'œuvre en soi et de la durée, la condition d'achèvement a paru non seulement inutile et gênante, mais même contraire à la *vérité*, à la *sensibilité* et à la manifestation du *génie*. La personnalité parut essentielle, même au public. L'esquisse valut le tableau [4].

Valéry est aux antipodes de Claudel, pour qui une œuvre parfaite est un flacon bouché, qui ne laisse pas sortir son parfum, et de Hugo, pour qui le génie est grand à cause de ses défauts.

Pourtant, en dépit d'une exigence si nette, Valéry a dit, tout aussi souvent, qu'une œuvre ne pouvait pas être achevée. Ce sont toujours des circonstances extérieures qui fixent l'état dernier d'une œuvre. C'est par une décision de l'auteur que l'œuvre est arrêtée. Mais elle pourrait toujours être reprise.

... une œuvre n'est jamais achevée que par quelque accident, comme la fatigue, le contentement, l'obligation de livrer ou la mort ; car une œuvre, du côté de celui ou de ce qui la fait, n'est

1. *Instants*, in *Mélange*, p. 162-163.
2. *Degas. Danse. Dessin*, p. 35-36.
3. Lettre de 1917 à André Fontainas, in *Réponses*, p. 16.
4. *Degas. Danse. Dessin*, p. 36. Sur la valeur prêtée à l'inachevé, voir encore *Le Musée de Montpellier*, in *Vues*, p. 269.

qu'un état d'une suite de transformations intérieures. Que de fois voudrait-on commencer ce que l'on vient de regarder comme fini !... Que de fois ai-je regardé ce que j'allais donner aux yeux des autres, comme la préparation nécessaire de l'ouvrage désiré, que je commençais alors seulement de *voir* dans sa maturité possible, et comme le fruit très probable et très désirable d'une attente nouvelle et d'un acte tout dessiné dans mes puissances. L'œuvre réellement faite me paraissait alors le corps mortel auquel doit succéder le corps transfiguré et glorieux [1].

L'achèvement est toujours « matériel ».

... car il n'y a aucun signe incontestable de l'achèvement intrinsèque d'une œuvre. Ce sont toujours des circonstances étrangères qui nous imposent cet achèvement. Aucun caractère positif ne peut nous l'apprendre. Nous livrons au public un certain état d'une certaine entreprise, mais il n'y a aucune relation essentielle entre cet acte ou cet accident qui, en général, nous détache du livre, et l'objet d'attention ou le problème d'expression qui ont été le principe et le moteur de nos travaux [2].

Valéry a présenté *Le Cimetière marin* comme « le résultat de la *section* d'un travail intérieur par un événement fortuit » : Jacques Rivière, ayant trouvé Valéry « dans un " état " de ce " *Cimetière marin* ", songeant à reprendre, à supprimer, à substituer, à intervertir çà et là... », lut et ravit le manuscrit [3].

Cependant, on obtiendrait de Valéry qu'il reconnût parfois un véritable état d'achèvement, conforme à l'exigence qu'il prêtait tout à l'heure au grand artiste et dont nous venons de voir qu'il semblait nier la possibilité. L'œuvre lui paraît toujours inachevée parce qu'il lui semble toujours possible de la modifier.

---

1. *Mélange*, p. 41-42.
2. Frédéric Lefèvre, *Entretiens avec Paul Valéry*, p. 109.
3. *Au sujet du « Cimetière marin »*, in *Variété III*, p. 63-64. Cf. *Aphorismes*, in *Hommes et Mondes*, octobre 1946, p. 189. « Une œuvre est pour moi l'objet possible d'un travail indéfini. Sa publication est un incident extérieur à ce travail ; elle est une coupe étrangère dans un développement qui n'est pas et ne peut être arrêté que par des circonstances externes. Mon détachement, par exemple. Si une œuvre que je fais m'ennuie, mon ennui est étranger à l'intérêt que je lui portais. » Valéry a complété l'analyse des raisons de l'abandon de l'œuvre par l'artiste dans son *Cours de poétique*. Dans la leçon 2, il se borne à rappeler que l'œuvre n'est jamais achevée intérieurement et que l'artiste l'abandonne par dégoût et par ennui ; mais, dans la leçon 13, il fait place à deux facteurs tout différents, le contentement et l'impossibilité de progresser : « ce qui achève un ouvrage, ce n'est pas du tout une opposition entre deux éléments qui doivent coïncider, comme dans la science, mais, d'une part, un phénomène de sensibilité bien connu, qui est la satisfaction (l'artiste dansera devant son tableau, ce qui ne l'empêchera pas, le soir même, de pleurer au même endroit), et, d'autre part, le travail ne peut pas aller plus loin, la sensibilité a épuisé tous les moyens de réexcitation ; alors l'artiste abandonne. »

Comme auteur, son appétit de transformation est insatiable. Comme lecteur, il lui dégrade la plupart des œuvres. Mais si, tout à coup, il éprouve devant un texte l'impression très particulière du définitif, c'est-à-dire d'une impossibilité de modification, nul doute que Valéry n'ait le sentiment de l'achevé. Or, cette impression de perfection intangible est très exactement ce que Valéry entend par beauté.

L'impression de beauté si follement cherchée, si vainement définie, est peut-être ce sentiment d'une impossibilité de variation [1].

Ce qui est achevé, trop complet nous donne sensation de notre impuissance à le modifier [2].

La définition idéale du poème, sa définition limite, est celle qu'il a donnée un jour à Charles Du Bos : « Le poème... est un système clos de toutes parts, auquel rien ne peut être modifié. [3] » C'est cette immutabilité de l'œuvre qui est le garant de sa solidité et de sa durée. « Une œuvre est solide quand elle résiste aux substitutions que l'esprit d'un lecteur *actif* et rebelle tente toujours de faire subir à ses parties. [4] »

Dieu sait si Valéry était un lecteur rebelle et actif (quand il consentait à lire...), toujours pressé d'altérer le texte qui s'offrait à lui : « Je lisais peu, mais dans ce peu je ne pouvais pas ne pas imaginer une foule de changements, de substitutions, d'équivalences... Qui s'arrête sur un passage tend à le transformer. [5] »

Je réponds spontanément à ce qui se propose, par l'essai de changements que je pourrais y apporter. Et ceci fait le fond de mes sentiments sur les lettres, l'histoire, la philosophie, etc... toutes choses qui comportent le *maximum d'arbitraire des auteurs exposé au maximum d'arbitraire des lecteurs* [6].

C'est pourquoi il n'aime pas le roman, qu'il a opposé au poème, comme « un système ouvert... dans lequel des éléments sont remplaçables par d'autres et où de nouveaux éléments demeurent susceptibles d'être introduits » [7]. Il a prêté à M. Teste cette vaine concession : « Quant aux aventures, elles peuvent me divertir à la condition que je ne perçoive pas que je puis les modifier sans

1. *Analecta*, XXV.
2. *Instants*, in *Mélange*, p. 162.
3. Charles Du Bos, *Journal*, 30 janvier 1923, p. 222.
4. *Rhumbs*, in *Tel quel*, II, p. 60.
5. Frédéric Lefèvre, *Entretiens avec Paul Valéry*, p. 112.
6. *Propos me concernant*, p. 20.
7. Charles Du Bos, *Journal*, 30 janvier 1923, p. 222.

effort. ¹ » Sur le plan de la plaisanterie familière, la manie de modifier les textes s'est traduite chez Valéry par un goût assez vif de la parodie (dans « Mon Faust », dans *L'Idée fixe*, et ailleurs, même dans un poème comme l'*Ébauche d'un serpent*, les citations malicieusement altérées, dans leur sens et dans leur forme, ne manquent pas), par des mots d'esprit et même des calembours faisant allusion à des phrases célèbres ou à des proverbes (du genre : « Entre deux mots, il faut choisir le moindre ») ². Les exemples de textes modifiés avec une intention sérieuse sont plus rares ; on en trouverait dans ses recueils de réflexions, mais il est presque inévitable que le jeu des maximes retournées ne s'accompagne d'un sourire ³. Les pensées rectifiées, ou précisées, ou améliorées, dignes du lecteur « énergique » vanté par Valéry, sont moins fréquentes chez lui que les dégradations satiriques : « Le vacarme intermittent des petits coins où nous vivons nous rassure. ⁴ » Il est certain que Valéry a exercé sur des vers célèbres sa faculté de transformation. Je ne connais qu'un cas où il ait accompagné cette opération d'un commentaire instructif : il s'agissait d'un vers de La Fontaine, qu'il faisait passer du climat de la fable au régime du poème cosmogonique, et sur lequel je reviendrai au chapitre suivant. Cette propension se manifestait d'ailleurs parfois à l'insu même de Valéry ; il lui arrivait de citer des vers inexactement (par exemple, les deux vers de Corneille qu'il a mis en épigraphe à *La Jeune Parque*). Mais on peut être sûr que Valéry n'était jamais porté à modifier les vers, très peu nombreux, qu'il admirait sans restrictions. Toucher à Mallarmé lui eût paru sacrilège. Ce n'est que par un bizarre accident qu'il fut amené un jour, malgré lui, à tenter de modifier du Racine. Il raconte qu'au temps où il écrivait hâtivement le livret d'une cantate (évidemment la *Cantate du Narcisse*), « la tête encore occupée du mouvement d'une période », il s'était arrêté devant une vitrine

... où était exposée une belle page de vers, en grand format et beaux caractères... J'eus l'impression d'être encore devant mon ébauche, et je me mis inconsciemment, pendant une longue fraction de minute, à essayer, sur le texte affiché, des changements de termes... Mais le texte ne se laissait pas ressaisir. *Phèdre* me résis-

1. *Quelques pensées*, in *Monsieur Teste*, p. 132.
2. *Littérature*, in *Tel quel*, I, p. 157.
3. « Les vilaines pensées viennent du cœur » (*Mélange*, p. 65). « Les grandes flatteries sont muettes » (*Autres rhumbs*, in *Tel quel*, II, p. 174).
4. *Autres Rhumbs*, in *Tel quel*, II, p. 191.

tait. Je connus par expérience directe et sensation immédiate ce que c'est que la perfection d'un ouvrage. Ce ne fut pas un bon réveil [1].

Si Valéry n'a pu réussir à changer des vers de Racine, c'est que, ce jour-là, il était « de bonne foi » et que l'admiration excluait la gaminerie. Si la perfection résiste aux tentatives de mutation, c'est à la condition d'être abordée avec respect. Cette condition est implicite toutes les fois qu'on déclare qu'il est impossible de rien changer dans une phrase ou dans une strophe qui donne l'impression de l'achevé. Valéry ne l'ignorait pas, bien qu'il détestât le sérieux ; mais il aurait sans doute affirmé que c'est à l'œuvre même qu'il appartient de le créer chez le lecteur. Il l'ignorait si peu qu'il a essayé de trouver les moyens d'empêcher le lecteur de céder à la tentation de transformer un texte. Il en préconise deux : la cohésion logique et l'harmonie de la forme.

Il me fallut que des conditions de logique, ou bien des conditions harmoniques de forme fussent toujours produites à l'appui de ce qu'on écrivît. L'une ou l'autre condition s'opposent aux possibilités de substitution que le lecteur peut trouver à exercer sur un texte, si la liberté lui est laissée de songer à modifier la forme, de nier une conséquence, ou simplement de faire de l'affirmation de l'auteur une combinaison entre autres également pensables [2].

Le sort de l'œuvre est lié tout entier à la qualité de l'exécution. L'exécution a le pouvoir de transformer la matière qu'elle utilise : « ... il n'est, dans l'ordre des arts, de thème ni de modèle, que l'*exécution* ne puisse ennoblir ou avilir, rendre cause de dégoût ou prétexte de ravissement. Boileau l'a dit ! ... [3] » Pour fournir un exemple de serpent ou de monstre odieux embelli par l'art, Valéry a été tout droit chez les naturalistes : « leur mérite positif me semble être d'avoir trouvé de la *poésie* (ou plutôt importé de la poésie), et parfois de la plus grande, dans certains objets ou sujets tenus jusqu'à eux pour ignobles ou insignifiants. [4] » Valéry se révèle lui-même ici « ce critique d'une justice exquise » qu'il découvrait dans Mallarmé, appréciant chez Zola « ce qui s'y trouve de puissamment poétique, et comme d'enivrant par l'insistance » [5]. Après tant de condamnations sommaires, il est beau de voir les deux poètes les plus purs depuis Baudelaire, rendre hommage

1. *Sur Phèdre femme*, in *Variété V*, p. 196.
2. *Propos me concernant*, p. 55-56. Cf. *Histoires brisées*, p. 10-11.
3. *Triomphe de Manet*, in *Pièces sur l'art*, p. 205.
4. *Ibid.*, p. 205.
5. *Ibid.*, p. 209.

à une œuvre si éloignée de la leur, et précisément à sa teneur lyrique. Oui, ce sont des poètes qui ont trouvé en Zola quelque
poète, comme ce sont des philosophes qui ont trouvé dans Hugo
de la philosophie et dans Stendhal des idées ; Renouvier et Taine
s'y connaissaient peut-être aussi bien que Faguet. On ne pense
pas, pour autant, que Valéry ait profondément admiré les qualités d'exécution chez Zola [1]. Au reste, si l'exécution permet de
transposer, elle a bien d'autres pouvoirs encore. C'est d'elle que
dépendent tous les effets de l'ouvrage, qu'il nous faut maintenant
envisager.

1. Voir, même texte, p. 206-208, ce qu'il dit de sa naïveté de conception, des
illusions de sa technique, du contraste qu'il offre avec Mallarmé.

CHAPITRE VIII

LA THÉORIE DES EFFETS

Alors que certaines idées de Valéry sur la poésie sont devenues célèbres parce qu'une formule saisissante les gravait dans la mémoire, un ensemble de réflexions qui joue un rôle important dans sa poétique, et qui en forme peut-être la partie la plus originale, a été cependant négligé, parce que Valéry en a disséminé les éléments dans des écrits très divers. Pour fixer les idées, j'appellerai cette partie de sa doctrine *la théorie des effets*. Elle achève logiquement son esthétique et elle vient couronner, en particulier, ses vues sur le problème de l'exécution. Le poème a pour fin de produire un certain nombre d'effets.

Les effets produits par le poème appartiennent, aux yeux de Valéry, à la catégorie des effets esthétiques, qu'il caractérise comme étant des *effets à tendance infinie*, par opposition aux *effets à tendance finie*, lesquels se rapportent à l'ordre des choses pratiques. Voici ce qu'il entend par là. Les effets à tendance finie sont les réponses par lesquelles nous annulons nos perceptions : vous me demandez du feu, je vous en donne, et tout est terminé[1]. Les effets à tendance infinie sont excités par des perceptions qui tendent à se conserver et à se reproduire : vous me citez un beau vers, je m'en souviens, et je suis porté à me le répéter. « *Un beau vers renaît indéfiniment de ses cendres.*[2] » C'est ce que Valéry s'est amusé à appeler l'*infini esthétique*.

---

1. Voir *Poésie et pensée abstraite*, in *Variété V*, p. 142. Mais, si le son et la figure de la petite phrase reviennent dans l'esprit de celui qui l'a entendue, y prennent une valeur, « nous voici sur le bord même de l'état de poésie ».
2. *Commentaires de Charmes*, in *Variété III*, p. 82. Cf. *Poésie et pensée abstraite*,

Dans un petit article qui a cette expression pour titre, Valéry l'a rattachée à sa conception générale de la sensibilité. Quand nos perceptions ne nous sont pas indifférentes, elles excitent en nous de quoi les annuler. Nous revenons à l'état où nous étions avant de les subir.

Il semble que la grande affaire de notre vie soit de remettre au *zéro* je ne sais quel index de notre sensibilité, et de nous rendre par le plus court un certain *maximum* de liberté ou de disponibilité de notre sens [1].

Ces effets, par lesquels nous supprimons nos modifications pour retrouver l'équilibre antérieur, constituent l'*ordre des choses pratiques*. Ils s'opposent à ceux qui excitent en nous le désir, le besoin, la tendance à conserver, à retrouver ou à reproduire les perceptions initiales. La faim, l'amour et toutes les sensations sont susceptibles de ces *effets à tendance infinie*, dont l'ensemble forme l'ordre des choses esthétiques.

Dans cet ordre, la satisfaction fait renaître le *besoin*, la *réponse* régénère *la demande*, la *présence* engendre *l'absence*, et la *possession* le *désir* [2].

Nous sommes alors dans un « univers de sensibilité » (et ceci nous rappelle « l'univers poétique », qui en est d'ailleurs une espèce), où « la sensation et son attente » sont « réciproques » (c'est un cas de la théorie de l'équivalence), « complémentaires » comme des couleurs sur la rétine (de la même façon dont naissent les ornements), dans une « oscillation » perpétuelle (et nous nous souvenons de la comparaison du *pendule poétique*), que peut seule interrompre une circonstance étrangère, comme la fatigue. C'est cette dernière qui fait chercher la « *variété* », comme remède à la « satiété », et introduit le « *désir de désir* ». Si celui-ci n'est pas satisfait par « un objet digne d'un développement infini », la sensibilité « s'excite à produire soi-même des images de ce qu'elle souhaite, comme la soif engendre les idées de boissons merveilleusement fraîches »

in *Variété V*, p. 151 : « le poème... est fait expressément pour renaître de ses cendres. »

1. « *L'infini esthétique* », in *Pièces sur l'art*, p. 247.
2. *Ibid.*, p. 249. Cf. *Cours de poétique*, leçon 3 : « L'art a, parmi ses éléments nécessaires, ce propos d'organiser un système de choses sensibles qui possèdent cette propriété de se faire redemander sans jamais assouvir le besoin qu'elles provoquent. Le problème de l'art consiste à se faire désirer, et à se faire désirer continuellement. La création vise à produire l'objet qui engendre le désir de lui-même. C'est ce que j'appelle *l'infini esthétique* et qui distingue le plus nettement l'œuvre d'art des autres œuvres de l'homme. »

(et nous retrouvons la théorie du vide créateur). L'œuvre d'art est, pour Valéry, une combinaison de l'ordre pratique et de l'ordre esthétique, ce qui se comprend, puisqu'elle est, d'une part, le produit d'un acte, et que, d'autre part, elle a pour but d'exciter des *effets à tendance infinie*. Elle est

> ... le résultat d'une action dont le but *fini* est de provoquer chez quelqu'un des développements *infinis*. D'où l'on peut déduire que l'artiste est un être *double*, car il compose les lois et les moyens du monde de l'action en vue d'un effet à produire l'univers de la résonance sensible [1].

Valéry n'a rien ajouté à cette théorie quand il l'exposa à la Société française de Philosophie, en 1935, au cours d'une communication qui fut assez vivement discutée. Toutefois, se souvenant peut-être qu'il avait souvent tiré sur ce *perroquet*, il demanda à son auditoire d'excuser ce mot d'*infini*, qu'il était d'avis de proscrire en toute matière, même en mathématiques. « C'est un nom conventionnel qu'il m'a paru exact et divertissant d'employer. [2] » *Divertissant* est du Valéry à boutades, mais *exact* devait lui laisser quelque doute, puisqu'il proposait de substituer un *équivalent* à la notion d'*infini* et la réduisait à celle d'*indépendance*.

Quand on fait un tas de pierres, l'acte d'ajouter une pierre est indépendant de la quantité de pierres déjà accumulées. On peut dire que *l'infini* s'introduit par là... C'est cette notion d'indépendance de l'acte et du résultat de l'acte qui est, au fond, notre idée de l'infini prise en ce sens [3].

Après quoi, Valéry ne fit aucun usage de cette notion, et se mit à lire son article sur *l'infini esthétique*; il paraphrasa le passage sur les couleurs complémentaires et conclut circulairement :

> En somme, la notion capitale que je voulais dégager comme caractéristique de la recherche dans l'art est celle des choses qui portent en elles-mêmes de quoi créer le besoin d'elles-mêmes. L'objet de l'œuvre d'art est fait en vue de produire cet effet [4].

Retenons seulement que *l'infini esthétique* est une pièce capitale de l'esthétique de Valéry, puisqu'il le rattache à de nombreux

---

1. « *L'infini esthétique* », p. 252. Cf. *Cours de poétique*, leçon 5 : « L'action de l'artiste se développe dans l'ordre fini et tend à produire l'infini esthétique. L'artiste emprunte des moyens au domaine de l'action, se sert d'actes finis, d'instruments finis, pour produire des effets avec lesquels le consommateur ne puisse pas en finir. »
2. *Réflexions sur l'art*, in *Bulletin de la Société française de Philosophie*, 1935, p. 68.
3. *Ibid.*, p. 68.
4. *Ibid.*, p. 71.

problèmes de la création, que le terme d'effet a chez lui une extension très large, puisqu'il s'applique à tout le domaine de la sensibilité, et que l'effet le plus général du poème, comme d'ailleurs de toute œuvre d'art, doit être « de se faire redemander ».

**
*

Valéry a défini le poème « une sorte de machine à produire l'état poétique au moyen des mots » [1]. Nous sommes donc fondés à interroger Valéry sur l'efficacité de cette machine. Comme souvent, sa réponse témoigne d'un grand scepticisme : « L'effet de cette machine est incertain, car rien n'est sûr en matière d'action sur les esprits. [2] » « ... il est illusoire de vouloir produire dans l'esprit d'autrui les fantaisies du sien propre. Ce projet est même à peu près inintelligible. [3] » Les réactions de l'amateur sont « incalculables » [4]. « Les individus jouissent comme ils peuvent et de ce qu'ils peuvent ; et la malice de la sensibilité est infinie. Les conseils les mieux fondés sont déjoués par elle... [5] » Même si les impressions de l'amateur sont favorables, l'auteur (un auteur comme Valéry) se sent blessé dans son orgueil et sa rigueur [6], puisqu'elles ne sont pas ajustées à ses intentions.

Le poète a-t-il moyen de réduire cette incertitude ? Il peut essayer d'estimer la probabilité des effets. Mais c'est une entreprise délicate et chanceuse. Il ne peut même pas se fier aux trouvailles du génie, à ces « minutes d'un prix infini » qui le révèlent à lui-même, car l'expérience lui enseigne que ces instants qui lui « semblent de valeur universelle sont parfois sans avenir » [7]. Il faut une sanction aux produits de son inspiration comme à ceux de son travail, et elle ne peut venir que du public. « *Ce qui vaut pour un seul ne vaut rien*. C'est la loi d'airain de la littérature. [8] » On est donc amené à spéculer sur la connaissance du public, ou plus strictement d'une « catégorie prévue d'esprits » [9] Valéry a

1. *Poésie et pensée abstraite*, in *Variété V*, p. 159.
2. *Ibid.*, p. 159.
3. *Introduction à la méthode de Léonard de Vinci*, in *Variété*, p. 251.
4. *Lettre sur Mallarmé*, in *Variété II*, p. 232.
5. *Discours prononcé au Deuxième Congrès international d'Esthétique et de Science de l'art*, in *Variété IV*, p. 248.
6. *Lettre sur Mallarmé*, in *Variété II*, p. 232.
7. *Poésie et pensée abstraite*, in *Variété V*, p. 156-157.
8. *Ibid.*, p. 157. Pour bien comprendre le sens de cette apparente condamnation, il faut lui opposer des affirmations comme celle-ci : « Je méprise *ce-qui-ne-vaut-rien-quand-je-suis-seul...* » (*Propos me concernant*, p. 30).
9. *Introduction à la méthode de Léonard de Vinci*, in *Variété*, p. 251.

certainement caressé le rêve de l'effet infaillible : « Idéal littéraire, finir par savoir ne plus mettre sur sa page que du lecteur. [1] » Pour atteindre ce public, il faut se le représenter.

> ... la considération du *lecteur le plus probable* est l'ingrédient le plus important de la composition littéraire ; l'esprit de l'auteur, qu'il le veuille ou non, qu'il le sache ou non, est comme *accordé* sur l'idée qu'il se fait nécessairement de son lecteur [2]...

Cette nécessité inéluctable gâte à ses yeux l'art et l'artiste :

> Quelle que soit l'issue de l'entreprise, elle nous engage donc dans une dépendance d'autrui dont l'esprit et les goûts que nous lui prêtons s'introduisent ainsi dans l'intime du nôtre. Même la plus désintéressée, et qui se croit la plus farouche, nous éloigne insensiblement du grand dessein de mener notre *moi* à l'extrême de son désir de se posséder, et substitue la considération de lecteurs probables à notre idée première d'un témoin immédiat ou d'un juge incorruptible de notre effort. Nous renonçons sans le savoir à tout excès de rigueur ou de perfection [3]...

On saisit bien ici l'antagonisme entre deux rêves de Valéry : celui de l'expression purement personnelle et celui de l'action efficace sur l'amateur. On ne peut à la fois aller jusqu'au bout de son *moi*, comme le voudrait M. Teste, et créer de la beauté à coup sûr, comme le voudrait Poe. C'est, en effet, à ce dernier que Valéry se rattachait expressément, quand il ne penchait pas vers le splendide isolement du robinsonisme intellectuel, et consentait à envisager une politique ou une stratégie des effets. Poe, dit-il, « a établi clairement sur la psychologie, sur la probabilité des effets, l'attaque de son lecteur » [4]. Il songe évidemment à la *Philosophie de la composition* que, sous le titre *Genèse d'un poème*, avait traduite Baudelaire, lui-même grand spéculateur de cette technique des effets, qui, dans un domaine moins relevé, a retenu l'attention des romanciers populaires et des auteurs de mélodrames. Leurs *trucs* et leur *ficelles* sont des agencements sur mesure en vue d'une impression précise sur un public déterminé. Tout grossiers qu'ils soient, on peut leur appliquer parfaitement les conclusions de Valéry :

1. *Cahier B,* in *Tel quel,* I, p. 210.
2. *Au sujet d' « Adonis »,* in *Variété,* p. 86. Voir encore *Propos me concernant,* p. 22, où Valéry montre que les œuvres sont des problèmes « où, à titre de conditions plus ou moins déterminées, entrent les caractéristiques d'Autrui = l'idée que je me fais de l'action extérieure des œuvres sur un Autrui qu'il faut se donner ».
3. *Mémoires d'un poème,* p. IV-V.
4. *Introduction à la méthode de Léonard de Vinci,* in *Variété,* p. 251.

... tout déplacement d'éléments fait pour être aperçu et jugé dépend de quelques lois générales et d'une appropriation particulière, définie d'avance pour une catégorie prévue d'esprits auxquels ils s'adressent spécialement ; et l'œuvre d'art devient une machine destinée à exciter et à combiner les formations individuelles de ces esprits [1].

L'infaillibilité des effets, fondée sur la connaissance du public, n'a pas été longtemps un credo de Valéry. Mais, à dix-huit ans, il lui était permis d'y croire. On en a un curieux témoignage, révélé par M. Henri Mondor, cet article *Sur la technique littéraire*, envoyé le 10 novembre 1889 à M. Charles Boès, directeur du *Courrier libre*, et qui ne parut pas, ce petit périodique parisien ayant disparu à la même époque [2]. On y aurait pu lire sa confiance dans le calcul psychologique :

... La littérature est l'art de se jouer de l'âme des autres. C'est avec cette brutalité scientifique que notre époque a vu poser le problème de l'esthétique du Verbe, c'est-à-dire le problème de la Forme.
Étant donnés une impression, un rêve, une pensée, il *faut* l'exprimer de telle manière, qu'on produise dans l'âme d'un auditeur le maximum d'effet — et un effet entièrement calculé par l'Artiste [3].

Déjà s'y esquissait la rivalité du poète et du musicien :

... l'écrivain devra posséder diverses notes dans le clavier de l'expression, afin de produire de multiples effets — comme le musicien a le choix entre un certain nombre de timbres et de vitesses rythmiques [4].

Et le grand inspirateur y recevait son tribut d'éloges :

Edgar Allan Poe, mathématicien, philosophe et grand écrivain, dans son curieux opuscule la *Genèse d'un poème* — the philosophy of composition — démontre avec netteté le mécanisme de la gestation poétique, telle qu'il la pratique et qu'il l'entend.
Aucune de ses œuvres ne renferme plus d'acuité dans l'analyse, plus de rigueur dans le logique développement des principes découverts par l'observation. C'est une technique entièrement *a posteriori* établie sur la psychologie de l'*auditeur*, sur la connaissance des diverses notes qu'il s'agit de faire résonner dans l'âme d'autrui. La pénétrante induction de Poe s'insinue dans les intimes réflexions du sujet, les prévient, les utilise [5].

1. *Introduction à la méthode de Léonard de Vinci*, p. 251.
2. Voir Henri Mondor, *Le premier article de Paul Valéry*, in *Dossiers*, 1, 1946.
3. *Sur la technique littéraire*, in *Dossiers*, 1, 1946, p. 27.
4. *Ibid.*, p. 27.
5. *Ibid.*, p. 28. Même optimisme dans une lettre à Gide, de septembre 1891 :

L'année suivante, Valéry faisait passer la substance de nombreux passages de l'article mort-né dans ses lettres à Pierre Louÿs ; il rêvait toujours d'une poésie « écrite par un songeur raffiné qui serait en même temps un judicieux architecte, un sage algébriste, un calculateur infaillible de l'effet à produire » et affirmait que « tous les moyens seront bons pour produire le maximum d'effet » [1]. Beaucoup plus tard, Valéry devait constater la précarité de cette représentation du lecteur chez le poète et son insuffisance à prévoir le rendement de la machine littéraire : « Le destin paradoxal de l'artiste lui enjoint de combiner des éléments définis pour agir sur une personne indéterminée. [2] » « Il y a bien *dans l'auteur* une certaine présence de spectateur ou d'auditeur, mais il s'agit d'un personnage *idéal* : l'auteur se forge — plus ou moins consciemment — un auditeur, un *lecteur idéal*. [3] » Entre l'auteur et l'amateur réel, aucune commune mesure : « Il n'y aura jamais moyen de comparer exactement ce qui s'est passé dans l'un et dans l'autre... [4] »

Même si le poète arrivait à prévoir assez sûrement les réactions d'un lecteur bien connu de lui (comme a pu être Pierre Louÿs pour Valéry), la diversité du public, ou des publics, rendrait inévitable l'incertitude des effets. Tout ce qu'on peut tenter, c'est de restreindre celle-ci, ou, plus modestement encore, de ne pas l'accroître, et c'est pourquoi Valéry s'attache si fortement aux conventions et aux traditions de la versification classique. Il s'est étonné que tant de poètes aient, de gaieté de cœur, pratiqué des poétiques trop personnelles qui augmentaient l'insécurité des relations de l'auteur avec le public.

Chacun faisait de son oreille et de son cœur un diapason et une horloge universels.

N'était-ce pas risquer d'être mal entendus, mal lus, mal déclamés ; ou de l'être, du moins, d'une sorte tout imprévue ? Ce risque est toujours très grand. Je ne dis pas qu'une erreur d'interprétation nous nuise toujours, et qu'un miroir d'étrange courbure quelquefois ne nous embellisse. Mais les personnes qui redoutent l'incertitude

« écrire... c'est l'ambition... de saisir un lecteur idéal et de le traîner sans s'émouvoir — ou encore de l'éblouir, l'étourdir, le réduire... »

1. Lettre du 6 juin 1890, citée par Henri Mondor, *Le vase brisé de Paul Valéry*, in *Paul Valéry, Essais et témoignages inédits recueillis par Marc Eigeldinger*, p. 14-16.
2. *La création artistique*, in *Bulletin de la Société française de Philosophie*, 1928, p. 11.
3. *Réflexions sur l'art*, in *Bulletin de la Société française de Philosophie*, 1935, p. 64.
4. *Ibid.*, p. 64.

des échanges entre l'auteur et le lecteur trouvent assurément dans la fixité du nombre des syllabes, et dans les symétries plus ou moins factices du vers ancien, l'avantage de limiter ce risque d'une manière très simple, — disons, si l'on veut, grossière [1].

Les effets trouveraient donc quelque garantie dans les contraintes acceptées. Pourtant Valéry a ruiné cette assurance par une théorie encore plus négative. Selon lui, il y a entre le poète et le lecteur un abîme impossible à combler. L'esthétique ou la critique qui fait intervenir dans une même proposition l'auteur, l'ouvrage et l'amateur, se trompe. « Toute proposition qui assemble ces trois entités est imaginaire. [2] »

Toute proposition où vous faites figurer les trois termes : un auteur, une œuvre, un spectateur ou auditeur, est une proposition insignifiante, — en ce sens que vous ne trouverez jamais l'occasion d'une observation qui réunisse ces trois termes [3].

... tout jugement qui annonce une relation à trois termes, entre le producteur, l'œuvre et le consommateur, — et les jugements de ce genre ne sont pas rares dans la critique — est un jugement illusoire qui ne peut recevoir aucun sens et que la réflexion ruine à peine elle s'y applique [4].

On ne constate jamais que deux relations, d'une part, entre l'auteur et l'ouvrage, d'autre part, entre l'ouvrage et l'amateur.

... jamais dans l'observation, vous ne trouvez autre chose que, d'un côté, l'auteur et son œuvre ; de l'autre, l'œuvre et l'observateur [5].

... producteur et consommateur sont deux systèmes essentiellement séparés [6].

Nous ne pouvons considérer que la relation de l'œuvre à son producteur, ou bien la relation de l'œuvre à celui qu'elle modifie une fois faite [7].

Il faut donc

... séparer très soigneusement notre recherche de la création d'une œuvre, de notre étude de la production de sa valeur, c'est-à-dire des effets qu'elle peut engendrer ici ou là dans telle ou telle tête, à telle ou telle époque [8].

1. *Au sujet d' « Adonis »*, in *Variété*, p. 60.
2. *Commentaires de Charmes*, in *Variété III*, p. 83.
3. *Réflexions sur l'art*, in *Bulletin de la Société française de Philosophie*, 1935, p. 63-64.
4. *Leçon inaugurale du Cours de poétique*, in *Variété V*, p. 305.
5. *Réflexions sur l'art*, in *Bulletin de la Société française de Philosophie*, 1935, p. 64.
6. *Leçon inaugurale du Cours de poétique*, in *Variété V*, p. 305.
7. *Ibid.*, p. 305.
8. *Ibid.*, p. 304-305.

L'auteur et le lecteur ne sont jamais en rapport. L'œuvre les sépare, et elle n'a pas pour eux la même signification, car

... l'œuvre est pour l'un le *terme* ; pour l'autre, l'*origine* de développements qui peuvent être aussi étrangers que l'on voudra, l'un à l'autre [1].

Il y a donc aucun rapport entre l'appréciation de l'œuvre par l'auteur et le lecteur :

L'action du premier et la réaction du second ne peuvent jamais se confondre. Les idées que l'un et l'autre se font de l'ouvrage sont incompatibles [2].

Non seulement auteur et amateur sont sans rapport l'un avec l'autre, mais il est indispensable qu'ils ne communiquent pas. On pense d'ordinaire que l'œuvre est destinée à assurer une certaine transmission de l'auteur à l'amateur. Pour Valéry, elle est, et doit être, un intermédiaire imperméable :

La valeur *art*... dépend essentiellement de cette non-identification, de cette nécessité d'un intermédiaire entre le producteur et le consommateur. Il importe qu'il y ait entre eux une chose irréductible à l'esprit, qu'il n'existe pas une communication immédiate, et que l'œuvre, ce médium, ne puisse apporter à celui qu'elle touche de quoi se réduire à une idée de la personne et de la pensée de l'auteur.

Ce point-là entendu est fondamental dans les arts. Et toutes les fois que vous entendez un artiste dire, avec désespoir, qu'il n'a pas pu s'exprimer comme il l'eût voulu, il commet une erreur d'expression. C'est au fond une absurdité : je ne dis pas que cette absurdité ne le force pas à faire des efforts pour rendre, comme il dit, sa pensée dans son œuvre, mais il n'y parviendra jamais. Tout ce que l'artiste peut faire, c'est d'élaborer *quelque chose* qui produira dans un esprit étranger un certain effet [3].

Cette thèse outrancière a soulevé des protestations ; on a objecté qu'il y avait tout de même bien quelque chose qui passait de l'artiste à l'amateur, une communication directe et authentique par le moyen de l'œuvre [4]. Mais Valéry s'est obstiné dans son point de vue. On voit qu'il n'est pas facile de concilier le paradoxe de l'incommunicabilité avec la recherche des effets. Si précaire que soit celle-ci, elle suppose un minimum d'action adaptée de

1. *Leçon inaugurale du Cours de poétique*, p. 305.
2. *Ibid.*, p. 305.
3. *Réflexions sur l'art*, in *Bulletin de la Société française de Philosophie*, 1935, p. 64.
4. Voir l'intervention de M. René Bayer, *ibid.*, p. 89-90.

la part de l'auteur sur son public, un certain courant de transmission.

Nous sommes portés à croire que c'est précisément la communication entre l'auteur et l'amateur qui permet les effets. Valéry pense exactement le contraire. Sans qu'il l'ait dit, on devine que, pour lui, les effets ne sont pas des effets d'auteur, mais, si je puis dire, des effets d'œuvre. Et ces effets d'œuvre exigent une coupure radicale entre le fabricateur et l'interprète. Si, par impossible, le passage était établi, les effets s'évanouiraient. Valéry l'a dit à la Société française de Philosophie, d'abord, sous une forme absolue :

... si ce qui s'est passé dans l'un se communiquait directement à l'autre, tout l'art s'écroulerait, tous les effets de l'art disparaîtraient [1].

puis d'une manière plus prudente :

... s'il y avait communication directe de celui qui fait l'expression à celui qui reçoit l'impression, une grande partie des *effets* disparaîtraient [2].

Il l'a répété dans la leçon d'ouverture de son cours au Collège de France :

... il y a quantité d'effets — et des plus puissants — qui exigent l'absence de toute correspondance directe entre les deux activités intéressées [3].
... l'indépendance ou l'ignorance réciproque des pensées et des conditions du producteur et du consommateur est presque essentielle aux effets des ouvrages [4].

A quoi sont donc dûs ces effets ? Aux «malentendus». Déjà, la *Lettre sur Mallarmé*, qui est de 1927, disait que l'enchantement que les Lettres

... peuvent produire chez les autres implique, par la nature même du langage, une quantité de méprises et de malentendus si nécessaires que la transmission directe et parfaite de la pensée de l'auteur, si elle était possible, entraînerait la suppression et comme l'évanouissement des plus beaux effets de l'art [5]...

Chose curieuse, Valéry n'en parla pas dans sa communication

1. *Réflexions sur l'art*, in *Bulletin de la Société française de Philosophie*, 1935, p. 64.
2. *Ibid.*, p. 65.
3. *Leçon inaugurale du Cours de poétique*, in *Variété V*, p. 305.
4. *Ibid.*, p. 307.
5. *Lettre sur Mallarmé*, in *Variété II*, p. 232.

de 1928 à la Société française de Philosophie, mais, beaucoup plus tard, dans sa communication du 2 mars 1935, il s'efforça de mettre en évidence ce qu'il appelait « peut-être un peu plaisamment, le *malentendu créateur* »[1]. Ayant montré que « l'œuvre d'art est un objet, une fabrication humaine, faite en vue d'une certaine action sur certains individus », que « le phénomène Art peut se représenter par deux transformations parfaitement distinctes », dont la relation est la même que « celle qui existe en économie entre la production et la consommation », et que « ces deux transformations — celle qui va de l'auteur à l'objet *manufacturé*, et celle qui exprime que l'objet ou l'œuvre modifie le consommateur — sont entièrement indépendantes »[2], Valéry exposait, dans des termes que nous avons vus plus haut, la thèse de l'incommunicabilité garante des effets, et précisait le rôle de l'œuvre dans cette action :

Il faut l'interposition d'un élément impénétrable et nouveau qui agisse sur l'être d'autrui pour que tout l'effet de l'art, tout le *travail* demandé au patient par le travail de l'auteur puisse se produire. *Créateur est celui qui fait créer*[3].

L'œuvre est donc destinée, selon Valéry, à provoquer chez l'amateur des interpréttaions étrangères à l'artiste. Cette théorie pourrait aller jusqu'à la glorification du contre-sens :

— Je comprends mal ce texte...
— Laissez, laissez ! Je trouve de belles choses. Il les tire de moi...
Il m'importe peu de savoir ce que l'Auteur dit. C'est mon erreur qui est Auteur[4] !

Du « malentendu créateur », il ne fit aucune mention dans son avant-propos aux tomes XVI et XVII de l'Encyclopédie française (1935) : *Notion générale de l'art*. La première leçon du *Cours de poétique* reprendra la théorie de l'incommunicabilité, mais n'indiquera qu'en passant, et comme un résultat de l'incompatibilité de pensée du producteur et du consommateur vis-à-vis de l'objet, qu' « il y a des malentendus créateurs »[5]. De ceux-ci, en revanche, il ne sera nullement question dans l'exposé au *Centre international de Synthèse* sur *L'Invention esthétique* (en 1938), où ils auraient été assez attendus.

1. *Réflexions sur l'art*, in *Bulletin de la Société française de Philosophie*, 1935, p. 64.
2. *Ibid.*, p. 63.
3. *Ibid.*, p. 64.
4. *Instants*, in *Mélange*, p. 160.
5. *Leçon inaugurale du Cours de poétique*, in *Variété V*, p. 205.

...théorie du « malentendu » a donc été sujette à des éclipses, et il est difficile de savoir si elle a tenu dans la pensée de Valéry une place capitale, analogue à celle, par exemple, de l'infini esthétique ou de l'équivalence. On peut essayer d'en renforcer l'importance en la reliant à quelques-unes de ses autres conceptions, à celle qui veut faire du lecteur le véritable inspiré, à son refus de fixer le sens de ses poèmes, dont l'interprétation dépend des amateurs, à la déclaration que l'émotion du poète est une affaire privée qui ne regarde que lui... Il y a là un ensemble d'attitudes qui montrent bien que pour Valéry l'œuvre n'a pas pour fonction de faire passer à l'amateur les états de conscience de l'auteur. Néanmoins, on a l'impression que Valéry soupçonnait l'outrance de sa thèse et que, s'il eût aimé à l'affirmer sous une forme absolue (il ne l'a fait qu'une fois : « tous les effets disparaîtraient »), il a dû se contenter de la présenter avec des restrictions implicites : « les plus beaux effets », « une grande partie des effets », « quantité d'effets »... Cela nous remet en mémoire la discussion sur l'inspiration, condamnée parce qu'elle ne pouvait dicter *tout* un poème, alors que Valéry admettait les *trouvailles* et les vers donnés pour rien par les dieux. Bref, sans le dire, Valéry semble croire, comme tout le monde, qu'il y a bien des effets qui résultent d'une action de l'auteur sur l'amateur. Comment, s'il en était autrement, concilierait-il avec leur négation totale toutes ses théories sur le poète calculateur, ingénieur, politique, manœuvrier des âmes à la façon de Poe ? Autre chose est de reconnaître l'incertitude de cette recherche des effets, autre chose de nier qu'ils supposent une communication entre celui qui les provoque et celui qui les ressent. Le rôle de l'œuvre est précisément de relayer cette excitation.

Comment se fait-il que Valéry ait été amené à supprimer toute idée de contact entre le poète et le lecteur ou l'auditeur ? Il a pu constater que des poèmes, ou des tableaux, provoquaient des réactions qui lui paraissaient très différentes des intentions du poète ou du peintre. L'histoire de la critique est remplie de ces fausses interprétations. Elles peuvent cependant recevoir une explication (époque, orientation des esprits, circonstances, formation, tempérament...), et surtout il est rare qu'elles soient totalement aberrantes ; dans les plus absurdes, il reste quelque chose de ce qu'a voulu l'auteur, et le contact n'a pas été entièrement rompu. Valéry semble avoir été surtout frappé par les enrichissements que semblent parfois recevoir les œuvres. L'auteur a produit plus

qu'il ne croyait ou l'amateur lui prête plus qu'il n'a cru donn...
seraient les vrais malentendus créateurs. Le seul grain de vérité
de ce paradoxe, c'est que chacun goûte une œuvre avec sa personnalité, et que des transmissions dans le public, par le soin
de quelques amateurs mieux doués, d'interprétations plus sensibles, semblent créer une valeur nouvelle d'une œuvre admirée,
mais ces approfondissements ne se révèlent solides et durables
que si l'œuvre les justifie et témoigne que son auteur en a préparé
les voies. On peut mettre ce qu'on veut dans une œuvre, mais
on n'y trouve que ce qu'elle contient. Ce qui nous masque cette
vérité, c'est la différence de langage et d'idées entre l'époque du
poète et l'époque du lecteur.

Un autre facteur a pu jouer dans l'esprit de Valéry. Sa pudeur,
son orgueil, la préservation de son secret, ne le prédisposaient
pas à voir dans l'amateur un confident de l'artiste. On a déjà vu
qu'il n'entendait pas laisser l'amateur pénétrer dans l'intimité
du créateur. C'est pourquoi toute sa théorie de l'incommunicabilité et de l'indépendance nie constamment la « correspondance
directe », et affirme l'incompatibilité des idées sur l'œuvre. Mais
il y a une équivoque sous ces expressions trop entières. Valéry
abuse de la constatation que l'esprit de l'amateur ne reproduit
pas l'esprit de l'artiste. La contemplation, même active, n'est
évidemment pas la création, bien que, dans une certaine mesure,
dont Valéry n'a cure, elle en ressaisit parfois quelques traits.
On ne pourra jamais, nous dit-il, comparer exactement les deux
états. Sans doute, mais ce n'est pas de cela qu'il s'agit. Il s'agit
seulement de savoir si quelque chose qui est dans l'âme de l'artiste sera senti par l'amateur et si certaines impressions que l'auteur a voulu exprimer seront saisies par son public. Le sentiment
et les effets, c'est à peu près tout ce que l'art veut communiquer,
et, s'ils sont communiqués, — avec des variations, dont il ne
faut pas abuser dans la théorie, — c'est qu'ils sont au point de
départ comme à l'arrivée.

A cette réserve du « moi » a pu s'ajouter, quand Valéry croyait
à la possibilité de manier par l'art l'âme d'autrui, un certain
goût de la domination intellectuelle. D'où l'enthousiasme pour le
calcul des effets. Le poème devenait une machine à imposer toutes
les impressions sans que le poète fût tenu de les éprouver lui-
même. Il reste du Parnasse dans cette impassibilité, et il y entre
de la jalousie à l'égard de la puissance de la musique. L'*Introduction
à la méthode de Léonard de Vinci*, qui exaltait la composition à

la Poe (mais en la congelant), a exprimé cette volonté d'une froide méthode fondée sur une double analyse, celle de la technique et celle de la psychologie de l'amateur, et sur le refus de participation du poète :

Ce qu'on appelle une *réalisation* est un véritable problème de rendement dans lequel n'entre à aucun degré le sens particulier, la clef que chaque auteur attribue à ses matériaux, mais seulement la nature de ces matériaux et l'esprit du public [1].

Quand Valéry eut découvert l'incertitude des effets et que le public n'était pas manœuvrable automatiquement, il se dégoûta d'obtenir, par malentendu, des réactions imprévisibles :

... il en résulte, pour celui qui s'attarde en cette réflexion, je ne sais quel ennui de se dépenser à spéculer sur l'inexact et à tenter de provoquer autrui à des émotions et à des pensées étonnantes et tout imprévues pour nous-mêmes, comme le seraient les conséquences d'un acte irréfléchi [2].

Maintenant, il resterait à demander à Valéry, puisqu'il y a des effets qui n'exigent pas une interruption de courant entre l'auteur et l'amateur, de les distinguer des autres. Il ne l'a fait nulle part. Mais on peut assez bien voir ce qu'il entendait par ces derniers, les plus importants selon lui, par quelques exemples qu'il a donnés à l'appui de la théorie de l'incommunicabilité. Ces exemples (il n'y en a que deux), se ramènent à un cas de disproportion entre l'effet obtenu et l'effort de l'auteur. Dans la communication de 1935 à la Société de Philosophie, Valéry montre que l'artiste « excite... dans son patient un grand nombre d'effets » sans avoir besoin « d'y employer autant d'énergie qu'il peut en déclencher ». Tout se passe comme si l'on piquait un animal ou si l'on pressait un bouton commandant une transformation d'énergie.

Il en coûte fort peu à un musicien d'écrire sur une partie « fortissimo » ou bien « furioso » pour déchaîner, dans la salle de concert, un orage de cent instruments... De même, dans les arts du langage ; on peut écrire facilement des mots puissants sans prendre plus de peine que pour écrire des mots très simples ou de signification plus restreinte [3]. A titre de divertissement, je me suis amusé à prendre un vers de La Fontaine..., fait de monosyllabes :
« Prends ce pic et me romps ce caillou qui me nuit. »

1. *Introduction à la méthode de Léonard de Vinci*, in *Variété*, p. 251.
2. *Lettre sur Mallarmé*, in *Variété II*, p. 232.
3. Cf. *Mauvaises pensées et autres*, p. 199 : « *L'intensité*, le plus aisé des moyens, car il n'y a pas plus de force à dépenser pour écrire un mot plus fort qu'un autre : à écrire *tutti* et *fortissimo* plutôt que *piano*, et *univers* plutôt que *jardin*. »

et de remplacer deux mots dans ce vers. Sous cette nouvelle forme,
il pourrait figurer dans un poème cosmogonique :
    « Prends ta foudre et me romps l'univers qui me nuit. »
Vous avez complètement changé d'allure. Il a suffi d'une modification très simple pour passer d'un vers à l'autre [1].

On a un peu l'impression que Valéry se moque de nous. Le
renforcement d'un effet, par le musicien ou le poète, est senti par
lui exactement comme il le sera par l'auditeur. A ce point de vue,
il n'y a aucune disproportion entre eux. Le second exemple, dans
la leçon d'ouverture du *Cours de poétique*, est beaucoup plus
intéressant. Il fait partie des effets « puissants » qui exigent l'absence de correspondance directe entre l'auteur et l'amateur.

Telle œuvre, par exemple, est le fruit de long soins, et elle assemble
une quantité d'essais, de reprises, d'éliminations et de choix. Elle
a demandé des mois et même des années de réflexion, et elle peut
supposer aussi l'expérience et les acquisitions de toute une vie.
Or, l'effet de cette œuvre se déclarera en quelques instants [2].

Cet effet, que nous étudierons plus en détail, manifeste lui aussi
une disproportion, mais singulièrement différente de celle que
Valéry nous présentait tout à l'heure : dans le cas du musicien
écrivant *fortissimo*, toute la peine était du côté des exécutants ;
maintenant, c'est l'auteur qui a dépensé une énergie formidable
dont l'amateur cueillera les fruits en quelques intants de plaisir. Cette fois, l'accumulation et la condensation des impressions,
que l'auteur a mis longtemps à combiner, et dont l'amateur subit
le choc dans un temps bref, permet légitimement de parler d'une
« action de démesure » [3]. Seulement, contrairement à ce que
voulait montrer Valéry dans son premier exemple, cet effet dépend
essentiellement de l'énergie dépensée par l'auteur. Cet effet, que
j'appellerai global, résulte de l'incorporation dans l'œuvre de
toutes les intentions de l'auteur ; il est la somme de tous ses effets,
et il ne peut se comparer à l'effet local d'un *fortissimo* ou d'un
mot fort. Dire ici qu'il n'y a pas de correspondance directe entre
l'auteur et l'amateur, ce n'est pas dire beaucoup plus que de
constater que le second n'est pas le premier. Mais affirmer que

---

1. *Réflexions sur l'art*, in *Bulletin de la Société française de Philosophie*, p. 65.
Le vers de La Fontaine, qui n'est pas tout à fait monosyllabique, a été mal cité
par Valéry, qui lui a donné une portée assez différente. La Fontaine avait écrit :

        Prends ton pic, et me romps ce caillou qui te nuit.
              (*Fables*, livre VI, XVIII, *Le Chartier embourbé*.)

2. *Ibid.*, p. 305-306.
3. *Ibid.*, p. 306.

l'amateur éprouve en quelques instants la masse de ces effets, si soigneusement et longuement calculés, n'est-ce pas réfuter dans son principe la théorie du malentendu et rétablir avec l'auteur le contact qu'on avait prétendu couper ? Le fond de la pensée de Valéry se réduit probablement à une constatation plus humble : c'est que l'amateur ne peut pas deviner comment l'auteur s'y est pris pour obtenir une telle puissance d'effet. Et même il ne le doit pas, car l'œuvre alors perdrait de son efficace. Il faut que l'amateur soit étonné. Valéry le dit très bien, en passant : « Le secret et la surprise que les tacticiens recommandent souvent dans leurs écrits sont ici naturellement assurés. [1] »

Les doutes et les flottements de Valéry procèdent volontiers par négations brutales, et au besoin contradictoires. Il y a chez lui un sceptique tranchant, doublé d'un dogmatique impavide qui, ancré dans ses évidences très diverses et très séparées, les formule avec une netteté agressive. Il n'a jamais été tenté de s'accorder dialectiquement, mais il ne serait pas tout à fait impossible de réduire artificiellement certaines oppositions de sa pensée. Ainsi, Valéry a recherché et fui tour à tour la communication de l'auteur et du public. Or, il se trouve qu'il a imaginé une solution qui dépasse miraculeusement cette antinomie. Il a envisagé le cas où l'œuvre d'art fabrique elle-même son public. Cela suppose une distinction entre deux espèces d'œuvres : celles qui répondent aux exigences ordinaires, et celles qui suscitent des goûts nouveaux. Les unes plaisent parce qu'elles satisfont des besoins connus, auxquels leur auteur s'est plié ; les autres, parce qu'elles satisfont des besoins que leur auteur a imposés. Valéry a exposé plusieurs fois cette classification ingénieuse. Dans *Choses tues* :

Certains ouvrages sont créés par leur public. Certains autres créent leur public.
Les premiers répondent aux besoins de la sensibilité naturelle moyenne. Les seconds créent des besoins artificiels qu'ils satisfont en même temps [2].

Dans *Réflexion sur l'art* :

Une certaine division des œuvres de l'art pourrait se fonder sur cette remarque qu'une partie de ces productions est créée par le public, et qu'une autre crée son public. Il y a donc sous ce rapport deux catégories d'intentions : 1° faire une œuvre sur mesure pour

1. *Leçon inaugurale du Cours de poétique*, in *Variété V*, p. 307.
2. In *Tel quel*, I, p. 18.

le public, une œuvre qui lui convienne ; 2° ou bien, se faire un public qui convienne à l'œuvre [1].

Dans son programme *De l'enseignement de la poétique au Collège de France,* où il revient sur cette

... importante distinction : celle des œuvres *qui sont comme créées par leur public* (dont elles remplissent l'attente et sont ainsi presque déterminées par la connaissance de celle-ci) et des œuvres qui, au contraire, *tendent à créer leur public.* Toutes les questions et querelles nées des conflits entre « petit public » et « grand public », les variations de la critique, le sort des œuvres dans la durée et les changements de leur valeur, etc., peuvent être exposés à partir de cette distinction [2].

Le petit public, contrairement à ce qu'on croit, est plus difficile à atteindre que le grand public :

Songez à ce qu'il faut pour plaire à trois millions de lecteurs. Paradoxe : il en faut *moins* que pour ne plaire qu'à cent personnes exclusivement [3].

Et, de même, il est plus difficile à l'auteur rare qu'à l'auteur répandu de se satisfaire :

... celui qui plaît aux millions se plaît toujours à soi-même, et celui qui ne plaît qu'au peu, généralement se déplaît à soi [4].

Il est à peine besoin de dire que c'est aux œuvres de la seconde espèce que vont les prédilections de Valéry, et, si l'on veut mettre un nom sur un exemple, c'est celui de Mallarmé qui s'impose. La *Lettre sur Mallarmé* oppose au public ordinaire, qui n'aime que la facilité, le public qui ne veut pas de plaisir sans effort :

... il y a cependant plusieurs publics : parmi lesquels il n'est pas impossible d'en trouver quelqu'un qui ne conçoive pas de plaisir sans peine, qui n'aime point de jouir sans payer, et même qui ne se trouve pas heureux si son bonheur n'est en partie son œuvre propre dont il veut ressentir ce qu'elle lui coûte. D'ailleurs, il arrive qu'un public tout spécial se puisse former.

Mallarmé créait donc, en France, la notion d'*auteur difficile.* Il introduisait expressément dans l'art l'obligation de l'effort de l'esprit. Par là, il relevait la condition de lecteur, et avec une admirable intelligence de la véritable gloire, il se choisissait parmi le monde ce petit nombre d'amateurs particuliers qui, l'ayant une fois goûté, ne pourraient plus souffrir de poèmes impurs,

1. In *Bulletin de la Société française de Philosophie,* 1935, p. 76.
2. In *Variété V,* p. 292.
3. *Littérature,* in *Tel quel,* I, p. 164.
4. *Ibid.,* p. 164.

immédiats et sans défense. *Tout leur semblait naïf et lâche après qu'ils l'avaient lu* [1].

Ce public reçoit, ici, les louanges qu'il mérite, mais, par un jeu de bascule fréquent chez Valéry, on peut s'attendre à le voir mépriser ce qu'il a exalté.

Se dresser un public.

Devenir « grand homme » ce n'est que dresser les gens à aimer *tout* ce qui vient de vous ; à le désirer. — On les habitue à son moi comme à une nourriture, et ils le lèchent dans la main.

Mais il y a donc deux sortes de *grands hommes* : — les uns, qui donnent aux gens ce qui plaît aux gens ; les autres, qui leur apprennent à manger ce qu'ils n'aiment pas [2].

Le tribut de l'admiration est négligé par le créateur orgueilleux qui sait que « le génie est facile », que ses chefs-d'œuvre sont inférieurs à lui-même, et que le public ignore la rigueur et la hauteur de son ambition :

Il est refusé aux plus profonds de s'admirer par le détour de la ferveur d'autrui, car ils sont la certitude en personne que nul autre qu'eux-mêmes ne saurait concevoir ni ce qu'ils exigent de leur être ni ce qu'ils espèrent de leur démon. Ce qu'ils donnent au jour n'est jamais que ce qu'ils rejettent : les relents, les débris, les jouets de leur temps caché [3].

N'empêche que c'est à ce lecteur difficile que, selon Valéry, il faut s'adresser.

Écrire pour le lecteur « intelligent ». Pour celui à qui ni l'emphase, ni le ton n'en imposent. Pour celui qui va : ou vivre votre idée, ou la détruire ou la rejeter [4]...

Quant aux autres, avec un dédain poli, il les invite à se retirer :

Ici, peut-être, faudrait-il mettre en doute si un poète peut légitimement demander à un lecteur le travail sensible et soutenu de son esprit ? L'art d'écrire se réduit-il au divertissement de nos semblables et à la manœuvre de leurs âmes, sans participation de leur résistance ? La réponse est aisée, il n'y a point de difficulté, chaque esprit est maître chez soi. Il lui est bien facile de rejeter ce qui le rebute. Ne craignez point de nous refermer. Laissez-nous tomber de vos mains [5].

1. In *Variété II*, p. 223-224.
2. *Rhumbs*, in *Tel quel*, II, p. 71.
3. *Je disais quelquefois à Stéphane Mallarmé*, in *Variété III*, p. 10.
4. *Rhumbs*, in *Tel quel*, II, p. 72.
5. *Stéphane Mallarmé*, in *Variété II*, p. 187-188.

D'ailleurs l'époque moderne, qui n'aime plus que « la facilité de lecture », a raréfié le lecteur attentif :

> Demander au lecteur qu'il tendît son esprit et ne parvînt à la possession complète qu'au prix d'un acte assez pénible ; prétendre, de passif qu'il espère d'être, le rendre à demi-créateur, — mais c'était blesser la coutume, la paresse, et toute intelligence insuffisante.
>
> L'art de lire à loisir, à l'écart, savamment et distinctement, qui jadis répondait à la peine et au zèle de l'écrivain par une présence et une patience de même qualité, se perd : il est perdu [1].

Et Valéry de prétendre que le lecteur qui, autrefois, avait été habitué à l'effort fructueux par Tacite ou Thucydide, a été « exterminé » par la politique et les romans. C'est pourtant cette époque qui s'est le plus intéressée aux auteurs difficiles et l'on peut croire que les grands prosateurs de l'antiquité ont été depuis longtemps concurrencés sérieusement par les romanciers.

L'œuvre valable doit donc rendre le lecteur actif, même s'il risque de défaire cette œuvre, et créateur, car il en extrait plus que l'auteur ne pensait y avoir mis :

> L'arbitraire vivant du lecteur s'attaque à l'arbitraire mort de l'ouvrage.
>
> Mais ce lecteur énergique est le seul qui importe, — étant le seul qui puisse tirer de nous ce que nous ne savions pas que nous possédions [2].

Valéry dédiera « *Mon Faust* », et fera dédier par Faust les mémoires qu'il lui prête, « au lecteur de bonne foi et de mauvaise volonté » [3]. Le lecteur idéal serait celui qui mettrait autant de temps à connaître l'œuvre que l'auteur à la créer.

> Les vrais amateurs d'une œuvre sont ceux qui dépensent à la regarder en elle-même et en eux-mêmes, au moins autant de désir et de temps qu'il en fallut pour la faire [4].

A quoi Valéry ajoute ce curieux coup de sonde qui fait rêver : « Mais plus *intéressés* encore, ceux qui la craignent et qui la fuient. [5] »

1. *Je disais quelquefois à Stéphane Mallarmé*, in *Variété III*, p. 11.
2. *Rhumbs*, in *Tel quel*, II, p. 60.
3. « *Mon Faust* », p. 7 et p. 23.
4. *Littérature*, in *Tel quel*, I, p. 175. Cf., dans *Vues personnelles sur la science*, in *Vues*, p. 54, une exigence analogue, non sans danger, de la part de la science moderne.
5. *Ibid.*, p. 175. A rapprocher de : « Mallarmé sortait des concerts plein d'une sublime jalousie » (*Au Concert Lamoureux en 1893*, in *Pièces sur l'art*, p. 84) et de : « Les uns, Wagner ; les autres chérissaient Schumann. Je pourrais écrire qu'ils

Quelles que soient les précautions prises, l'effet de l'œuvre dépend du public. Il est sujet à toutes sortes de vicissitudes. Mais il y a quelque chose qui demeure inchangé : c'est l'œuvre, c'est le poème lui-même. Il se retrouve identique après chaque interprétation. Il garde la propriété de provoquer indéfiniment de nouvelles interprétations. Cette espèce d'éternité, qui est le rêve de tous les artistes, Valéry la place, ou place son équivalent, dans cette puissance génératrice.

Une œuvre est un objet ou un événement des sens, cependant que les diverses valeurs ou interprétations qu'elle suggère sont des conséquences (idées ou affections), qui ne peuvent l'altérer dans sa propriété toute matérielle d'en produire de tout autres [1].

Valéry compare « le texte d'une œuvre » à ces « corps assez mystérieux que la physique étudie et que la chimie utilise » et dont « la seule présence... dans un certain mélange d'autres substances détermine celles-ci à s'unir entre elles, eux demeurant inaltérés, identiques à eux-mêmes, ni transformés dans leur nature, ni accrus ni diminués dans leur quantité » [2]. Ainsi, pour le texte d'une œuvre :

Son action de présence modifie les esprits, chacun selon sa nature et son état, provoquant les combinaisons qui étaient en puissance dans telle tête ; mais, quelle que soit la réaction ainsi produite, le texte se retrouve inaltéré et capable d'amorcer indéfiniment d'autres phénomènes dans une autre circonstance ou dans un autre individu [3].

L'ingénieuse périphrase qui fait allusion à la catalyse sauve à la fois l'indépendance de l'œuvre et la liberté de l'amateur.

En fait, Valéry est bien loin d'être assuré que le texte conserve vraiment son intégrité. Il y a un facteur qui le dénature fatalement. C'est le temps. « ... le changement d'époque, qui est un changement de lecteur, est comparable à un changement dans le texte même, changement toujours imprévu, et incalculable. [4] » L'accord de trois mots, dans tel vers de Racine, « trouve un renforcement inattendu et une résonance extraordinaire dans la

les haïssaient. A la température de l'intérêt passionné, ces deux états sont indiscernables » (*Avant-propos*, in *Variété*, p. 95-96).
1. *Commentaires de Charmes*, in *Variété III*, p. 83.
2. *Ibid.*, p. 83-84.
3. *Ibid.*, p. 84.
4. *Au sujet d'* « *Adonis* », in *Variété*, p. 86. Cf. *Littérature*, in *Tel quel*, I, p. 168 : « L'œuvre dure en tant qu'elle est capable de paraître tout autre que son auteur l'avait faite. Elle dure pour s'être transformée et pour autant qu'elle était capable de mille transformations et interprétations. »

poésie romantique ; dans une âme de notre époque, il se mélange merveilleusement à quelques-uns des plus beaux vers de Baudelaire » [1]. De même, l'*Adonis* de La Fontaine « se ranime... par le contraste d'une forme si douce et de si claires mélodies avec notre système de discordances et cette tradition de l'excessif que nous avons docilement reçue » [2]. Il a noté mélancoliquement que « le sort fatal de la plupart de nos ouvrages est de se faire imperceptibles ou étranges », perdant peu à peu « toutes leurs chances de plaire », au fur et à mesure que disparaissent leurs amateurs et qu'en vieillissant la « matière de parole... perd ses rapports avec l'homme » [3].

L'effet de l'œuvre est encore menacé par la diversité des interprétations. Mais Valéry voit dans ces divergences la caractéristique de l'esprit et comme une réplique dans le public de la liberté créatrice :

> ... des divergences peuvent se manifester entre les interprétations poétiques d'un poème, entre les impressions et les significations, ou plutôt entre les résonances que provoquent, chez l'un ou chez l'autre, l'action de l'ouvrage. Mais voici que cette remarque banale doit prendre, à la réflexion, une importance de première grandeur : cette diversité possible des effets légitimes d'une œuvre, est la marque même de l'esprit. Elle correspond, d'ailleurs, à la pluralité des voies qui se sont offertes à l'auteur pendant son travail de production. C'est que tout acte de l'esprit même est toujours comme accompagné d'une certaine atmosphère d'indétermination plus ou moins sensible [4].

Ainsi la diversité de l'effet répondrait à la diversité de la création. Ce qui pourrait mener, semble-t-il, à placer la vraie valeur d'une œuvre dans la totalité des impressions qu'elle a pu produire, ou, d'une façon plus facile à contrôler, dans la somme des interprétations qu'elle est capable de susciter. Et, en effet, nous mesurons bien la richesse d'une œuvre à son potentiel inépuisable de suggestions. Resterait à montrer que ces effets multiples, et parfois contradictoires, sont bien en relation avec ce qui fut l'activité spirituelle de l'artiste, et ne font que développer la pluralité des virtualités inscrites dans son œuvre. Mais il faudrait alors renoncer, une fois de plus, à la théorie du « malentendu créateur ».

1. *Au sujet d' « Adonis »*, p. 87.
2. *Ibid.*, p. 88.
3. *Oraison funèbre d'une fable*, in *Variété II*, p. 50-52.
4. *Leçon inaugurale du Cours de poétique*, in *Variété V*, p. 310-311.

CHAPITRE IX

LA THÉORIE DES EFFETS
(Suite.)

Voyons maintenant les catégories d'effets auxquelles Valéry s'est intéressé. Nous pouvons en distinguer trois : l'effet d'ensemble produit par l'œuvre : appelons cela *l'effet global* ; les effets produits par le poème en tant que nous le jugeons poétique : appelons cela les *effets spécifiques* ; enfin des effets variés, sans dénominateur commun : appelons cela les *effets particuliers*.

L'*effet global* est caractérisé par la surprise, l'instantanéité et la disproportion entre la brièveté d'impression et l'énorme accumulation de travail incorporée dans l'œuvre.

Un coup d'œil suffira à apprécier un monument considérable, à en ressentir le choc. En deux heures, tous les calculs du poète tragique..., toutes les combinaisons d'harmonie et d'orchestre qu'a construites le compositeur, toutes les méditations du philosophe..., viennent... frapper, étonner, éblouir ou déconcerter l'esprit de l'Autre, brusquement soumis à l'excitation de cette charge énorme de travail intellectuel. Il y a là une action de *démesure* [1].

Un édifice vu d'un coup d'œil assène aux regards dans un instant tout le fruit de milliers d'heures, toutes les longueurs des architectes et des maçons. Et même l'action des siècles, l'usure, le travail du tassement, et encore les contrastes de civilisation, de modes, de goûts accumulés depuis l'origine. Et un coup d'œil suffit à ressentir l'essence composé de tout ceci, comme une cuillerée d'une mixture [2].

... la durée de composition d'un poème même très court pouvant absorber des années, l'action du poème sur le lecteur s'accomplira en quelques minutes. En quelques minutes, ce lecteur recevra

---

1. *Leçon inaugurale du Cours de poétique*, in *Variété V*, p. 306.
2. *Autres rhumbs*, in *Tel quel*, II, p. 158.

le choc de trouvailles, de rapprochements, de lueurs d'expression, accumulées pendant des mois de recherche, d'attente, de patience et d'impatience [1].

Comme souvent, l'idée est illustrée d'une image ; Valéry compare « cet effet à celui de la chute en quelques secondes d'une masse que l'on aurait élevée, fragment par fragment, au haut d'une tour... » [2].

J'ai élevé pierre par pierre sur une montagne, une masse que je fais tomber d'un seul bloc sur eux. J'ai mis cinq ans, dix ans, à l'accumuler en détail sur la hauteur, et ils en reçoivent le choc d'un coup, dans un instant [3].

Cet effet si puissant, la différence de durée entre l'élaboration et la réception prive à jamais le plus intéressé de le ressentir. Valéry a exprimé dans un monologue, qui eût pu devenir un poème, cette douleur du patient artiste sevré de la jouissance de son œuvre.

Hélas, dit ce grand artiste, cette œuvre que j'ai faite, cette œuvre qu'on dit admirable, qui excite les âmes autour de moi, celle dont on parle, que l'on porte aux nues, dont on interroge les beautés, je suis seul à n'en pas jouir !
J'en ai conçu le dessein, j'en ai étudié et exécuté toutes les parties. Mais l'effet instantané de l'ensemble, le choc, la découverte, la naissance finale du tout, l'émotion composée, tout ceci m'est refusé, tout ceci est pour les hommes qui ne connaissent pas cet ouvrage, qui n'ont pas vécu avec lui, qui ne savent pas les lenteurs, les tâtonnements, les dégoûts, les hasards... mais qui voient seulement comme un magnifique dessein réalisé d'un coup [4].

Bien entendu, nous ne croyons pas que l'artiste soit tellement à plaindre. Si son œuvre le satisfait, il a plus que personne les moyens de la goûter. Pour l'effet de surprise et de découverte, il lui suffira d'attendre, et il pourra peut-être se dire comme Swift : « Quel génie j'avais quand j'ai écrit cela. »

L'effet de choc sert également à expliquer chez le lecteur qui le subit la genèse de sa croyance dans l'inspiration : il

... pourra attribuer à l'inspiration beaucoup plus qu'elle ne peut donner. Il imaginera le personnage qu'il faudrait pour créer sans arrêts, sans hésitations, sans retouches [5]...

•

1. *Poésie et pensée abstraite*, in *Variété V*, p. 159.
2. *Leçon inaugurale du Cours de poétique*, in *Variété V*, p. 306.
3. *Autres rhumbs*, in *Tel quel*, II, p. 150.
4. *Ibid.*, p. 149-150.
5. *Poésie et pensée abstraite*, in *Variété V*, p. 159.

« Supposons.., le grand effet produit...»,on sera porté à imaginer

... un être aux immenses pouvoirs, capable de créer ces prodiges sans autre effort que celui qu'il faut pour émettre quoi que ce soit... Certains éléments de l'ouvrage... venus à l'auteur par quelque hasard favorable, seront attribués à une valeur singulière de son esprit. C'est ainsi que le consommateur devint producteur à son tour : producteur, d'abord, de la valeur de l'ouvrage ; et ensuite... de la valeur de l'être imaginaire qui a fait ce qu'il admire [1].

Voilà un amateur bien naïf, que nous avons déjà rencontré, mais qui, s'il est assez sot pour croire que l'on crée sans effort, sans critique et sans bonheur, n'a pas tellement tort de se représenter le génie comme doué d'une puissance supérieure à la sienne. On peut en tout cas lui accorder assez de modestie pour qu'il ne soit pas tenté de se croire le producteur de la valeur de l'œuvre et de celle de son auteur. Il les reconnaît ; il ne les crée pas. Ce paradoxe est voisin de ceux qui font du lecteur un inspiré et un créateur. Ils ne s'accordent pas trop bien avec la théorie de la démesure, car, si l'écart énorme entre les activités de l'auteur et de l'amateur, rendu sensible par le choc de l'effet global, est la cause de la foi de l'amateur dans la vertu de l'inspiration chez l'auteur, il la légitime aussi ; l'amateur sait trop bien que son propre travail accumulé ne parviendrait jamais à un résultat de cette valeur. Il ne lui vient pas à l'esprit de prendre la volupté à demi passive de la contemplation pour une forme de la création originale. Si sa croyance à l'inspiration chez l'auteur est naïve, l'illusion d'être lui-même inspiré serait bien plus naïve encore. Le beau des paradoxes est que, retournés, ils reconduisent à la banalité.

Laissons les conséquences hasardeuses que Valéry a tirées de l'*effet global* et examinons la portée qu'il convient d'attribuer à celui-ci. Nous remarquerons d'abord qu'un tel effet, sous la forme où Valéry le présente, n'est concevable que pour des œuvres courtes (en poésie et en musique), ou dont le tout est saisissable dans un temps restreint (dans les arts plastiques). En fait, Valéry considère comme pratiquement instantanées des actions de durée fort variable : un coup d'œil pour un monument, quelques minutes pour un poème, deux heures pour une tragédie, une symphonie, un traité philosophique... Si la disproportion entre le temps de la création et le temps de la contemplation est bien fondée, et même d'une vérité banale, il est abusif d'assimiler au même

1. *Leçon inaugurale du Cours de poétique*, in *Variété V*, p. 306-307.

type d'effet des impressions qui varient en degré et en nature si l'attention est concentrée ou répartie dans sa durée. L'effet prestigieux de l'instantanéité géniale, effet brusque qu'on pourrait appeler de *sidération*, conviendrait beaucoup mieux à certaines beautés de détail qu'à la beauté d'ensemble ou de perspective, exception faite pour les œuvres statiques ou de brève durée qu'on peut saisir, ou plutôt qui vous saisissent, d'un seul regard ; il s'appliquerait aussi parfois à l'*effet terminal*, d'un tout ou d'une partie. Toutes les fois que le développement dans la durée est essentiel à l'œuvre, ramener l'effet d'ensemble à un effet ponctuel est insoutenable.

Il y a des cas où l'effet global ne se distingue pas de l'effet final. C'est d'abord quand la brièveté du texte qui frappe le lecteur est extrême [1]. On peut penser à la maxime, à l'épigramme, au mot d'esprit, mais aussi bien au vers isolé (au monostiche, comme dit le poète Emmanuel Lochac). Valéry en a décrit la mécanique : « Trait d'esprit, — est usage du mot ou de l'acte pour son effet de choc instantané. Faible masse, grande vitesse. [2] » Et comme l'humour ne perd pas ses droits, il a ajouté : « Il y a des traits de sottise aussi considérables, aussi rares, aussi précieux que des traits d'esprit » [3], remarque pertinente qui aurait pu ouvrir une porte sur les *effets comiques*, notamment sur les mots de caractère [4]. Un autre cas est celui où l'effet final est préparé par tout le texte, où tout dans le texte lui est subordonné. Le sonnet a souvent été conçu de cette façon. On attend la chute, la pointe ou le grand effet culminant. Il me semble que Valéry n'en a plus parlé depuis sa jeunesse. Mais le projet d'article *Sur la technique littéraire* de 1889 faisait la part du lion au vers conclusif : « ... un sonnet... sera une véritable quintessence..., soigneusement *composé* en vue d'un effet final et foudroyant... »

... le poème, selon nous, n'a d'autre but que de préparer son dénouement. Nous ne pouvons mieux le comparer qu'aux degrés d'un autel magnifique, aux marches de porphyre que domine le Tabernacle. L'ornement, les cierges, les orfèvreries, les fumées d'encens — tout s'élance, tout est disposé pour fixer l'attention sur l'ostensoir — sur le dernier vers [5] !

1. Valéry a regretté l'absence dans les Histoires littéraires d'un chapitre consacré au « genre bref ». « Il existe plus d'un chef-d'œuvre du génie compendieux » (*Variations sur la céramique illustrée*, in *Pièces sur l'art*, p. 273-274).
2. *Rhumbs*, in *Tel quel*, II, p. 85.
3. *Ibid.*, p. 85.
4. Valéry s'est cependant intéressé au rire, dont il a parlé çà et là.
5. In *Dossiers*, 1, p. 27-28. Le 2 juin 1890, il écrit à Pierre Louÿs que le sonnet

Dans le même article, le jeune Valéry s'intéressait à un cas plus complexe. Il rapprochait l'usage des répétitions et des refrains dans *Le Corbeau* de la technique de Wagner :

> ... Quand le poème a une certaine étendue, une centaine de vers, je suppose, l'artiste doit s'ingénier à retenir la pensée sur quelques points importants qui, rapprochés et fortifiés à la fin, contribueront puissamment à l'éclat dernier et décisif [1].

> Supposons qu'au lieu d'un refrain unique et monocorde, on en introduise plusieurs, que chaque personnage, chaque paysage, chaque état d'âme ait le sien propre ; qu'on les reconnaisse au passage ; qu'à la fin de la pièce de vers ou de prose, tous ces signes connus confluent pour former ce qu'on a appelé le *torrent mélodique* et que l'effet terminal soit le fruit de l'opposition, de la rencontre du rapprochement des refrains, et nous arrivons à la conception du *leit motive* ou motif dominant qui est la base de la théorie musicale wagnérienne. Croit-on impossible d'appliquer ces principes à la littérature [2] ?

Nous avons ici le début du rêve de la grande composition symphonique en poésie. Du point de vue de la théorie des effets, ce cas particulier d'effet global et terminal est remarquable par la convergence des effets antérieurs.

Valéry, toujours sensible à ce qui peut détruire l'art, n'a pas manqué de considérer l'échec de l'effet global :

> ... l'effet... ne se produit pas toujours ; il arrive, dans cette mécanique intellectuelle, que la tour soit trop haute, la masse trop grande et que l'on observe un résultat nul ou négatif [3].

Il s'agit ici d'une œuvre particulière. Mais je crois que Valéry a aussi songé parfois à l'effet général qu'un auteur se propose d'atteindre sur un vaste public par l'abondance et l'accumu-

---

sera composé « en vue d'un coup de foudre final et décisif », et il recopie, à quelques mots près, la comparaison avec l'autel et l'ostensoir (lettre citée par Henri Mondor, *Le Vase brisé de Paul Valéry*, in *Paul Valéry. Essais et témoignages inédits recueillis par Marc Eigeldinger*, p. 14-16). Si Valéry n'a plus parlé de l'effet final du sonnet, c'est que sa conception du sonnet a changé : «... le plus beau reste encore à faire : ce sera celui dont les quatre parties rempliront chacune une fonction bien différente de celle des autres, et cette progression de différences dans les strophes cependant bien justifiée par la *ligne* de tout le discours » (*Calepin d'un poète*, in *O. C.*, t. C, p. 194). « Le sonnet est fait pour le simultané. Quatorze vers *simultanés*, et fortement désignés comme tels par l'enchaînement et la conservation des rimes ; type et structure d'un poème *stationnaire* » (*Autres rhumbs*, in *Tel quel*, II, p. 154). Trois types bien différents : l'intention se porte sur le dernier vers, sur la différence et le lien des quatre parties, sur l'égalité des quatorze vers.

1. *Ibid.*, p. 28.
2. *Ibid.*, p. 29.
3. *Leçon inaugurale du Cours de poétique*, in *Variété V*, p. 306.

lation. Ce n'est plus un effet instantané, mais c'est encore un effet d'ensemble, insistant et quantitatif. C'est ainsi que Valéry nous peint Zola croyant « en toute naïveté aux choses mêmes : rien de trop solide, de trop pesant et puissant pour lui ; et en littérature, rien de trop exprimé », « convaincu de l'efficace de la prose à *rendre*, — presque à recréer, — la terre et les humains, les cités et les organismes, les mœurs et les passions, la chair et les machines », et enfin « confiant dans l'*effet de masse* de la quantité des détails, du nombre des pages et des volumes... »[1]. Il peut arriver enfin qu'un écrivain, pour une raison personnelle, veuille éviter l'effet d'ensemble que produit presque toujours un ouvrage. On conçoit que l'auteur d'un recueil de pensées ou de mélanges craigne d'être simplifié par son lecteur. Celui-ci a tendance à unifier ce qui était dispersé et à résumer dans une image un être qui n'a livré pourtant que des fragments de lui-même. C'est ainsi que Valéry a cru devoir prévenir le lecteur de *Propos me concernant* que ceux-ci n'étaient pas une œuvre, mais un rassemblement désordonné de « moments », afin de le prémunir « contre l'effet de " bloc " »[2]. Ce que redoute Valéry, c'est qu'on crée avec ces confidences un personnage, c'est un *effet d'unité*, dont il sait très bien comment il s'obtient, comme il le dit dans le même recueil un peu plus loin :

> Si je prend des fragments dans ces cahiers, et que, les mettant à la suite, entre astérisques, je les publie, l'ensemble fera quelque chose. Le lecteur — et même moi-même — en formera une *unité*.
> Et cette formation sera, fera *autre chose* — imprévue de moi jusque-là, dans un esprit ou dans le mien. Avec un rien de fable qui assemble quelques observations, on obtient un personnage assez viable. C'est ainsi que j'ai écrit *M. Teste* en 94 ou 95[3].

Nous venons de voir, somme toute, les modalités de l'effet global envisagées par Valéry. Peu d'entre elles sont susceptibles de se produire avec cette instantanéité, même élargie, où Valéry les localise. On peut se demander ce qui l'a amené à soutenir une thèse si absolue. C'est que pour lui *effet* et *instant* sont presque synonymes. Nous sommes à l'un des points de sa doctrine où l'esthétique, ou l'esthésique comme il aimait à dire, se rattache à sa conception générale de la sensibilité : « les effets poétiques sont instantanés, comme tous les effets esthétiques, comme tous

1. *Triomphe de Manet*, in *Pièces sur l'art*, p. 206-207.
2. *Propos me concernant*, p. 4.
3. *Ibid.*, p. 29.

les effets sensibles. [1] » Pour Valéry, un effet est ce qui ne dure pas. Si étrange que soit cette position, elle s'éclaire lorsqu'on lit une page très curieuse, et un peu abstruse, où Valéry oppose la brièveté de l'impression chez l'amateur de poésie à l'attention prolongée. Or l'amateur n'est jamais dans la possibilité de passer du premier état au second. S'il le pouvait, la poésie disparaîtrait. C'est l'éclair qui embellit ce qu'il révèle brusquement, car il fait pressentir un monde différent du monde ordinaire. Valéry a appelé cette illumination instantanée « le phénomène photo-poétique ».

C'est un grand avantage pour un poète que l'incapacité où la plupart des êtres se sentent de pousser leur pensée *au delà* du point où elle éblouit, excite, transporte.

L'étincelle illumine un lieu qui semble infini au petit temps donné pour le voir. L'expression éblouit.

La merveille du choc ne peut se distinguer des objets qu'il révèle. Les ombres fortes qui paraissent dans l'instant demeurent au souvenir comme des meubles admirables.

On ne les discerne pas des vrais objets. On en fait des choses positives.

Mais observe bien que, par un grand bonheur pour la poésie, le petit temps dont j'ai parlé ne peut pas se dilater ; on ne peut substituer à l'étincelle une *lumière fixe entretenue.*

Celle-ci éclairerait tout autre chose.

Les phénomènes ici dépendent de la source éclairante.

Le *petit temps* donne des lueurs d'un autre système ou « monde » *que ne peut éclairer une clarté durable.* Ce monde (auquel il ne faut pas attacher de prix métaphysique — ce qui est inutile et absurde) est essentiellement *instable.* Peut-être est-ce le monde de la *connexion propre et libre* des ressources virtuelles de l'esprit ? Le monde des attractions, des plus courts chemins, des résonances [2]...

Nous connaissons ce monde des attractions : c'est celui de la création ; et ce monde des résonances : c'est l'univers poétique.

C'est sans doute à cet effet prestigieux de l'*instant* génial que Valéry fait allusion dans une courte note où il oppose deux séries incomparables d'états psychologiques, et qui donne à penser que ce n'est pas seulement chez l'amateur que la disproportion et la démesure sont actives :

Chef-d'œuvre, merveilleuse machine à faire mesurer toute la distance et la hauteur entre un bref temps et une très longue élaboration, entre un coup heureux et des milliards d'issues quel-

1. *L'Invention esthétique,* in *l'Invention,* p. 150. Cf. *La Tentation de (saint) Flaubert,* in *Variété V,* p. 200 : « La littérature... vise à des effets immédiats et instantanés. »

2. *Instants,* in *Mélange,* p. 192-193.

conques ; entre un Moi artificiellement porté à la plus haute puissance et un Moi au zéro ; entre ce qu'il faut pour faire un ouvrage,
et ce qui dans un coup d'œil, dans un contact est donné.

Perfection, pureté, profondeur, délice, ravissement qui se ren-
force soi-même [1].

L'artiste, en effet, connaît l'inspiration, ou le hasard, ou la
chance, qui, dans un moment privilégié, le comble d'une grâce
et le fait puissant comme un dieu, et, d'autre part, le labeur per-
sévérant et les ratés de l'exécution, la sensibilité au point mort,
les mille astreintes de sa discipline.

L'accumulation dans l'œuvre à effet instantané de tant de
travail et de tant de durée se retrouve, d'un autre point de vue,
chez l'artiste, considéré, de façon un peu mythique, comme
contractant en lui des siècles de pensée. Il devient, en un sens,
un instant, combien précieux, et, d'une certaine manière, se
présente comme un contraire du temps. C'est du moins ce que
développe Socrate dans *Eupalinos* :

Il n'est pas entièrement impossible, un morceau de marbre ou
de pierre tout informe étant confié à l'agitation permanente des
eaux, qu'il en soit retiré quelque jour, par un hasard d'une autre
espèce, et qu'il affecte maintenant la ressemblance d'Apollon.

PHÈDRE

Mais alors, cher Socrate, le travail d'un artiste, quand il fait
immédiatement, et par sa volonté suivie, un tel buste (comme celui
d'Apollon), n'est-il pas, en quelque sorte, le contraire du temps
indéfini ?

SOCRATE

Précisément. Il en est le contraire même, comme si les actes
éclairés par une pensée abrégeaient le cours de la nature ; et l'on
peut dire, en toute sécurité, qu'un artiste vaut mille siècles, ou cent
mille, ou bien plus encore ! — C'est dire qu'il eût fallu ce temps
presque inconcevable, à l'ignorance ou au hasard, pour amener
aveuglément la même chose que notre homme excellent a accomplie
en peu de jours. Voilà une étrange mesure pour les œuvres !

PHÈDRE

Tout à fait étrange. C'est un grand malheur que nous ne puis-
sions guère nous en servir [2].

Mais le point de vue de l'instantanéité de l'effet ne peut être
toujours maintenu. Il est trop évident que les œuvres complexes
exigent une attention qui dure, et des reprises multiples de cette
attention, qui entraînent nécessairement dans le jeu des effets

---

1. *Autres rhumbs*, in *Tel quel*, II, p. 151-152.
2. *Eupalinos*, p. 161-162.

un maintien et un prolongement de ceux-ci (un affaiblissement aussi, il faut le reconnaître). Selon leur ambition, ces œuvres auront une action à longue portée, tandis que d'autres, plus légères, seront consommées rapidement :

Des écrits, les uns sont faits ou se trouvent faits pour agir momentanément et énergiquement.
Un article de journal est incomparable à un livre. D'autres sont pour action lente, durable, croissante. Faits pour la troisième, quatrième lecture...
Un article de journal peut être regardé comme restituant en trois minutes, une accumulation de deux heures.
Un livre peut restituer, en quatre heures, mille heures de travail. Mais mille heures de travail sont très différentes d'une somme de minutes. Les coupures, les discontinuités et les reprises jouent un rôle capital.
Et tel écrit vaut comme excitateur ou apéritif de la pensée et tel autre comme satisfacteur, remplaçant, aliment de pensée [1].

Il est curieux que ces réflexions, qui marquent si bien les différences de régime des œuvres, n'aient pas incliné Valéry à nuancer sa théorie de l'instantanéité des effets. On a parfois l'impression qu'il y avait dans son esprit des cloisons étanches.

*
* *

Venons-en aux effets spécifiques de la poésie. Valéry a insisté sur un effet qui n'est pas proprement esthétique et que les psychologues classeraient dans le retentissement organique des émotions. Le poème, selon Valéry, ici bien moins intellectualiste qu'on pourrait s'y attendre, s'adresse plus à la vie qu'à l'esprit. Il s'agit plutôt de devenir que de comprendre [2].

La poésie doit s'étendre à tout l'être ; elle excite son organisation musculaire par les rythmes, délivre ou déchaîne ses facultés verbales dont elle exalte le jeu total, elle l'ordonne en profondeur [3].

Le corps vivant, agissant et réagissant, devient un *résonateur*. Il ne serait pas difficile, en suivant Valéry dans cette direction, de montrer qu'ayant fait passer l'inspiration du poète au lecteur, il opère un transfert analogue pour l'enthousiasme. L'effet qu'il décrit ici est, pour une grande part, physiologique. On notera avec intérêt que c'est cet effet-là que Valéry trouve le plus à l'abri de

1. *Cahier B*, in *Tel quel*, I, p. 219-220.
2. *Je disais quelquefois à Stéphane Mallarmé*, in *Variété III*, p. 17.
3. *Propos sur la poésie*, in *Conferencia*, 1928, p. 472.

l'incertitude et où il semble consentir à rétablir le courant entre
l'auteur et l'amateur, sans doute parce que ce n'est pas un courant
de pensée :

Il n'y a... guère que le rythme et les propriétés sensibles de la
parole par quoi la littérature puisse atteindre l'être organique d'un
lecteur avec quelque confiance dans la conformité de l'intention
et des résultats [1].

Les effets rythmiques et sonores ne sont pas le tout de la poésie,
surtout pour Valéry qui considère le *son* et le *sens* comme des
variables absolument indépendantes. Dans le domaine séparé
de la signification, Valéry a isolé un curieux phénomène de résonance, non pas au sens purement musical, mais dans un sens
psychique ; c'est ce qu'il appelle la *résonance d'images*. Il s'agit
des effets « que produisent les groupements de mots et de physio-
nomies de mots indépendamment des liaisons syntaxiques, et
par les influences réciproques (c'est-à-dire : non syntaxiques)
de leurs voisinages » [2]. Par exemple,

> Dans l'Orient désert quel devint mon ennui !

contient « un accord magnifique » de trois mots [3]. L'impression
de

> Sois sage, ô ma douleur, et tiens-toi plus tranquille

résulte, outre la musique et le ton, du simple rapprochement des
idées vagues de Sagesse et de Douleur [4]. Dans

> J'aime la majesté des souffrances humaines

Valéry voit, d'abord une niaiserie, mais aussi « un bel *accord* de
deux mots *importants* » [5]. Il n'est pas interdit de concevoir un
poète cherchant systématiquement à inventer de tels accords.
Certains mots ont déjà par eux-mêmes un potentiel poétique et
le poète pressent, dans le langage, la présence d'autres mots
capables d'établir avec eux ce courant mystérieux de signification qui ne doit rien à leurs rapports grammaticaux (à mon avis,
il s'agit d'une liaison affective). On peut exprimer cet accord par
des images tirées de l'électricité ou de l'acoustique (résonance,

1. *La création artistique*, in *Bulletin de la Société française de Philosophie*, 1928, p. 6.
2. *L'Invention esthétique*, in *L'Invention*, p. 149.
3. *Au sujet d' « Adonis »*, in *Variété*, p. 87.
4. *Poésie et pensée abstraite*, in *Variété V*, p. 155.
5. *Littérature*, in *Tel quel*, II, p. 159.

harmoniques) ; on pourrait parler aussi de reflets. Valéry mêle les deux premières espèces lorsqu'il décrit **Mallarmé à l'affût** de ces effets d'influence réciproque :

> Mallarmé s'était fait une sorte de science de *ses mots*. On ne peut point douter qu'il n'ait raisonné sur leurs figures, exploré l'espace intérieur où ils paraissent, tantôt *causes* et tantôt *effets* ; estimé ce qu'on pourrait nommer leurs *charges poétiques* ; et que, par ce travail indéfiniment poussé et précisé, les mots ne se soient secrètement, virtuellement ordonnés dans la *puissance* de son esprit, selon une loi mystérieuse de sa profonde sensibilité.
>
> Je me représentais son attente : l'âme tendue vers les *harmoniques*, et toute à percevoir l'événement d'un mot dans l'univers des mots, où elle se perd à saisir tout l'ordre des liaisons et des résonances qu'une pensée anxieuse de naître invoque...
>
> « Je dis : UNE FLEUR... », écrit-il [1].

La notion de résonance joue dans la poétique de Valéry un rôle plus large. Elle est à la base de sa conception même de l'univers poétique. Rappelons-nous que, dans l'état poétique, notre disposition interne se trouve accordée avec les circonstances qui nous impressionnent, autrement dit que notre sensibilité générale est dans une relation merveilleusement juste avec un monde dans lequel les objets sont musicalisés, résonnants l'un par l'autre. La résonance est double : on la sent dans le rapport de l'individu avec l'univers poétique, et dans l'organisation interne de celui-ci (ce qui, du reste, revient au même, car ce monde, ou système de rapports, est intérieur) On se souvient encore que l'amateur d'art a été comparé à un résonateur. Et nous venons de voir que l'effet physiologique du poème n'était autre que de nous accorder organiquement. La résonance mutuelle des images (des significations de mots privilégiés) n'était qu'un cas particulier du système d'harmonies constitué par le poème. *L'Amateur de poèmes*, qui termine *l'Album de vers anciens*, amène savamment le mot-clef dans un paragraphe qui est une invitation au voyage dans le royaume poétique :

> Je m'abandonne à l'adorable allure : lire, vivre où mènent les mots. Leur apparition est écrite. Leurs sonorités concertées. Leur ébranlement se compose, d'après une méditation antérieure, et ils se précipitent en groupes magnifiques ou purs, dans la résonance.

La notion de résonance s'étend à tous les arts dans la mesure où ils parviennent à créer l'état poétique, et encore à certains

---

1. *Je disais quelquefois à Stéphane Mallarmé*, in *Variété III*, p. 25-26.

aspects de la nature ou de la vie. La synonymie de *résonance* et
de *poésie* dans le lexique de Valéry pourrait être attestée par de
nombreux textes.

On dit d'un site, d'une circonstance, et même d'une personne,
qu'ils sont *poétiques*.

Cet état est de résonance. Je veux dire — mais comment dire ? —
que tout le système de notre vie sensitive et spirituelle s'en trouvant
saisi, il se produit une sorte de liaison harmonique et réciproque
entre nos impressions, nos idées, nos impulsions, nos moyens
d'expression, — comme si toutes nos facultés devenaient tout à
coup commensurables [1].

Mainte toile admirable ne se rapporte nécessairement à la poésie.
Bien des maîtres firent des chefs-d'œuvre sans résonance. Même,
il arrive que le poète naisse tard dans un homme qui jusque-là
n'était qu'un grand peintre. Tel Rembrandt [2]...

Dans ses meilleures toiles, [Manet] arrive à la *poésie*, c'est-à-dire
au suprême de l'art, par ce qu'on me permettra de nommer... *la
résonance de l'exécution* [3].

Cette métaphore est très souvent liée chez lui avec trois termes
plus ou moins équivalents (on les trouve souvent mêlés ou subs-
titués les uns aux autres) et dont le passage lui était facilité par
le jeu des rapports sémantiques et étymologiques. C'est la série
chant-enchantement-charme. Elle nous amène à envisager une
suite d'effets voisins. Le chant est entendu ici d'une façon large
et symbolique : il y a des tableaux et des monuments qui chantent,
et aussi des formes et des moments de l'existence. Eupalinos distinguait, parmi les édifices, ceux qui sont *muets*, ceux qui *parlent*
et, les plus rares, ceux qui *chantent* [4]. Phèdre comparait le petit
« temple délicat », « image mathématique d'une fille de Corinthe »,
à « quelque chant nuptial mêlé de flûtes » [5], et il comprenait
qu' « une façade peut chanter » [6]. Socrate voulait « entendre le
chant des colonnes » et se « figurer dans le ciel pur le monument.
d'une mélodie » [7].

> Douces colonnes, ô
> L'orchestre de fuseaux !

1. *Autour de Corot*, in *Pièces sur l'art*, p. 177-178.
2. *Triomphe de Manet*, in *Pièces sur l'art*, p. 213.
3. *Degas. Danse. Dessin*, p. 45. Voir encore, dans *Triomphe de Manet*, in
Pièces sur l'art, p. 213-214, par quels moyens Manet, dans un portrait de Berthe
Morisot, « fait résonner son œuvre ».
4. *Eupalinos*, p. 105-106.
5. *Ibid.*, p. 105.
6. *Ibid.*, p. 133.
7. *Ibid.*, p. 123.

> Chacune immole son
> Silence à l'unisson.

De même, « le don réel et spécial du peintre fera que le portrait
sera une œuvre d'art et chantera par lui-même, indépendamment
de la ressemblance »[1] « Ainsi, dans l'ordre plastique : l'*homme
qui voit* se fait, se sent tout à coup *âme qui chante*... [2] »

Tous les peintres, pourtant, — j'entends tous les meilleurs, —
ne sont pas également poètes.

On voit quantité d'admirables tableaux qui, s'imposant par leurs
perfections, toutefois ne « chantent » pas [3].

Ainsi, Degas n'atteint pas « à la poésie de la peinture » [4]. « La
grâce ni la poésie apparente ne sont pas ses objets. Ses ouvrages
ne chantent guère. [5] » Et, si l'on veut une transition avec les spectacles naturels jouissant de cette propriété, Valéry nous dit que
la peinture « puise dans les choses vues ce par quoi elles chantent...
Chaque vrai peintre est un résonateur... » [6]. Comme il distinguait
plusieurs sortes de monuments, Valéry sépare des « visages du
monde... indifférents ou bien d'importance définie », certains
« aspects du jour » qui « nous touchent au delà de toute détermination ou classification » et « nous donnent l'idée d'un certain
“ monde ” dont ils seraient la révélation... ». Ce monde est comparable à l'univers de la musique. « Or il y a pareillement des aspects,
des formes, des moments du monde visible qui *chantent*. Rares
sont ceux qui, les premiers, distinguent ce chant. Il est des lieux
de la terre que nous avons vu commencer à admirer. Corot en a
désigné quelques-uns. [7] » « La Nature, pour Corot, est, *dans ses
bons endroits*, un modèle ou un exemple de la valeur poétique
singulière de certains arrangements des choses visibles. [8] »

Il va de soi que la littérature produit des effets analogues. On
pourrait s'amuser à distinguer, parmi les monuments poétiques,
ceux qui sont muets (ou sourds), ceux qui parlent (Boileau, Molière) et ceux qui chantent. Si Valéry a pris ses exemples dans la

---

1. *Réflexions sur l'art*, in *Bulletin de la Société française de Philosophie*, 1935,
p. 73.
2. *Autour de Corot*, in *Pièces sur l'art*, p. 185. Valéry a parlé aussi de « l'état
chantant » comme condition préalable au travail du poète (*Souvenirs poétiques*,
p. 18-19).
3. *Ibid.*, p. 179.
4. *Degas. Danse. Dessin*, p. 68.
5. *Ibid.*, p. 87.
6. *Au sujet de Berthe Morisot*, in *Vues*, p. 341.
7. *Autour de Corot*, in *Pièces sur l'art*, p. 168-171.
8. *Ibid.*, p. 168.

peinture et l'architecture, c'est pour éviter l'équivoque du mot *chant*, appliqué dans ce sens très spécial aux arts du langage. Quand il a voulu évoquer cette qualité de résonance à propos d'une œuvre d'écrivain, il a recouru à une savante transposition :

Certaines phrases du Mallarmé en prose sont vitraux. Les sujets importent le moins du monde — sont pris et noyés dans le mystère, la vivacité, la profondeur, le rire et la rêverie de chaque fragment. — Chacun sensible, chantant [1].

Ainsi la phrase peut chanter autrement que par sa mélodie verbale. La transposition se change en « correspondance » (à la plus pure manière du Symbolisme) quand, devant un dessin, « un souvenir précis de thèmes ou de timbres se dégage... Quelle surprise de *reconnaître* (comme il m'arriva) en interrogeant d'un regard enchanté une planche de Corot, — un passage délicieux de " Parsifal " » [2].

Mais qu'est-ce, en définitive, que ce chant, qui n'est pas musique, et qui en est l'analogue psychique ? Après avoir, dans l'essai si riche sur Corot, parlé « des aspects, des formes et des moments... qui chantent », Valéry se demande où gît « le secret de cet enchantement d'un site ». Ce qui chante est donc ce qui enchante. Mais qu'est l'enchantement ? Réside-t-il « dans un certain accord de figures et de lumière dont l'empire sur nous serait aussi puissant et aussi inintelligible que celui d'un parfum, d'un regard, d'un timbre de voix peut l'être » ? Ou bien est-il l' « écho d'émotions d'hommes très anciens », qui, en divinisant « les objets les plus remarquables de la nature — sources, rochers, cimes, grands arbres », créaient « le plus antique des arts, qui est simplement de ressentir une expression naître d'une impression, et un instant singulier devenir un monument de la mémoire, — faveur insigne d'une aurore ou d'un couchant prodigieux, horreur sacrée d'un bois, exaltation sur les hauteurs d'où se découvrent les royaumes de la terre » ? Ascendant magique ou émotion religieuse primitive ? C'est à un terme parent que Valéry va aboutir. Après avoir indiqué que ces émotions que « nous ne savons clairement raisonner », nous sommes « moins inhabiles à les reproduire », il nous montre Corot sollicitant la Nature, comme le virtuose sollicite l'instrument qui « lui livre peu à peu des vibrations plus exquises et comme toujours plus proches de l'âme de son âme », et tirant « de l'Étendue transparente, de la Terre ondulée et doucement

1. *Mélange*, p. 19.
2. *Autour de Corot*, in *Pièces sur l'art*, p. 173.

successive ou nettement accidentée, de l'Arbre, du Bosquet, des Fabriques et de toutes les heures de la Lumière, des " charmes ", de plus en plus comparables à ceux de la musique même » [1]. Ainsi, de la poésie à la résonance, de la résonance au chant, du chant à l'enchantement, la modulation valéryenne aboutit au charme. L'équivalence de ces expressions serait facile à confirmer. « Charmes (c'est-à-dire : Poèmes) » précise l'édition de 1942 des *Poésies* de Valéry [2]. L'objet de la Poésie « me paraissait être de produire l'*enchantement* » [3]. Manet et Baudelaire « poursuivent... et rejoignent l'objet suprême de l'art, le *charme*, terme que je prends ici dans toute sa force » [4].

Valéry a esquissé une théorie de la poésie qui la rattache à la magie, dans ses effets comme dans ses origines. Il a dit la valeur enchanteresse que prennent pour les amants de la poésie leurs plus beaux souvenirs de poèmes, tour à tour ornements de leur vie, références privilégiées, consolations et secours :

... par l'opération mystérieuse d'un poème, quelques instants qui eussent été sans lui des instants sans valeur, tout insignifiants, se changent en une durée merveilleusement mesurée et ornée, qui devient un joyau de notre âme ; et parfois, une sorte de formule magique, un talisman —, que conserve en soi notre cœur, et qu'il représente à notre pensée dans les moments d'émotion ou d'enchantement où elle ne se trouve pas d'expression assez pure ou assez puissante de ce qui l'élève ou l'emporte.

Je sais un homme qui, soumis à une cruelle intervention chirurgicale, dont on ne pouvait lui épargner la souffrance par l'anesthésie, trouva quelque adoucissement, ou plutôt quelque relais de ses forces, et de sa patience, à se réciter, entre deux extrêmes de douleur, un poème qu'il aimait [5].

Il a fait remonter la poésie aux époques primitives ou légendaires et sa fantaisie l'a poussé à accorder aux vrais poètes leurs lettres de noblesse sur les traces encore visibles en eux d'un antique comportement :

... la poésie se rapporte sans aucun doute à quelque état des hommes antérieur à l'écriture et à la critique. Je trouve donc un

---

1. *Autour de Corot*, in *Pièces sur l'art*, p. 170-172.
2. Le fameux recueil, avant de s'intituler simplement *Charmes*, avait pour titre : *Charmes ou Poèmes* (1922). L'épigraphe *Deducere carmen* n'apparaît pas dans toutes les éditions.
3. *Mémoires d'un poème*, p. XLI.
4. *Triomphe de Manet*, in *Pièces sur l'art*, p. 203.
5. *Discours prononcé à la Maison d'Éducation de la Légion d'Honneur de Saint-Denis*, in *Variété IV*, p. 149-150.

homme très ancien en tout poète véritable : il boit aux sources du langage ; il invente des « vers », — à peu près comme les primitifs les mieux doués devaient créer des « mots », ou des ancêtres de mots.

Le don, plus ou moins désirable, de poésie me semble, par conséquence, témoigner d'une sorte de *noblesse* qui se donnerait, non sur des pièces d'archives attestant une lignée, mais sur l'antiquité actuellement observable des manières de sentir ou de réagir. Les poètes dignes de ce grand nom réincarnent ici Amphion et Orphée [1].

Dans ses évocations de ce lointain passé, il a toujours attribué la puissance des incantations magiques plutôt à leur sonorité qu'à leur signification :

On a cru fort longtemps que certaines combinaisons de paroles pouvaient être chargées de plus de force que de sens apparent ; étaient mieux comprises par les choses que par les hommes, par les roches, les eaux, les fauves, les dieux, par les trésors cachés, par les puissances et les ressorts de la vie, que par l'âme raisonnable ; plus claires pour les Esprits que pour l'esprit. La mort même parfois cédait aux conjurations rythmées, et la tombe lâchait un spectre. Rien de plus antique, ni d'ailleurs de plus *naturel* que cette croyance dans la force propre de la parole, que l'on pensait agir bien moins par sa *valeur d'échange* que par je ne sais quelles résonances qu'elle devait exciter dans la substance des êtres.

L'efficace des « charmes » n'était pas dans la signification résultante de leurs termes tant que dans leurs sonorités et dans les singularités de leur forme. Même, l'*obscurité* leur était presque essentielle [2].

L'effet de la poésie, aujourd'hui, ne lui paraît pas tenir à des conditions différentes. Quand il considère que « c'est l'affaire du poète de nous donner la sensation de l'union intime de la parole et de l'esprit », il regarde ce résultat comme

... proprement merveilleux... au sens que nous donnons à ce terme quand nous pensons aux prestiges et aux prodiges de l'antique magie. Il ne faut pas oublier que la forme poétique a été pendant des siècles affectée au service des enchantements. Ceux qui se livraient à ces étranges opérations devaient nécessairement croire au pouvoir de la parole, et bien plus à l'efficacité du son de cette parole qu'à sa signification. Les formules magiques sont souvent privées de sens ; mais on ne pensait pas que leur puissance dépendît de leur contenu intellectuel [3].

Et les vers de Baudelaire qu'il cite ensuite lui paraissent « agir sur nous... sans nous apprendre grand'chose ». Ces paroles « nous

1. *Je disais quelquefois à Stéphane Mallarmé*, in *Variété III*, p. 19-20.
2. *Ibid.*, p. 17.
3. *Poésie et pensée abstraite*, in *Variété V*, p. 154.

apprennent peut-être qu'elles n'ont rien à nous apprendre... elles
agissent sur nous à la façon d'un accord musical » [1].

Le charme est ce que Valéry prise le plus chez les poètes. C'est
la qualité qu'il reconnaît à Baudelaire, d'abord avec des restrictions :

B' est un cas bien curieux. Grand art et niaiseries mêlés. Trouvailles et misères intimement broyées ensemble. Surtout (ce que
V. H. peut lui envier et n'a pas), son secret : un charme « indéfinissable », quelque chose comme la transfiguration par moments d'un
visage laid [2].

puis plus libéralement :

... il poursuit et rejoint presque toujours la production du *charme
continu,* qualité inappréciable et comme transcendante de certains
poèmes, — mais qualité qui se rencontre peu, et ce peu rarement
pur, dans l'œuvre immense de Victor Hugo [3].

Quand Valéry s'emballera sur le Père Cyprien, ce sera parce
qu'il aura été ravi, sans pouvoir « démêler la composition de ce
charme dans lequel la plus grande simplicité et la plus exquise
“ distinction ” s'unissaient en proportion admirable » [4]. Quant à
Mallarmé, c'est à son propos que Valéry a développé sa théorie
de l'origine magique de la poésie, et il le compare lui-même à un
magicien :

Il arrivait que ce poète, le moins *primitif* des poètes, donnât,
par le rapprochement insolite, étrangement chantant, et comme
stupéfiant des mots, — par l'éclat musical du vers et sa plénitude
singulière, l'impression de ce qu'il y eut de plus puissant dans la
poésie originelle : *la formule magique.* Une analyse exquise de son
art avait dû le conduire à une doctrine et à une sorte de synthèse
de l'incantation [5].

Valéry fait donc entrer les idées de chant, d'enchantement et
de charme dans la formule de nombreux artistes et écrivains ;
il en fait un usage très séduisant, mais jamais il n'en donne une
analyse. La composition des *charmes* reste le secret de Valéry,
si ce secret existe. On entrevoit cependant, de loin en loin, à quoi,
à ses yeux, tenait l'effet suprême de la poésie. D'abord, il nous
arrache à notre condition :

1. *Poésie et pensée abstraite,* p. 154-155.
2. Lettre du 6 juin 1917 à Pierre Louÿs, in *O. C.,* t. B, p. 137.
3. *Situation de Baudelaire,* in *Variété II,* p. 151.
4. « *Cantiques spirituels* », in *Variété V,* p. 174.
5. *Je disais quelquefois à Stéphane Mallarmé,* in *Variété III,* p. 16.

Au plus loin de ce que fait et veut la prose, je plaçais cette sensation de ravissement sans référence... C'était l'éloignement de l'homme qui me ravissait. Je ne savais pourquoi on loue un auteur d'être humain, quand tout ce qui achève l'homme est inhumain ou surhumain[1] ...

Ensuite, le charme dépend de la pureté des moyens d'exécution ; Baudelaire et Manet

... repoussent... les effets qui ne se déduisent pas de la conscience nette et de la possession des moyens de leurs métiers : c'est en ceci que consiste la *pureté* en matière de peinture comme de poésie. Ils n'entendent pas spéculer sur le « sentiment », ni introduire les « idées » sans avoir savamment et subtilement organisé la « sensation »[2].

Surtout, le charme est dû à l'indétermination, à l'incertitude et à l'inachèvement du travail. « Si un oiseau savait dire précisément ce qu'il chante, pourquoi il le chante, et *quoi*, en lui, chante, il ne chanterait pas.[3] » Et même, si le médecin arrivait à la précision dans les diagnostics et la thérapeutique, « il perdrait tout ce *charme* qui tient à l'incertitude de son art et à ce qu'on suppose indirectement qu'il y ajoute de magie individuelle »[4]. Bref, le magicien en devenant savant perd le charme. Si hostile que soit Valéry aux « choses vagues », c'est l'imprécision des démarches du poète qui permet le charme : « Il faut laisser quelque place au *hasard* dans le travail pour que certains charmes agissent.[5] » On ne sait pas au juste comment ils agissent, mais la théorie du malentendu créateur vient ici se combiner avec une vue qui serait la réciproque de la théorie de la démesure dans l'effet global : « la magie de la littérature tient nécessairement à " quelque méprise " car la nature du langage « permet souvent de donner plus qu'on ne possède... »[6]. Le charme est proprement une grâce.

Dans un texte publié par M. Jean de Latour, Valéry a insisté sur la condition négative des charmes, qu'il fait dépendre de la liberté de l'artiste qui ne s'astreint pas à pousser la discipline de son travail jusqu'à la rigueur d'une science et un dénombrement complet des propriétés de sa matière.

... le travail sans la méthode, — c'est-à-dire sans la conscience

1. *Mémoires d'un poème*, p. XLI.
2. *Triomphe de Manet*, in *Pièces sur l'art*, p. 203.
3. *Choses tues*, in *Tel quel*, I, p. 30.
4. *Propos sur l'intelligence*, in O. C., t. D., p. 102.
5. *Degas. Danse. Dessin*, p. 87.
6. *Mémoires d'un poème*, p. XXIII.

que le développement d'une attention conduit invariablement à
des propriétés (des possibles) en nombre fini dont l'objet initial
de cette attention n'est qu'un « système de valeurs », — est un
travail inachevé... et... IL DOIT SES CHARMES PRÉCISÉMENT
A CET ÉTAT INACHEVÉ [1].

Cette formule décisive fait suite à des considérations sur la
monotonie, qui paraît à Valéry la rançon de la méthode, puisque
celle-ci consiste à réduire tous les phénomènes à une commune
mesure

L'acquisition d'une « méthode » se paye par une apparence de
monotonie. Écrire tous les phénomènes en un système de notations
homogènes produit une impression d'ensemble *grise*. Un « univers »
traduit en X, Y, Z, T, M, est moins séduisant que représenté par
un tableau avec couleurs et formes singulières.

La peinture est une algèbre d'actes, mais, « si cette algèbre était
tirée au clair, le tableau le plus brillant serait défini par des expressions incolores » [2]. Ce serait mal connaître Valéry que de le laisser
consentir à une défaite définitive de l'intelligence. Il vient d'admettre que l'inachèvement produisait le charme ; il va montrer
que, par une méthode à deux degrés, on peut reconquérir — et
cette fois à coup sûr, avec l'infaillibilité du poète-savant, avec la
sûreté de celui qui a trouvé « l'attitude centrale » — toute la
brillante et sensuelle diversité d'un univers personnel.

Mais je dis aussi que, s'il le veut, celui qui use de méthode peut
facilement, par une seconde opération, donner à ses formules un
revêtement aussi particulier et coloré qu'il conviendra [3].

Ce serait là, certes, disposer de la science totale des effets. Et le
charme, n'étant qu'un effet parmi d'autres, devrait bien, théoriquement, en faire partie. Toutefois Valéry ne nous dit pas si le
travail achevé peut retrouver les grâces du travail inachevé, si
l'on peut fabriquer par définition de l'indéfinissable, si faire du
charme équivaut à charmer.

Parmi les effets spécifiques de la poésie, ce qu'on appelle la
musique du vers tient une place essentielle. Ce qu'en a dit Valéry
est un peu décevant et paraît beaucoup moins riche que ce
que révélerait l'analyse de ses poèmes. Il n'est jamais descendu
dans le détail des procédés de l'exécution sonore, qu'il considérait

1. *Remarques*, texte inédit de Paul Valéry, dans Jean de Latour, *Examen de
Valéry*, p. 229-230.
2. *Ibid.*, p. 229.
3. *Ibid.*, p. 230.

peut-être comme des secrets de métier sur lesquels le poète n'a pas intérêt à attirer l'attention. Ici, l'esthétique infuse serait beaucoup plus intéressante que l'esthétique avouée. En revanche, Valéry s'est assez abondamment exprimé sur les rapports de la poésie et de la musique et sur l'exigence de musicalité du vers, conçue de façon très générale.

L'attitude de Valéry à l'égard de la musique est ambivalente. Ce qui l'aurait le plus attiré vers cet art, c'est la maîtrise d'un système de formes pures, sans l'asservissement aux objets réels, dont la poésie et la peinture sont entachées, où la composition n'obéit qu'à ses lois propres et peut se développer à la façon de la géométrie et de l'analyse, caractères par lesquels la musique se rapproche de l'architecture [1]. Pourtant, Valéry a peu de sympathie pour la musique ; il lui arrive de l'aimer, mais au fond il la méprise, et peut-être même en a-t-il peur... Il lui reproche son emprise extrême sur la sensibilité : « La musique est un massage » [2], « un système de chatouilles sur un système nerveux » [3]. « Et par elle, je vois que le plus profond... la *chose même...* est maniable. [4] » « On me fait danser, souffler, on me fait pleurer, penser ; on me fait dormir ; on me fait foudroyant, foudroyé ; on me fait lumière, ténèbres ; diminuer jusqu'au fil et au silence. [5] » Des lettres très amusantes à Pierre Louÿs permettent de se faire une idée de ce dégoût mêlé d'admiration : « Ne pas oublier... que nous sommes *contre* la musique. Apollon *contre* Dionysos. [6] »

J'aime la musique plus que je ne l'estime... on est possédé (au sens des cochons de Génézareth) et on a le frisson, le mal au ventre, la sueur froide, la nausée à l'âme, l'horripilation, tous les symptômes du grand art et du haut mal... Symptômes de la profondeur, de la divine intellexion, de la grâce, des danses impossibles, des bontés même à en vomir, des câlineries d'enfances malades, des désespoirs de femme ; symptômes de forces et de mouvements fabuleux, de tristesses inimitables ; grognements sans monstres, amours où le spasme dure cinquante minutes, forêts hystériques, marches de bataillon d'empereur... sacres bleus !

Tout le toc de l'homme à l'extrême, tout le délire des grandeurs,

---

1. Voir *Eupalinos*, spécialement p. 126, 131, 132, et *Histoire d'Amphion*, in *Variété III*, surtout p. 90.
2. *Analecta*, in *Tel quel*, II, p. 210.
3. *Ibid.*, p. 212.
4. *Ibid.*, p. 209. Cf. *Cours de poétique*, leçon 8 : « l'œuvre nous pétrit... ».
5. *Ibid.*, p. 209.
6. Lettre du 6 juin 1917, in *O. C.*, t. B, p. 138.

des persécutions, tout ce qu'il y a d'impossible, d'irrationnel, mais tout cela *réalisé en partie* [1] !

Il lui en veut d'aliéner sa liberté : « Elle est le type de la commande par l'extérieur... [2] » « Tout cela sûr, plus que *vrai*, et commandé par un jeu de boutons... [3] » « Il y a un sens qui permet à l'homme de manœuvrer l'homme sans merci. [4] » Socrate voit Phèdre « esclave de la présence générale de la Musique », « enfermé » avec « cette production inépuisable de prestiges... et contraint de l'être, comme une pythie dans sa chambre de fumée. [5] »

Est-ce qu'on ne sent pas dans ce dépit furieux, cocasse et amusé, la jalousie d'un artiste à l'égard d'un art qui dispose de moyens plus efficaces que le sien ? Comme auditeur, elle lui répugne ; comme auteur, il l'envie. Car « manœuvrer l'homme », n'est-ce pas le but de cette science des effets, que vient malheureusement ruiner l'incertitudes des échanges ? Quand Valéry avoue : « Mon " injustice " à l'égard de la Musique vient peut-être du sentiment qu'une telle puissance est capable de faire vivre jusqu'à l'absurde » [6], ne donne-t-il pas du pouvoir de celle-ci une idée fort analogue à celle qu'il exprimait quand il exaltait les effets dynamiques de la poésie sur l'être vivant ? Bien plus, ce pathétique intellectuel qu'il reprochait à la poésie de négliger, et qu'il y a lui-même installé, il concède que la musique a la capacité de le suggérer dans quelques-unes de ses formes :

La musique a pour elle, par son action presque directe sur le système nerveux central, des moyens de produire et presque à bon compte toutes les illusions d'une vie complète, toute la fantasmagorie des passions, des événements sensuels, et elle va parfois jusqu'à l'insinuation sinon de l'intelligence, du moins de ses actes [7].

1. Lettre du 13 juin 1917, in *O. C.*, t. B, p. 139-140.
2. *Analecta*, in *Tel quel*, II, p. 209.
3. Lettre du 13 juin 1917, in *O. C.*, t. B, p. 140.
4. *Ibid.*, p. 140.
5. *Eupalinos*, p. 126. Cf. *Au Concert Lamoureux en 1893*, in *Pièces sur l'art*, p. 80 : « La musique se joue de nous... », réplique du début de l'article de 1889 *Sur la technique littéraire*.
6. *Rhumbs*, in *Tel quel*, II, p. 88-89.
7. *Propos et souvenirs*, in *Revue de France*, 1ᵉʳ octobre 1925. Cf. *Au Concert Lamoureux en 1893*, in *Pièces sur l'art*, p. 80 : « Elle... imite les combinaisons de la pensée » et Lettre du 15 février 1944 à M. Robert Bernard, in *Paul Valéry vivant*, p. 494 : « La Musique m'intimide, et l'art du musicien me confond. Il dispose de tous les pouvoirs que j'envie. Il exerce directement le système de nos émotions... D'autre part, la Musique est calcul : elle offre à l'intelligence un immense domaine de combinaisons pures — autre sujet d'envie pour le poète. »

Dans la lettre à Louÿs du 13 juin 1917, il reconnaît que la musique est sur le chemin de l'intelligence :

Pour moi, elle suggère toujours (quand je la goûte) non pas chose faite, mais chose à faire... la Musique, selon Paul, est un procédé enregistreur (très précieux) qui s'intercale entre l'Impression et l'Intellect. C'est pourquoi la meilleure musique est la plus *rigoureuse* [1].

« Entre l'Être et le Connaître, travaille la puissante et vaine Musique. [2] » Et quand il recherchera des mots capables de suggérer la poésie des idées, ou plutôt de ce qui est excitant dans les idées, c'est-à-dire leur apparition, car la pensée n'est pas poétique par elle-même, ce seront des mots éloignés de leur valeur pratique et doués d'un pouvoir de résurrection proche de celui de la musique qu'il réclamera :

Ce qu'il y a d'excitant dans les idées n'est pas idées ; c'est ce qui n'est point pensé, ce qui est naissant et non né, qui excite. Il faut donc des mots avec lesquels on n'en puisse jamais finir — et qui ne soient jamais identiquement annulés par une représentation quelconque : *des mots Musique* [3]...

Valéry a souvent montré combien le poète était défavorisé par rapport au musicien. Le poète ne dispose que d'un instrument impur, destiné normalement à des usages pratiques ; le musicien dispose de moyens sélectionnés par une très longue tradition :

Heureux le musicien ! L'évolution de son art lui a attribué, depuis des siècles, une situation toute privilégiée... d'antiques observations et de très anciennes expériences ont permis de déduire, de l'*univers des bruits*, le système ou l'*univers des sons*, qui sont des bruits particulièrement simples et reconnaissables et particulièrement aptes à former des combinaisons, des associations [4]...

Le poète, « poursuivant un objet qui ne diffère pas excessivement de celui que vise le musicien » [5], est privé « des immenses avantages » que possède ce dernier :

... il n'a pas devant soi, tout prêts pour un usage de beauté, un ensemble de moyens fait exprès pour son art. Il doit emprunter

---

1. Lettre du 13 juin 1917, in *O. C.*, t. B, p. 139.
2. *Analecta*, in *Tel quel*, II, p. 209.
3. *Ibid.*, p. 212.
4. *Poésie pure. Notes pour une conférence*, in *O. C.*, t. C, p. 206. Idée développée dans *Propos sur la poésie*, in *Conferencia*, 1928, p. 468, et reprise dans *Poésie et pensée abstraite*, in *Variété V*, p. 145.
5. *Propos sur la poésie*, in *Conferencia*, 1928, p. 468. Cf. *Poésie pure*, in *O. C.*, t. C, p. 206.

le langage, — la voix publique... Rien de pur ; mais un mélange. d'excitations auditives et psychiques parfaitement incohérentes [1].

Il doit créer ou recréer à chaque instant ce que l'autre trouve tout fait et tout prêt... *un son qui se produit évoque à soi seul tout l'univers musical* [2].

« La musique est pourvue d'un univers de choix » [3], « possède un domaine propre absolument sien » [4], tandis que « le poète est contraint de créer, à chaque création, *l'univers de la poésie* — c'est-à-dire : l'état psychique et affectif dans lequel le langage peut remplir un rôle tout autre que celui de signifier ce qui est ou fut ou va être » [5]. Il doit inventer « un langage dans le langage » [6]. « Sa gamme se construit chaque fois. [7] »

Cette musique si privilégiée a, d'après Valéry, exercé une influence considérable sur la poésie moderne. Rendant hommage à Lamoureux, envers qui, dit-il, « la dette de la littérature... est immense », il assure que

... toute histoire littéraire de la fin du XIXe siècle qui ne parlera pas de musique sera une histoire vaine... on ne peut rien comprendre au mouvement poétique qui s'est développé depuis 1840 ou 50 jusqu'à nos jours, si le rôle profond et capital que la musique a joué... n'est pas mis en évidence... Cette sorte de rééducation de la poésie (considérée dans la période qui va de 1800 à 1900) eut Lamoureux et les Concerts Lamoureux pour agents de première importance. Comme Baudelaire eut les Concerts Pasdeloup, Mallarmé et ses suivants eurent les Concerts Lamoureux [8].

Voilà qui va bien. Des poètes ont pu prendre au concert le désir de rivaliser avec la musique. Remarquons toutefois que ce ne fut pas le cas de Baudelaire, dont *Les Fleurs du mal* parurent quatre ans avant l'ouverture des *Concerts populaires de musique classique* fondés par Pasdeloup. Quant à Mallarmé, ce n'est qu'à partir de 1885 qu'il fréquenta *les Concerts Lamoureux* (fondés en 1880) ;

1. *Poésie et pensée abstraite,* in *Variété V,* p. 146-147. « Il n'est pas possible de construire un univers du langage semblable à celui des sons ou des couleurs » *Cours de poétique,* leçon 8).

2. *Propos sur la poésie,* in *Conferencia,* 1928, p. 468. Même formule dans *Poésie et pensée abstraite,* in *Variété V,* p. 145-146.

3. *L'Invention esthétique,* in *L'Invention,* p. 149.

4. *Propos sur la poésie,* in *Conferencia,* 1928, p. 468.

5. *L'Invention esthétique,* in *L'Invention,* p. 149.

6. *Situation de Baudelaire,* in *Variété II,* p. 170, et *Poésie et pensée abstraite* in *Variété V,* p. 142.

7. *Calepin d'un poète,* in *O. C.,* t. C, p. 194. La leçon 9 du *Cours de poétique* donne cette différence intéressante : « Le musicien a devant lui la possibilité de produire un nombre infini d'effets avec un nombre fini de moyens. »

8. *Au Concert Lamoureux en 1893,* in *Pièces sur l'art,* p. 76-78.

il y avait longtemps qu'il avait écrit *Hérodiade* et *L'Après-midi d'un faune*, et c'était au temps où il dédaignait la musique [1]. Quel fut l'effet de cette cure de musique ?

L'éducation musicale... d'un nombre croissant d'écrivains français, a contribué plus que toutes considérations théoriques, à orienter la poésie vers un destin plus pur et à éliminer de ses ouvrages tout ce que la prose peut exactement exprimer [2].

Comme la musique a séparé les sons des bruits,

... ainsi la Poésie s'est efforcée... de distinguer (de son mieux) dans le langage, des expressions dans lesquelles le sens, le rythme, les sonorités de la voix, le mouvement s'accordent et se renforcent, tandis qu'elle s'essayait au contraire à proscrire les expressions dans lesquelles le sens est indépendant de la forme musicale, de toute valeur auditive [3].

Et tout cela par la grâce majeure de Lamoureux ! Valéry nous fait voir les « jeunes gens tassés dans les galeries à deux francs », et « sur une banquette du Promenoir, assis à l'ombre et à l'abri d'un mur d'hommes debout, un auditeur singulier... STÉPHANE MALLARMÉ » qui

... subissait avec ravissement, mais avec cette angélique douceur qui naît des rivalités supérieures, l'enchantement de Beethoven ou de Wagner... Il cherchait désespérément à trouver les moyens de reprendre pour notre art ce que la trop puissante Musique lui avait dérobé de merveilles et d'importance [4],

ce qui est un écho de Mallarmé, déjà répété par Valéry dans sa définition du Symbolisme :

Ce qui fut baptisé : le *Symbolisme*, se résume très simplement dans l'intention commune à plusieurs familles de poètes, d'ailleurs ennemies entre elles, de « reprendre à la Musique leur bien » [5].

---

1. Voir Henri Mondor, *Vie de Mallarmé*, p. 458 : « Le Vendredi-Saint, Édouard Dujardin emmène au Concert Lamoureux, où ils n'avaient jamais paru, Huysmans et Mallarmé », et, en note, ces lignes de la fille du poète, Geneviève : « C'est vers 1886 que toute la magie de la musique s'ouvrit pour mon père. Jeune, il la dédaignait. On disait alors : la musique est dans le vers. Il ne voulut jamais que j'apprenne le piano... »

2. *Au Concert Lamoureux en 1893*, in *Pièces sur l'art*, p. 77.

3. *Ibid.*, p. 78.

4. *Ibid.*, p. 83-84. Cf. *Existence du Symbolisme*, in *O. C.*, t. L, p. 128 : « ... rendre à la Poésie le même empire que la grande Musique moderne lui avait enlevé ».

5. *Avant-propos*, in *Variété*, p. 95. Mallarmé avait écrit (*Vers et musique en France*, in *The National Observer*, repris dans *Crise de Vers*, 1892) : « ... nous en sommes là, précisément, à rechercher... un art d'achever la transposition, au Livre, de la symphonie ou uniment de reprendre notre bien... »

Il a dit, à ce propos, que lui et ses camarades étaient « nourris de
musique » ; « ... nos têtes littéraires ne rêvaient que de tirer du
langage presque les mêmes effets que les causes purement sonores
produisaient sur nos êtres nerveux » [1].

Les effets musicaux de la poésie n'ont que des rapports lointains avec la musique proprement dite et les procédés rythmiques
et mélodiques dont use le poète ne se laissent guère comparer
à ceux du musicien. Les vers ont leur harmonie particulière,
qu'on a toujours exigée des poètes, avec plus ou moins de
rigueur. Valéry en a fait le critère suprême de la poésie.

J'ai adopté le système de considérer sur toute chose... le langage
même, et son harmonie...
Que s'il s'agit d'un poème, la condition musicale est absolue ;
si l'auteur n'a pas compté avec elle, spéculé sur elle... il faut désespérer de cet homme qui veut chanter sans trop sentir la nécessité
de le faire [2]...

En lisant les vers du Père Cyprien, Valéry reconnut immédiatement leur pouvoir magique. « Oh !... me dis-je, mais ceci chante
tout seul ! Il n'y a point d'autre certitude de poésie. [3] » Mais cette
exigence du chant, il ne l'a jamais détaillée. Il emploie à l'occasion les termes de rythmes, d'accents, d'assonances et d'allitérations, il fait parfois allusion à un jeu de timbres [4], il loue en
passant les muettes délicates d'un vers de Mallarmé [5], il signale
un effet de symétrie [6], mais on ne trouvera nulle part d'analyse

1. *Avant-propos*, in *Variété*, p. 95.
2. *Poèmes chinois*, in *Pièces sur l'art*, p. 66-67.
3. « *Cantiques spirituels* », in *Variété V*, p. 172. Il a dit à Jean Ballard (*Celui
que j'ai connu*, in *Paul Valéry vivant*, p. 244) : « ... un poème se juge d'après trois
critères. D'abord, je goûte sa musique, sans plus, comme une suite de notes
— puis je goûte ses mots, sa langue..., enfin, je passe aux idées, s'il en reste ! »
4. *De la diction des vers*, in *Pièces sur l'art*, p. 47. « ... éprouvez à loisir, écoutez
jusqu'aux harmoniques les timbres de Racine, les nuances, les reflets réciproques de ses voyelles, les actes nets et purs, les liens souples de ses consonnes
et de leurs ajustements. »
5. *Rhumbs*, in *Tel quel*, II, p. 79.
6. Voir Xavier de Courville, *Un souvenir de Paul Valéry. Le Colloque sur
Bajazet*, in *Revue de L'Alliance française*, juin 1945, p. 6 : « Je voulais qu'il
m'aimât : chère Zaïre, il m'aime... Entendez-vous cette correspondance entre
il et *Zaïre* ? Voyez-vous cette symétrie entre *il m'aimât* et *il m'aime* ? » Dans
Les Droits du poète sur la langue, in *Pièces sur l'art*, p. 56-57, Valéry justifie une
curieuse symétrie entre deux diérèses d'un vers de *la Jeune Parque* :

Délicieux linceuls, mon désordre tiède...

« ... j'ai, de ma propre autorité et contre la coutume, opéré la " diérèse " *ti-è-de*,
dans l'intention d'obtenir un certain effet, la symétrie : *Déli-ci-eux*, — *ti-è-de*.
J'y trouvais une nuance voluptueuse... »

des effets rythmiques ou sonores et de leurs causes. C'est dans *Regards sur le monde actuel*, recueil d'écrits touchant à la politique, qu'on est obligé d'aller chercher ce qu'il a dit d'un peu étendu sur les ressources verbales du français.

La poésie française diffère musicalement de toutes les autres, au point d'avoir été regardée parfois comme presque privée de bien des charmes et des ressources qui se trouvent en d'autres langues à la disposition des poètes. Je crois bien que c'est là une erreur ; mais cette erreur, comme il arrive fort souvent, est une déduction illégitime et subjective d'une 'observation exacte.

... Trois caractères distinguent nettement le français des autres langues occidentales : le français, bien parlé, ne chante presque pas. C'est un discours de registre peu étendu, une parole plus plane que les autres. Ensuite : les consonnes en français sont remarquablement adoucies ; pas de figures rudes ou gutturales. Nulle consonne française n'est impossible à prononcer pour un Européen. Enfin, les voyelles françaises sont nombreuses et très nuancées, forment une rare et précieuse collection de timbres délicats qui offrent aux poètes dignes de ce nom des valeurs par le jeu desquelles ils peuvent compenser le registre tempéré et la modération générale des accents de leur langue. La variété des *é* et des *è*, — les riches diphtongues, comme celles-ci : feuille, rouille, paille, pleure, toise, tien, etc., — l'*e* muet qui tantôt existe, tantôt ne se fait presque point sentir s'il ne s'efface entièrement, et qui procure tant d'effets subtils de silences élémentaires, ou qui termine ou prolonge tant de mots par une sorte d'ombre que semble jeter après elle une syllabe accentuée, — voilà des moyens dont on pourrait montrer l'efficacité par une infinité d'exemples [1].

Ces remarques sont judicieuses (on ne trouverait à y reprendre que l'exemple de *pleure* comme diphtongue : l'*e* éclatant de *pleure* est aussi simple que celui de l'article *le*), mais n'ajoutent rien à nos connaissances, même les indications nuancées sur les valeurs de l'*e* muet. Ajoutons que Valéry a regardé avec défiance la « critique phonétique des poèmes fondée sur l'analyse de documents enregistrés... on ne peut en déduire des prescriptions esthétiques. La machine... ne fait qu'inscrire à sa façon la voix... et cette diction vaut ce qu'elle vaut. » Et nous aurons fait le tour de ses idées sur la musique verbale. Ce qu'il a dit de plus intéressant concerne la courbe mélodique du poème, mais il n'en parle, avec d'ailleurs une sensibilité exquise, que par métaphore. C'est sa théorie du

---

1. *Images de la France*, in *Regards sur le monde actuel et autres essais*, p. 126-127. Quelques-unes de ces phrases se retrouvent textuellement dans deux articles recueillis dans le même volume ; *Pensée et Art français*, p. 182, *Coup d'œil sur les lettres françaises*, p. 278. La leçon 8 du *Cours de poétique* dit que la langue française n'est pas très musicale, mais qu'elle a de belles voyelles.

récitatif. On sait que c'est à un effet de ce genre qu'il a visé dans
La Jeune Parque :

Mon dessein était de composer une sorte de discours dont la
suite des vers fût développée ou déduite de telle sorte que l'ensemble
de la pièce produisît une impression analogue à celle des *récitatifs*
d'autrefois. Ceux qui se trouvent dans Gluck, et particulièrement
dans l'*Alceste*, m'avaient beaucoup donné à songer. J'enviais cette
ligne [1].

Mais, par delà Gluck, c'est à Racine qu'il songe :

Entre tous les poètes, Racine est celui qui s'apparente le plus
directement à la musique proprement dite, — ce Racine de qui les
périodes donnent si souvent l'idée des récitatifs à peine un peu moins
chantants que ceux des compositions lyriques, — ce Racine de qui
Lulli allait si studieusement entendre les tragédies ; et des lignes,
des mouvements duquel les belles formes et les purs développements
de Gluck semblent des transformations immédiates [2].

Quels que soient les moyens par lesquels on l'obtient et quels
que soient les effets qu'elle produit, la « figure phonétique » jouit
d'une propriété remarquable : elle s'inscrit dans la mémoire.
C'est là un mérite essentiel pour Valéry. Un beau vers est celui
qui se retient.

Ces propriétés sensibles du langage sont dans une relation remarquable avec la mémoire. Les diverses formations de syllabes,
d'intensités et de temps que l'on peut composer sont très inéga-
lement favorables à la conservation par la mémoire, comme elles
le sont d'ailleurs à l'émission par la voix. On dirait que les unes ont
plus d'affinité que les autres avec le mystérieux support du souvenir : chacune semble affectée d'une probabilité propre de restitution exacte, qui dépend de sa figure phonétique.
L'instinct de cette valeur mnémonique de la forme paraît très
fort et très sûr chez Mallarmé de qui les vers se retiennent si aisément [3].

1. *Le Prince et la Jeune Parque*, in *Variété V*, p. 120-121.
2. *De la diction des vers*, in *Pièces sur l'art*, p. 45. Cf. Charles Du Bos, *Journal*,
23 janvier 1923, p. 227-228 : « des passages entiers de *La Jeune Parque* ont été
composés tandis que d'un doigt je pianotais un récitatif de Gluck ». Le côté
métaphorique s'accuse quand on voit Valéry indiquer la grande différence entre
Mallarmé et lui « en ce qui touche la musique du vers » : « C'est que Mallarmé
recherche toujours l'effet d'orchestre... comme effet orchestral *L'Après-midi
d'un Faune* me paraît un chef-d'œuvre qu'on ne surpassera pas. Pour moi,
au contraire, l'unité musicale dans les vers, c'est le son, la voix, le récitatif
de Gluck, de Wagner parfois, mais par-dessus tout de Gluck... » Voir encore
Lettre à Aimé Lafont, en tête de *Paul Valéry, l'homme et l'œuvre*, p. 9 : « La
notion de récitatifs de drame lyrique (à une seule voix) m'a hanté. J'avoue que
Gluck et Wagner m'étaient des modèles secrets. »
3. *Je disais quelquefois à Stéphane Mallarmé*, in *Variété III*, p. 19. Valéry,

Valéry a été amené à rechercher les moyens qui favorisent la conservation des idées :

L'attaque incessante de l'esprit, l'objection, la transmission de bouche en bouche, l'altération phonétique, l'impossibilité de vérification, etc., sont les causes de destruction, de corruption, de ces réserves de l'esprit. A partir de cette table de dangers, les principaux moyens imaginables pour les combattre : rythmes, rime, rigueur et choix des mots, recherche de l'expression limite, etc..., auxiliaires de la mémoire, garants de l'exactitude des échanges, et du retour de l'esprit à ses repères, — apparaissent [1].

Ou, plus poétiquement :

Les plus sages et les mieux inspirés des hommes veulent donner à leurs pensées une harmonie et une cadence qui les défendent des altérations comme de l'oubli [2].

C'était faire de la forme le garant de la durée des œuvres, conformément à la formule de Mistral : « *Il n'y a que la forme... la forme seule conserve les œuvres de l'esprit.* [3] » C'est donc à elle que le poète doit veiller.

Même dans les pièces les plus légères, il faut songer à la durée — c'est-à-dire à la *mémoire,* c'est-à-dire à la forme, comme les constructeurs de flèches et de tours songent à la structure [4].

Ainsi l'œuvre solide, « l'art robuste », survivrait « à la cité », sinon aux civilisations qui savent maintenant qu'elles sont mortelles ; c'est du moins l'ambition qui anime son auteur, si l'on comprend bien cette formule, un peu composite, qui unit l'exemple de Mallarmé (opposé à celui de Zola) au souvenir de Gautier :

Un diamant dure plus qu'une capitale et qu'une civilisation. La volonté de perfection vise à se rendre indépendante des temps [5]...

qui s'est souvent plaint de sa mémoire verbale, qui n'a jamais pu apprendre une leçon par cœur, qui n'a retenu, à ce qu'il prétend, que 200 ou 300 vers, a été très frappé du fait que les vers de Mallarmé lui revenaient sans effort (voir *Mallarmé,* in *Conferencia,* 15 avril 1933, et *Propos me concernant,* p. 5-7, 51).

1. *Suite,* in *Tel quel,* II, p. 332.
2. *Eupalinos,* p. 80.
3. *Victor Hugo créateur par la forme,* in *Vues,* p. 173. Il y définit même la *forme* d'une œuvre : « l'ensemble des caractères sensibles dont l'action physique s'impose et tend à résister à toutes les causes de dissolution... » Dans *Autres rhumbs,* in *Tel quel,* II, p. 159, formule moins optimiste : « La forme est le squelette des œuvres... Toutes les œuvres meurent ; mais celles qui avaient un squelette durent bien plus par ce reste que les autres qui n'étaient qu'en parties molles. »
4. *Histoire d'Amphion,* in *Pièces sur l'art,* p. 91.
5. *Mauvaises pensées et autres,* p. 38.

Mais il est difficile pour le poète de distinguer entre les paroles qui lui viennent celles qui seront inoubliables. Selon Valéry,

La mémoire est juge de l'écrivain. Elle doit ressentir si son Homme conçoit et fixe des formes *oubliables* ; et l'avertir. Lui dire : ne t'arrête pas à ceci dont je sens que je ne le garderai pas [1].

Malheureusement ce guide n'est pas fort clairvoyant. D'autre part, les moyens de conservation : rythme, rime, etc... jouent sans considération d'esthétique. Si nous retenons précieusement

> Dormeuse, amas doré d'ombres et d'abandons

nous retenons également, malgré nous :

> Car elle avait gardé les pattes pour sa mère...

Le vers conserve tout, même les sottises.

Valéry, qui a aimé les inventeurs de formes [2], jusqu'à souhaiter de saluer aux enfers l'inventeur du sonnet [3], a esquissé une théorie du *vers pur*, c'est-à-dire dont tout le contenu serait emprunté et la forme seule inventée. Ce serait le comble de la séparation du son et du sens, dont nous savons que dans le poème ils doivent être à la fois indépendants et indissolubles. Il ne s'agit que du fait très humble de la traduction en vers. Valéry en a pris prétexte pour attribuer la supériorité des grands poètes français du xviiᵉ siècle à leur habitude de la traduction.

... les hommes qui ont porté cette poésie au plus haut point, étaient tous *traducteurs*. Rompus à transporter les anciens dans notre langue.

Leur poésie est marquée de ces habitudes. Elle est une traduction, une *belle infidèle,* — infidèle à ce qui n'est pas en accord avec les exigences d'un langage pur [4].

Leur vers n'accepte que ce qui convient à sa nature. C'est ce dont il a loué le Père Cyprien, l'adaptateur des cantiques de saint Jean de la Croix, mais, cette fois, en lui accordant, en plus, la fidélité :

Il n'est pas possible d'être plus fidèle. Le Père traducteur a modifié le type de la strophe, sans doute. Il a adopté notre octosyllabe au lieu de suivre les variations du mètre proposé. Il a compris que la prosodie doit suivre la langue, et il n'a pas tenté, comme d'autres l'ont fait (en particulier au xviᵉ et au xixᵉ siècle), d'imposer au

---

1. *Littérature,* in *Tel quel,* I, p. 157.
2. Voir *La Poésie de La Fontaine,* in *Vues,* p. 162, *Victor Hugo créateur par la forme,* in *Vues,* p. 173.
3. *De la diction des vers,* in *Pièces sur l'art,* p. 37-38.
4. *Littérature,* in *Tel quel,* I, p. 171-172.

français ce que le français n'impose ou ne propose pas de soi-même à l'oreille française. C'est là véritablement *traduire*, qui est de reconstituer au plus près l'*effet* d'une certaine *cause*, — ici, un texte de langue espagnole, — au moyen d'une autre cause, — un texte de langue française [1].

Mais le grand mérite du Père Cyprien est surtout d'avoir été

... un artiste consommé dans le bel art de faire des vers à l'état pur. Je dis : faire des vers à l'état pur, et j'entends par là qu'il n'y a de lui dans l'œuvre dont je parle, exactement que la façon de la forme. Tout le reste, idées, images, choix de termes, appartient à saint Jean de la Croix. La traduction étant d'une extrême fidélité, il ne restait donc au versificateur que la liberté des plus étroites que lui concédaient jalousement notre sévère langue et la rigueur de notre prosodie. C'est là devoir danser étant chargé de chaînes. Plus ce problème se précise devant l'esprit, plus on admire la grâce et l'élégance avec lesquelles il a été résolu : il y fallait les dons poétiques les plus exquis s'exerçant dans les conditions les plus adverses [2].

Si le Père Cyprien pouvait manifester « les dons poétiques les plus exquis » en travaillant uniquement sur le langage et en obéissant aux conventions du vers régulier, sans avoir besoin de fournir quoi que ce soit de lui-même au fond du poème, n'est-ce pas que la poésie est chose surtout formelle ? L'abbé Delille a traduit Virgile en vers élégants et souvent mélodieux. Nous sentons bien pourtant qu'il y a un abîme entre Virgile et Delille. Il est probable qu'un abîme aussi large sépare le Père Cyprien de saint Jean de la Croix. Traduire en poète, ce n'est pas tout à fait être poète, à moins que l'imitation ne soit compensée et dépassée par les marques d'une franche originalité, et c'est tout ce qu'il y a de vrai dans le paradoxe qui fait des classiques des traducteurs. Le contenu des vers ne peut pas être traité simplement comme une convention supplémentaire et leur musicalité, pour essentielle qu'elle soit, n'est pas la racine du sentiment poétique.

Le *vers pur* n'est qu'un ingénieux amusement. Valéry a émis des considérations plus intéressantes sur la diction des vers. C'est pour lui la pierre de touche du poème. Plus généralement, il n'y a pas d'œuvre sans exécution, ou, du moins, pour les arts

1. « *Cantiques spirituels* », in *Variété V*, p. 173. Valéry a déclaré ailleurs qu' « un véritable poète est rigoureusement intraduisible ; la forme et la pensée sont chez lui d'égale puissance ; la vertu du poème est une et indivisible » (*Allocution solennelle prononcée le 24 septembre 1939 au Théâtre-Français*, in *Vues*, p. 381).
2. *Ibid.*, p. 178.

qui ne distinguent pas l'amateur de l'exécutant, sans interprétation.

L'œuvre de l'esprit n'existe qu'en acte. Hors de cet acte, ce qui demeure n'est qu'un objet qui n'offre avec l'esprit aucune relation particulière. Transportez la statue que vous admirez chez un peuple suffisamment différent du vôtre : elle n'est qu'une pierre insignifiante. Un Parthénon n'est qu'une petite carrière de marbre [1].
La poésie est... essentiellement « in actu ». Un poème n'existe qu'au moment de sa diction, et sa *vraie valeur* est inséparable de *cette condition d'exécution* [2].
C'est l'exécution du poème qui est le poème. En dehors d'elle, ce sont des fabrications inexplicables, que ces suites de paroles curieusement assemblées [3].

Il faut donc un interprète :

Un poème, comme un morceau de musique, n'offre en soi qu'un texte, qui n'est rigoureusement qu'une sorte de recette ; le cuisinier qui l'exécute a un rôle essentiel [4].

C'est l'interprète qui actualise le poème :

Textes ou partitions ne sont... que des systèmes de signes conventionnels dont chacun, syllabe ou note, doit exciter un acte auquel il correspond. La qualité de chacun de ces actes, celle de leur enchaînement et de leur mystérieuse correspondance successive dépendent entièrement de celui qui *agit*, et qui opère la transmutation de l'œuvre *virtuelle* en œuvre *réelle* [5].

Si Valéry ne nous avait pas dit ailleurs qu'il admettait une espèce de diction intérieure, qui est évidemment la plus fréquente, puisque nous lisons bien plus souvent les poèmes que nous ne les entendons réciter, on trouverait que sa théorie de l'actualisation du poème est quelque peu exagérée. Le poème est souvent gâché par l'interprète, et il n'y a pas d'amateur de poésie que la simple lecture en silence prive du chant du poème. Tout amateur de poésie entend vraiment les vers qu'il lit, ou dont il se souvient ; bien plus, il les articule ; la parole intérieure et l'imagination auditive sont ici voisines de la puissance hallucinatoire. Le muet lecteur de poésie ressemble à ces connaisseurs en musique qui entendent tout l'orchestre à la simple lecture de la partition. Et l'inter-

1. *Leçon inaugurale du Cours de poétique*, in *Variété V*, p. 309.
2. *L'Invention esthétique*, in *L'Invention*, p. 150.
3. *Leçon inaugurale du Cours de poétique*, in *Variété V*, p. 310.
4. *Discours de la diction des vers*, in *Pièces sur l'art*, p. 41.
5. *Esquisse d'un éloge de la virtuosité*, in *Vues*, p. 355.

prête, c'est en lui-même qu'il le trouve. Je ne pense pas que Valéry ait fait difficulté à l'admettre.

Sur la diversité des interprétations, Valéry a fait des remarques de bon sens. Il y a presque autant de dictions que de poètes, chacun faisant « son ouvrage selon son oreille singulière », que de genres, de types ou de mètres, et surtout que d'interprètes [1]. Un interprète « peut opérer des transmutations étonnantes d'euphonie en cacophonie, ou de cacophonie en euphonie » [2].

Il peut arriver... qu'un poème ou une mélodie que nous *savons* très médiocre, emprunte d'une voix savamment conduite et de beau timbre, un pouvoir et un agrément qui surprennent d'abord notre jugement. Le contraire est, je crois, moins rare : il n'est pas de chef-d'œuvre qui n'ait été mille et une fois assassiné... ces grands ouvrages modèles sont les victimes favorites, tantôt du *trop*, tantôt du *trop peu* de talent [3].

Toutefois, Valéry a pris la défense du virtuose. « Le virtuose incarne l'œuvre » ; il lui « donne vie et présence réelle » [4] ; « c'est l'interprète qui donne de l'œuvre encore inédite les impressions premières au public : il dépend de lui qu'elle soit comprise ou admise » ; on ne peut donc pas lui refuser « une liberté et une certaine initiative dont il est impossible de définir les limites » [5].

L'essentiel, dans l'exécution du poème, c'est de placer

... enfin ce texte dans les conditions où il prendra force et forme d'action. Un poème est un discours qui exige et qui entraîne une liaison continuée entre *la voix qui est* et la *voix qui vient* et *qui doit venir*. Et cette voix doit être telle qu'elle s'impose, et qu'elle excite l'état affectif dont le texte soit l'unique expression verbale. Otez la voix et la voix qu'il faut... le poème se change en une suite de signes [6]...

Après ce que nous a dit Valéry de l'incommunicabilité de l'auteur et du lecteur, il est difficile de croire qu'il ait voulu ici donner pour mission à la voix de l'interprète de transmettre à l'auditeur l'état de sentiment du poète. Il doit s'agir simplement d'éveiller celui dont le texte est chargé, et qui nécessite, pour agir sur l'auditeur, « la voix qu'il faut » d'un interprète intelligent et bien

1. *Discours de la diction des vers*, in *Pièces sur l'art*, p. 40.
2. *Ibid.*, p. 41.
3. *Esquisse d'un éloge de la virtuosité*, in *Vues*, p. 353.
4. *Ibid.*, p. 357.
5. *Ibid.*, p. 356.
6. *Leçon inaugurale du Cours de poétique*, in *Variété V*, p. 310.

doué [1] ; ce serait, comme j'ai dit, un effet d'œuvre, non un effet d'auteur. Pourtant Valéry semble avoir concédé quelque apparence de communication entre l'auteur et l'interprète, quand il a écrit :

Cette énergie humaine, ces forces intelligemment dirigées, que le constructeur avaient prévues, cette vie, cet accent, ces sonorités que Racine ou Mozart avaient trouvés dans leur être, il appartient à l'exécutant de les retrouver en soi-même et de les appliquer au mécanisme que constitue une partition ou un texte. Et tout cela, toute cette part essentielle de l'œuvre n'est pas écrit. Cela ne peut pas s'écrire [2].

Notons, toutefois, que ce que l'interprète doit retrouver en lui de ce qui était chez le poète ou le musicien, ce ne sont ni des idées ni des sentiments, mais uniquement des facteurs dynamiques ou formels (encore que l'on ne comprenne pas très bien pourquoi ils ne peuvent pas être inscrits dans l'œuvre, notamment les sonorités). Il est bien probable que les difficultés que Valéry voyait dans les échanges entre auteur et amateur se reproduisent entre auteur et interprète, avec cette aggravation que les déformations de l'interprète se transmettent au public, ou avec ce bénéfice que les déformations sont la source de « malentendus créateurs ». Valéry s'accommode certainement des méprises de l'exécution comme de celles de la lecture. S'il n'y a pas de vrai sens d'un poème, il ne saurait y en avoir de véritable interprétation.

... il n'est pas de très belle œuvre qui ne soit susceptible d'une grande variété d'interprétations également plausibles. La richesse d'une œuvre est le nombre des sens ou des valeurs qu'elle peut recevoir tout en demeurant elle-même [3].

Valéry a essayé de se faire une image à son gré de l'interprète de la poésie, du « lecteur idéal » auquel « tout poète se fie nécessairement dans son travail... et qui, d'ailleurs lui ressemble un peu plus qu'un frère » [4]. Son idée de la diction des vers découle de la position naturelle de la poésie, qu'il situe entre le discours et le chant, mais plus près de celui-ci ; c'est une musique bien tempérée.

La poésie n'est pas la musique ; elle est encore moins le discours.

1. « ... un lecteur intelligent place les accents, le ton, le timbre et les rythmes qui imposent une âme à la lecture » (*Au sujet de Berthe Morisot*, in *Vues*, p. 343).
2. *Esquisse d'un éloge de la virtuosité*, in *Vues*, p. 355.
3. *Ibid.*, p. 357.
4. *De la diction des vers*, in *Pièces sur l'art*, p. 41-42.

C'est peut-être cet ambigu qui fait sa délicatesse. On peut dire qu'elle va chanter, plus qu'elle ne chante ; et qu'elle va s'expliquer, plus qu'elle ne s'explique. Elle n'ose sonner trop haut, ni parler trop net. Elle ne hante ni les sommets, ni les abîmes de la voix. Elle se contente de ses collines et d'un profil très modéré. Mais par le rythme, les accents et les consonances, faisant ce qu'elle peut, elle essaye de communiquer une vertu quasi musicale à l'expression de certaines pensées. Non de toutes les pensées [1].

Il propose donc très justement de rapprocher la diction poétique du chant, de façon à s'éloigner du ton habituel du langage, mais il conseille à l'exécutant de se mettre au niveau du premier afin de n'avoir plus qu'à en atténuer le régime pour se trouver au ton juste qui convient au poème.

Qu'il ne faut point, dans l'étude d'une pièce de poésie que l'on veut faire entendre, prendre pour origine ou point de départ de sa recherche, le discours ordinaire et la parole courante pour s'élever de cette prose plane jusqu'au ton poétique voulu ; mais au contraire, je pensais qu'il faudrait se fonder sur le *chant*, se mettre dans l'état du chanteur, accommoder sa voix à la plénitude du son musical, et de là redescendre jusqu'à l'état un peu moins vibrant qui convient aux vers. Il me semblait que ce fût là le seul moyen de préserver l'essence musicale des poèmes. Avant toute chose, bien *poser* la voix fort loin de la prose, étudier le texte sous le rapport des attaques, des modulations, des tenues qu'il comporte, et réduire peu à peu cette disposition, qu'on aura exagérée au début, jusqu'aux proportions de la poésie [2].

Madame Croiza, qu'il avait incitée à dire des poèmes de Ronsard, selon ces principes, lui offrait l'interprète rêvé, puisque la célèbre cantatrice pouvait, mieux qu'un acteur, opérer ce léger mouvement de réduction du chant au débit musical des vers souhaité par le poète.

La diction accoutumée part de la prose et se hausse jusqu'au vers...
Mais je voulais essayer d'une voix qui descende au contraire de la mélodie pleine et entière des musiciens à notre mélodie de poètes, qui est restreinte et tempérée. J'avais rêvé d'engager à ce mode singulier de se faire entendre une voix assurée de tout son registre, voix bien plus étendue que la voix qui suffit à la poésie : voix savante, vivante, bien plus consciente, plus nette dans ses attaques, plus riche dans ses sonorités, plus attentive aux temps

1. *Lettre à Madame C.*, in *Pièces sur l'art*, p. 51-52.
2. *De la diction des vers*, in *Pièces sur l'art*, p. 42.

et aux silences, plus marquée dans les changements de ton, que la voix ordinairement prêtée aux œuvres versifiées [1].

Valéry fut invité à donner des conseils à de futurs interprètes de *Bajazet*. C'était une occasion, pour un passionné des vers de Racine, de leur restituer leur valeur mélodique, parfois sacrifiée au mouvement dramatique. Il avait déjà dit qu'il arrivait à la diction « de confondre le ton du drame, ou le mouvement de l'éloquence avec la musique intrinsèque du langage. Alors l'interprète gagne en effets ce que le poème perd en harmonie » [2]. Il fut plus brutal en s'adressant aux acteurs. Il les exhorta à renoncer « à cette tradition... détestable, et qui consiste à sacrifier aux effets directs de la scène toute la portée musicale de la pièce ». Cette tradition détruit, en effet, « la continuité, la mélodie infinie qui se remarque si délicieusement dans Racine ». Et il leur recommanda de s'apprivoiser d'abord à la mélodie des vers et ne se point hâter d'accéder au sens. Celui-ci ne doit pas « nuire à la forme de la musique ». Il ne doit être introduit qu'à la fin, « comme la suprême nuance qui transfigurera sans l'altérer votre morceau ». En dernier lieu, on pourra mêler à cette musique « ce qu'il faut d'accents et d'accidents pour qu'elle paraisse jaillir des affections et des passions de quelque être » [3]. C'est alors que l'acteur devra « distinguer entre les vers ».

1. *Lettre à Madame C.*, in *Pièces sur l'art*, p. 52-53. On s'amusera à placer, à côté de ces éloges, quelques traits décochés aux membres de l'enseignement, avec ce mépris, pas toujours bien informé, qui fut le péché mignon de l'illustre poète. Il fulmine contre « la pratique détestable qui consiste... à traiter les poèmes comme des choses, à les découper..., à souffrir, sinon à exiger, qu'ils soient récités de la sorte que l'on sait, employés comme épreuves de mémoire ou d'orthographe » (*Leçon inaugurale du Cours de poétique*, in *Variété V*, p. 310), à les utiliser « comme recueil de difficultés grammaticales ou d'exemples » (*Ibid.*, p. 309), à « considérer séparément » le son et le sens, « attentat et absurdité qui sont malheureusement d'usage constant et presque de rigueur dans l'enseignement des Lettres » (*La Poésie de La Fontaine*, in *Vues*, p. 161). « ... l'enseignement de la poésie est absurde, qui se désintéresse totalement de la prononciation et de la diction » (*L'Invention esthétique*, in *L'Invention*, p. 150). « ... La consigne est littéralement d'ânonner, et, d'ailleurs, jamais la moindre idée du rythme, des assonances et des allitérations... » (*Le Bilan de l'Intelligence*, in *Variété III*, p. 299). « L'enseignement n'a pas d'oreilles... » (*Le Musée de Montpelier*, in *Vues*, p. 269). Les professeurs ne sont pas seuls à blâmer : le goût de la poésie « est excessivement rare. Mon expérience m'a montré qu'une véritable prédilection pour la poésie est bien peu commune chez nous, où cette forme de l'art du langage se trouve ou entachée de quelque ridicule, ou incompatible avec le sérieux de l'esprit, et généralement confondue avec l'expression oratoire de la tragédie, de l'ingéniosité rimée, ou l'effusion sentimentale de forme pauvre » (*Au temps de Marcel Prévost*, in *Vues*, p. 211-212).
2. *Lettre à Madame C.*, in *Pièces sur l'art*, p. 52.
3. *De la diction des vers*, in *Pièces sur l'art*, p. 46-48.

Les uns servent à la pièce même... ils annoncent, provoquent, dénouent les événements ; ils répondent aux questions logiques ; ils permettent de résumer le drame, et sont, en quelque sorte, de plain-pied avec la prose. C'est un grand art que d'articuler ces vers nécessaires... Mais d'autres vers, qui sont toute la poésie de l'ouvrage, chantent [1]...

L'idée de chant domine la conception valéryenne des effets spécifiques de la poésie. On l'y reconnaît sous trois espèces : 1° le chant du charme (comme d'un tableau qui chante), 2° le chant des vers (leur mélodie continue), 3° le chant de la voix, qui les interprète et les actualise. Que ces sens soient intimement liés, c'est ce qu'on sentira bien dans ce passage où ils se substituent en sourdine.

Il faut et il suffit pour qu'il y ait poésie certaine... que le simple ajustement des mots... oblige notre voix, même intérieure, à se dégager du ton et de l'allure du discours ordinaire, et la place dans un tout autre *temps*. Cette intime contrainte à l'impulsion et à l'action rythmée transforme profondément toutes les valeurs du texte qui nous l'impose. Ce texte... il agit pour nous faire vivre quelque différente vie, respirer selon cette vie seconde, et suppose un état ou un monde dans lequel les objets et les êtres qui s'y trouvent, ou plutôt leurs images, ont d'autres libertés et d'autres liaisons que celles du monde pratique. Les noms de ces images jouent un rôle désormais dans leur destin : et les pensées suivent souvent le sort que leur assigne la sonorité ou le nombre des syllabes de ces noms ; elles s'enrichissent des similitudes et des contrastes qu'elles éveillent : tout ceci donne enfin l'idée d'une nature enchantée, asservie, comme par un charme, aux caprices, aux prestiges, aux puissances du langage [2].

Reste enfin l'effet, ou les effets, que nous comprenons sous le terme de beauté. On pourrait se demander s'ils entrent bien dans la catégorie du poétique. Pour Valéry, ce n'est guère douteux. Il est l'homme qui a écrit : «un très beau vers est un élément très

---

1. *De la diction des vers*, p. 48-49. On sait que Valéry, bien qu'il ait composé pour la scène des œuvres lyriques (*Amphion* et *Sémiramis*, mélodrames, *Cantate du Narcisse*, libretto) et spéculé sur une « conception *liturgique* des spectacles » (*Histoire d'Amphion*, in *Variété III* ; *Mes théâtres*, in *Vues*), s'est toujours déclaré peu entendu en matière de théâtre (*De la diction des vers*, in *Pièces sur l'art*, p. 35, *Notes sur un tragique et une tragédie*, p. xii). L'intérêt infiniment plus grand qu'il porte à la poésie l'a amené à curieusement restreindre la tragédie de *Phèdre* : « ... il me demeure l'idée d'une certaine femme, l'impression de la beauté d'un discours... Tous, moins la reine, se fondent au plus vite dans leur absence... L'œuvre se réduit dans le souvenir à un monologue ; et passe en moi de l'état dramatique initial à l'état lyrique pur, — car le lyrisme n'est que la transfiguration d'un monologue » (*Sur Phèdre femme*, in *Variété V*, p. 185-186).
2. « *Cantiques spirituels* », in *Variété V*, p. 172.

pur de poésie. » Nous avons déjà vu que ce qui caractérise le beau,
c'est la perfection et l'achèvement, « la sensation de notre impuissance à le modifier ». « L'impression de beauté... est... ce sentiment d'une impossibilité de variation. » Quand Valéry déclarait
qu'un poème n'était jamais achevé à proprement parler, il se
plaçait au point de vue de l'auteur. Quand il se place au point
de vue de l'amateur, c'est l'immutabilité de l'œuvre qui lui paraît
le garant de sa solidité et de sa durée. Le beau poème résiste.
Tel est l'effet du beau sur l'amateur considéré comme actif.
Si nous regardons celui-ci comme passif, contemplatif (ce qui est
un état plus fréquent, et par lequel l'amateur énergique a dû
passer d'abord), nous constatons que le beau produit « des effets
d'indicibilité, d'indescriptibilité, d'ineffabilité »[1], c'est-à-dire,
pratiquement, une surprise muette ou incapable de s'exprimer
adéquatement[2].

La littérature essaye par des « mots » de créer l' « état du manque
de mots ». Beauté est donc : négation, plus soif causée par ce qui
s'exprime par cette impuissance, *plus* « infini » de cette soif, *plus* x[3]...

Le beau nous laisse sans voix, désireux d'en jouir inlassablement
(c'est « l'infini esthétique »), conscient de l'impossibilité de l'expliquer, de l'épuiser[4]. Quand cet effet se produit, il est très
comparable à l'éblouissement de l'effet global ; il nous paralyse
dans l'admiration.

*
* *

Les effets particuliers sont aussi nombreux que les nuances de
la sensibilité. L'esthétique les a beaucoup négligés[5]. Ceux dont

---

1. *Instants*, in *Mélange*, p. 161.
2. Voir *Mauvaises pensées et autres*, p. 83.
3. *Ibid.*, p. 162.
4. Voir dans *Mélange*, p. 30, le passage : « Beauté parle ou chante, et nous ne
savons ce qu'elle dit... »
5. On range traditionnellement parmi les catégories esthétiques, d'une façon
un peu lâche, des effets comme le comique, le tragique, etc... Valéry en a fort
peu parlé, bien qu'il se soit intéressé au rire et aux larmes, comme à toutes les
réactions émotives. Il s'est étonné que, dans les *Contes* de La Fontaine, « les
choses de l'amour soient traitées en farce et utilisées à la production d'effets
comiques, elles qui constituent, dans la réalité, des puissances pathétiques et
tragiques » (*La Poésie de La Fontaine*, in *Vues*, p. 166). Ses *Notes sur un tragique
et une tragédie* ne parlent qu'incidemment des « effets intenses » (p. xiv) de la
tragédie, qu'il considère comme un jeu « avec l'horreur » (p. xv) dont le plaisir ne
laisse pas de lui paraître étrange et opposé « à l'état le plus élevé que l'art puisse
créer... l'état contemplatif ». Aussi loue-t-il les Grecs d'avoir imposé « aux plus
atroces histoires du monde... toute la pureté et la perfection d'une forme qui
communique au spectateur des crimes et des choses funestes qu'on lui montre,

Valéry a le plus parlé ont été très fortement marqués de son esprit de suspicion. On est même choqué de ce terme d'*effets*, parce qu'il se trouve appliqué chez lui à des impressions qui entraînent d'ordinaire des sentiments de respect et d'authenticité. C'est le cas pour la profondeur.

> Je déteste la fausse profondeur, mais je n'aime pas trop la véri-table. La profondeur littéraire est le fruit d'un procédé spécial. C'est un effet comme un autre, — obtenu par un procédé comme un autre. — Il suffit de voir comme se fabrique un livre de pensées — j'entends profondes [1].

Il a dit un jour : « Il y a quelque chose qui me gêne chez Gœthe. J'ai l'impression qu'il a un *truc pour faire profond*. [2] » L'esprit de boutade ne l'a pas empêché de rendre à Gœthe un hommage écla-tant ni d'admirer une forme de profondeur, celle qui est féconde et précise : « Une idée *profonde* est une idée ou une remarque qui transforme profondément une question ou une situation donnée. Sinon, il s'agit d'un effet de résonance et nous sommes en litté-rature. [3] » Ce qu'il a poursuivi de ses sarcasmes, c'est la simula-tion du génie par les prestiges de l'éloquence.

> Un écrivain est *profond* lorsque son discours, *une fois traduit du langage en pensée non équivoque*, m'oblige à une réflexion de durée utile sensible.
> Mais la condition soulignée est essentielle. Un habile fabricateur, comme il y en a beaucoup — et même un homme habitué à faire profond — peut toujours simuler la profondeur par un arrangement et une incohérence de mots qui donnent le change. On croit réfléchir au sens, tandis qu'on se borne à le chercher. Il vous fait restituer bien plus que ce qu'il a donné. Il fait prendre un certain égarement qu'il communique, pour la difficulté de le suivre.
> La plus véritable profondeur est la limpide.
> Celle qui ne tient pas à tel ou tel mot — comme *mort, Dieu, vie, amour*, mais qui se prive de ces trombones [4].

Mais, comme l'hypocrisie finit par faire soupçonner la vertu, Valéry a toujours suspecté l'esprit profond d'être creux [5]. Il a préféré des qualités plus séduisantes :

je ne sais quelle sensation de regarder ces désordres affreux d'un œil divin... » (p. xv).

1. *Rhumbs*, in *Tel quel*, II, p. 84.
2. Mot rapporté par René Berthelot, *Lettres échangées avec Paul Valéry*, in *Revue de Métaphysique et de Morale*, janvier 1946, p. 2.
3. *Choses tues*, in *Tel quel*, I, p. 54. Cf. *Mauvaises pensées et autres*, où s'opposent, p. 31, « ... la qualité attribuée à une idée de modifier une situation » et, p. 28, « ... une pensée de même puissance qu'un coup de gong dans une salle voûtée. »
4. *Cahier B*, in *Tel quel*, I, p. 220-221.
5. Il a fait de cette défiance un trait de l'esprit français : « Ce qu'on nomme

Et qu'importe que ce bassin ait quarante centimètres de profondeur ou quatre mille mètres ? C'est son éclat qui nous enchante[1],

ou plus exactes et plus rares :

La profondeur est cent fois plus aisée à obtenir de soi que la rigueur[2].

Un démon irrespectueux pourrait bien nous souffler qu'il y a aussi des *effets de rigueur*, qui en imposent au lecteur timide, et certaines pages admirables de *Monsieur Teste* ou de l'*Introduction à la méthode de Léonard de Vinci* pourraient en témoigner.

Valéry a fait l'éloge de la clarté. Et cependant il lui est arrivé de la considérer aussi comme un effet. « La clarté dans les choses non pratiques résulte *toujours* d'une illusion.[3] » « L'esprit clair fait comprendre ce qu'il ne comprend pas.[4] » Dans les « choses non pratiques », c'est-à-dire dans l'art, la clarté nuit aux effets : « toute chose dont on peut se faire une idée nette perd de sa force de prestige et de sa résonance dans l'esprit »[5]. L'impression du divin, du sublime est détruite par elle chez la plupart des amateurs, trop infirmes pour l'apprécier :

Ce qui est clair et compréhensible et correspond à une idée nette ne produit pas l'effet du divin. Du moins, sur la majorité immense des hommes, — (ce qui explique bien des choses dans les arts).
Il y a infiniment peu d'hommes qui soient capables d'attacher l'émotion du sublime à quelque chose de bien claire, et en tant qu'elle est claire. Et il y a aussi peu d'auteurs qui aient obtenu cet effet[6].

Quant à son contraire, l'obscurité, qui tient une si grande place dans les vues de Valéry sur la poésie, elle joue un rôle à part dans sa théorie des effets : elle est la condition des effets indéfinissables par définition que nous avons rencontrés : le beau, le charme, et elle est le fondement de toute une série d'effets ressortissant autant à l'éthique qu'à l'esthétique.

Le généreux, le « noble », l'héroïque, reposent toujours sur une obscurité — et même une maison noble est celle qui se perd dans

profondeur... ne sera pas tenu chez nous pour une vertu positive » (*Pensée et art français*, in *Regards sur le monde actuel*, p. 191).
1. *Rhumbs*, in *Tel quel*, II, p. 84.
2. *Ibid.*, p. 66.
3. *Choses tues*, in *Tel quel*, I, p. 51.
4. *Ibid.*, p. 51.
5. *Fonction et mystère de l'Académie*, in *Regards sur le monde actuel et autres essais*, p. 292.
6. *Mauvaises pensées et autres*, p. 195-196.

ses origines, touche à la *légende*, descend authentiquement de grands
êtres qui n'ont pas existé...

Tout ce qui est beau, généreux, héroïque, est *obscur* par essence,
incompréhensible. Tout ce qui est grand *doit* être incommensurable.
Ceci entre dans *la définition* même de ces *effets*.

Si le héros était limpide, et à soi-même, il ne serait pas. Qui jure
fidélité à la clarté, renonce donc à être héros [1].

La sincérité, vertu morale par excellence, peut être exploitée
comme effet : « on lui prend, on lui donne une force rhétorique. [2] »
Valéry a vu une pure comédie dans la volonté de sincérité de
Stendhal [3]. Son Faust, qui écrit ses *Mémoires*, sait à merveille
comment leur donner « couleur de vérité » :

... je veux donner la plus forte, la plus poignante impression de
sincérité que jamais livre ait pu donner, et ce puissant effet ne
s'obtient qu'en se chargeant soi-même de toutes les horreurs,
ignominies intimes ou expériences exécrables [4]...

Il n'y aurait aucune raison pour s'arrêter et on pourrait cata-
loguer comme effets, à la suite de ce mordant moraliste qu'est
Valéry à ses heures, toutes les vertus humaines. Ce serait les
Maximes de La Rochefoucauld devenu esthéticien [5].

***

La tournure d'esprit de Valéry, poète hanté par un rêve de
rigueur intellectuelle, le portait à rechercher cette attitude centrale dont il a parlé à propos de Léonard et qui commanderait
à la fois les procédés de l'art et ceux de la science. Il n'est donc

1. *Suite*, in *Tel quel*, II, p. 342-343.
2. *Mélange*, p. 79.
3. *Stendhal*, in *Variété II*, p. 111-118.
4. *Lust*, in « *Mon Faust* », p. 28. L'impression de vérité s'obtient à moindre
frais dans la vie courante : « *Vérité* se dit bien souvent de l'effet immédiat que
nous produit la forme ou le ton d'une parole » (*Avis au lecteur, Tel quel*, I, p. 7).
Valéry a signalé également l' « effet de vie », que « ceux qui assimilent le désordre
à la vie » pourront trouver dans les recueils d'idées qu'il n'a pas eu le temps
d'ordonner (*Ibid.*, p. 8). Cf. *Littérature*, in *Tel quel*, I, p. 176 : « On dit d'un livre
qu'il est » vivant « quand il est aussi désordonné que la vie, vue de l'extérieur,
semble l'être à un observateur accidentel. »
5. On pourrait parler, dans certains cas, d'une *hypocrisie des effets* : « Toute
parole a plusieurs sens dont le plus remarquable est assurément la cause même
qui a fait dire cette parole. Ainsi : *Quia nominor Leo* ne signifie point : *Car Lion
je me nomme*, mais bien : *Je suis un exemple de grammaire*. Dire : *Le silence
éternel*, etc., c'est énoncer clairement : *Je veux vous épouvanter de ma profondeur
et vous émerveiller de mon style* » (*Autres rhumbs*, in *Tel quel*, II, p. 191). « La mort,
en littérature, est un son grave... Ceux qui en usent sont des faiseurs » (*Mauvaises pensées et autres*, p. 159).

pas étonnant qu'en réfléchissant sur les effets artistiques il ait été tenté d'en dégager les lois. C'est, à mon avis, la partie la plus hardie et la plus suggestive de sa poétique. Dans une lettre à Pierre Louÿs, du temps de *La Jeune Parque,* il esquisse un classement des effets par couples antinomiques et amorce comme une loi de leur transformation :

J'en suis venu à ce cynisme qui considère simple-complexe ; vieux-neuf ; comme des couleurs sur une palette... ces deux oppositions ont ceci de commun que dans chacune la qualification dépend seulement du point où l'on s'arrête. Un peu plus de tension et l'on a passé de l'une à l'autre valeur. Si tu pars de « le ciel est bleu » tu vas loin. Si tu y arrives, tu es gros de bien d'autres choses [1].

Valéry a certainement entrevu une systématique générale des effets. Il montre comment s'enchaînent les aspirations de l'artiste conscient :

Le désir de « réalisme » conduit à chercher de plus en plus puissants moyens de *rendre.*
Le rendu mène à la technique.
La technique mène à la classification, à l'ordre.
L'ordre mène au systématique, à l'exploration complète, à l'usage le plus étendu de tous les moyens, à leur liberté générale plus grande que toute chose réalisée.
Et parti du reproduire exactement quelque fait, on arrive à une sorte de gymnastique qui comprend le « faux » et le « vrai » [2].

A la limite, on créerait l'œuvre à partir des effets, ou, mieux, des moyens des effets. Une époque comme la nôtre a pu paraître favorable à ce dessein :

Les littératures dites de décadence sont systématiques. Elles sont dues à des hommes plus savants, plus ingénieux, et même plus profonds, parfois, que les écrivains antérieurs dont ils ont relevé tous les *effets* dénombrables, retenu, classé, concentré le meilleur, — en tant qu'il se peut saisir et isoler [3].

Valéry n'a pas poussé ce programme jusqu'à établir une tech-

---

1. Lettre du 6 juin 1917, in *O. C.,* t. B, p. 135-136.
2. *Cahier B,* in *Tel quel,* I, p. 206. Le *Psaume S,* dans *Mélange,* p. 91, propose une autre filiation :

> Au commencement fut la Surprise,
> Et ensuite vint le Contraste ;
> Après lui, parut l'Oscillation ;
> Avec elle, la Distribution,
> Et ensuite la Pureté
> Qui est la Fin.

3. *Mauvaises pensées et autres,* p. 32.

nique complète des effets [1], mais il en a formulé des morceaux bien curieux. Le *conditionnement des effets*, par exemple, a retenu plus d'une fois son attention.

La probabilité de coups heureux en série est très faible en poésie, à cause des conditions simultanées indépendantes. Le langage, fait d'éléments discrets et complexes, n'offre à celui qui adapte les conventions que des solutions accidentelles...

Selon lui, certains effets sont très faciles à obtenir, parce qu'ils ne dépendent que d' « une ou deux conditions extrinsèques » : c'est le cas des *phrases profondes* et des *phrases sonores*. On peut même les fabriquer en série sans qu'elles paraissent se ressembler, car « l'instrument est créé dès qu'on en a fait une » [2]. Les mots de prédilection des écrivains conditionnent chacun une catégorie d'effets favoris.

Le seul timbre du violoncelle exerce chez bien des personnes une véritable domination viscérale. Il y a des mots dont la fréquence chez un auteur nous révèle qu'ils sont en lui tout autrement doués de résonance, et par conséquent, de puissance positivement créatrice, qu'ils ne le sont en général. C'est là un exemple de ces évaluations personnelles, de ces *grandes valeurs pour un seul*, qui jouent certainement un très beau rôle dans une production de l'esprit où la singularité est un élément de première importance [3].

Mais il ne faut pas oublier la «loi d'arain de la littérature», à savoir que « ce qui ne vaut que pour un seul ne vaut rien ». Les « grandes valeurs pour un seul » deviennent cependant valeurs pour tous, ou pour beaucoup, si l'œuvre subjugue le public. Alors les mots caractéristiques d'un poète sont comme une signature. Il y a mieux : Valéry, qui croit au pouvoir créateur du vide, assure qu'il y a des *effets de carence*, produits par le manque chez l'écrivain de tel ou tel pouvoir : « Une valeur littéraire, donc une richesse, peut être due à certaines lacunes dans un tempérament. »

... Un piano se fait remarquer par l'oreille, grâce à l'absence de telles ou telles cordes.

1. Valéry a supposé chez Mallarmé un programme de ce genre : il « se voua sans répit, sans réserve, sans reprise ni recul, à l'entreprise inouïe de saisir en toute sa généralité la nature de son art, et, par un dénombrement à la Descartes des possibilités du langage, d'en distinguer tous les moyens et d'en classer tous les ressorts » (*Mallarmé*, in *Vues*, p. 187).
2. *Rhumbs*, in *Tel quel*, II p. 66.
3. *Leçon inaugurale du Cours de poétique*, in *Variété V*, p. 318. Cf. *Au sujet du « Cimetière marin »*, in *Variété III*, p. 73 : « ... ces retours de termes qui révèlent les tendances, les fréquences caractéristiques d'un esprit. (Certains mots sonnent

... Parce que ton registre est incomplet, parce que tel ordre de pensées — tels moyens — telles émotions te sont interdits ou inconnus, tu as fait œuvre qui m'enrichit. J'y trouve surprise et merveilles [1].

L'originalité est faite d'absences aussi bien que de présences.

C'est surtout la manière dont opère le poète qui a suggéré à Valéry ses remarques les plus pénétrantes. Sans trop forcer les textes, ce sont bien des lois qu'il semble nous proposer. *Loi de localisation des effets* : les mots et les idées sont des « moyens, qui n'ont que des valeurs instantanées, des effets de position » [2] (Boileau, déjà, louait Malherbe qui « D'un mot mis en sa place enseigna le pouvoir ») ; — *loi de propagation des effets* : « Il faut jeter des pierres dans les esprits, qui y fassent des sphères grandissantes ; et les jeter au point le plus central, et à intervalles harmoniques » [3] ; — *loi d'intensification des effets* : les effets sont grossis ou diminués, comme par un verre, selon la capacité de l'écrivain.

Le langage sert aisément à mettre devant la pensée un verre très grossissant, qui la projette aux yeux étrangers comme monstrueuse et dilatée, quand elle-même n'était pour elle-même qu'un peu d'agitation locale. Mais celui qui n'a pas le don littéraire exprime par contre en très petit ses plus grandes émotions et ne peut émettre que des épithètes sans force. C'est le verre diminuant [4].

L'intensité maxima de l'effet poétique est illustrée par l'image du diamant :

Sa beauté résulte... de la petitesse de l'angle de réflexion totale... Le tailleur de diamant en façonne les facettes de manière que le rayon qui pénètre dans la gemme par l'une d'elles ne peut en sortir que par la même. — D'où le feu et l'éclat. Belle image de ce que je pense sur la poésie : retour du rayon spirituel aux mots d'entrée [5].

Veut-on enfin une loi plus spéciale sur le rapport des effets de détail et de l'effet d'ensemble, une *loi de proportion* ? Elle peut être considérée comme la règle d'or du court poème.

---

en nous entre tous les autres, comme des harmoniques de notre nature la plus profonde...) ». Cela n'a pas empêché Valéry de mettre au nombre des péchés de « ces hommes sans grand appétit de poésie » qui ont « la charge... d'en exciter et cultiver le goût » de perdre leur temps à relever « des fréquences » dans le vocabulaire des poètes (*Questions de poésie*, in *Variété III*, p. 40).

1. *Autres rhumbs*, in *Tel quel*, II, p. 147-148.
2. *Mémoires d'un poème*, p. xxvii.
3. *Autres rhumbs* in *Tel quel*, II, p. 159.
4. *Analecta*, CIV.
5. *Mélange*, p. 30.

THÉORÈME. Quand les œuvres sont très courtes, l'effet du plus mince détail est de l'ordre de grandeur de l'effet de l'ensemble [1].

Il y a même un corollaire :

La proportion des *égards* et des beautés dans un sonnet doit être énorme [2].

Valéry a poussé la sensibilité esthétique juqu'à considérer les effets seconds tels qu'on peut les rencontrer dans les œuvres qui manifestent une dualité d'intention, ou une intention secrète sous une intention claire. Poe, déjà, dans son analyse du *Corbeau*, soulignait le rôle de ce qu'il appelait un *courant souterrain de signification*. Ce que Valéry a examiné consiste en ce qu'il nomme les *effets latéraux*. Il part de tableaux de Rembrandt représentant un philosophe dans sa chambre, et il y constate « l'action sourde, et comme latérale, des taches et des zones du clair obscur » : « ... art subtil de disposer d'un élément assez arbitraire afin d'agir insidieusement sur le spectateur, tandis que son regard est attiré et fixé par des objets nets et reconnaissables. » Il passe ensuite aux « effets latéraux que peuvent produire les harmonies divisées d'un orchestre », comme chez Wagner, et il se demande « si des effets analogues... pourraient se rechercher raisonnablement en littérature ». « La « condition essentielle » serait que « l'artifice doit échapper au lecteur non prévenu, et l'effet ne pas révéler sa cause. [3] »

***

Après tant de vues ingénieuses, que restait-il à faire de ce trésor d'*effets* ? Il restait à l'abolir. Le sacrifice des effets a été consommé par Valéry, notamment dans son article sur le Père Cyprien. Il y confesse son irritation que des beautés éparses soient des accidents éblouissants au détriment de l'ensemble.

1. *Littérature*, in *Tel quel*, I, p. 156. Abrégé dans *Autres rhumbs*, in *Tel quel*, II, p. 162 : « Quand les œuvres sont très courtes, le plus mince détail est de l'ordre de grandeur de l'ensemble. »
2. *Autres rhumbs*, in *Tel quel*, II, p. 162.
3. *Le retour de Hollande*, in *Variété II*, p. 37-39. Sur cette condition de la suggestion, une note de *Mélange*, p. 90, faisant suite à une remarque sur l'ornement, dit : « La proportion doit agir sans se montrer. » Sur le danger des procédés qui se laissent trop facilement découvrir, on notera cette critique de Huysmans : « Il usait et abusait systématiquement des épithètes non impliquées par l'objet, mais suggérées par la circonstance : — moyen très séduisant, moyen puissant, — mais moyen périlleux et de courte vie, comme tous les moyens de l'art qui se peuvent aisément définir » (*Souvenir de J. K. Huysmans*, in *Variété II*, p. 240).

Même de grands effets accumulés, des images et des épithètes toujours étonnantes et tirées merveilleusement du plus loin, faisant que l'on admire, avant l'ouvrage même, l'auteur et ses ressources, offusquent le *tout* du poème, et le génie du père est funeste à l'enfant. Trop de valeurs diverses, des apports trop nombreux de connaissances trop rares, des écarts et des surprises trop fréquents et systématiques nous donnent l'idée d'un homme enivré de ses avantages et les développant par tous moyens, non dans le style et l'ordre d'un seul dessein, mais dans l'espace libre de l'incohérence inépuisable de tout esprit [1].

Faisant un jour allusion à l'élaboration de *La Jeune Parque*, il a confié que les conditions qu'il s'était fixées le conduisaient alors « à ne pas rechercher des effets (par exemple, les " beaux vers " isolables) et à les sacrifier assez facilement quand il m'en venait à l'esprit. Je me faisais des habitudes de refus » [2]. Les effets qui s'isolent brisent la suite du poème. La pureté de la ligne est rompue par ces éclats disparates. La succession des effets doit donc céder à l'absence d'effets, ou plutôt à la continuité d'un effet unique. Le poème doit être une perpétuelle modulation, dont l'effet serait le charme continu. On aboutit à la même conclusion que dans la théorie de l'ornement.

La simplicité toute classique que recommande Valéry est à la fois goût suprême et prudence exquise. Une œuvre, dit-il, toujours à propos du Père Cyprien, « doit inspirer le désir de la reprendre, de s'en redire les vers, de les porter en soi pour un usage intérieur indéfini » ; or, « dans cette persistance et par ces reprises,

---

1. « *Cantiques spirituels* », in *Variété V*, p. 175. Voir également les reproches adressés aux poètes du Parnasse, in *Existence du Symbolisme, O. C.*, t. L, p. 124 : « ... leur système, qui eut le mérite de s'être opposé à la négligence de la forme et du langage, si sensible chez tant de romantiques, les conduisait à une rigueur factice, à une recherche de l'effet et du beau vers, à un emploi de termes rares, de noms étrangers, de magnificences tout apparentes, qui offusquaient la poésie sous des ornements arbitraires et inanimés. »
2. *Mélange*, p. 42. Valéry a rattaché sa condamnation du beau vers isolable à son dégoût des *événements*. « Les événements, les exagérations dans les faits ou dans les mots me déplaisent. Les événements sont des faits exagérés. Je méprise les effets » (*Propos me concernant*, p. 53). « Les événements sont des "effets". Ils sont des produits de sensibilité... Ainsi, le "très beau vers" est un événement dans un poème ; mais il faut avouer qu'il tend à détruire ce poème ; sa valeur le rend isolable. Il est une fleur que l'on détache de la plante, et dont se pare la mémoire. Un goût très raffiné pourrait donc condamner ces beautés trop jalouses de leur puissance singulière, et suggérer de s'en priver quand elles viennent se donner. Ce renoncement voudrait une étrange force d'âme... » (*Ibid.*, p. 8). Ce texte, qui est de 1944, rejoint le reproche qu'il faisait en 1889 aux sonnets de Heredia : « Chaque vers a sa vie propre, sa splendeur particulière et détourne l'esprit de l'ensemble » (*Sur la technique littéraire*, in *Dossiers*, 1, p. 28).

ses attraits de contraste et d'intensité s'évanouissent ; la nouveauté, l'étrangeté, la puissance de choc épuisent leur efficace toute relative... » [1]. Ce pourrait être une *loi de l'amortissement ou de la dégradation des effets*. Valéry, l'anti-moderne en poésie, l'adversaire du bouleversement esthétique, n'a aucune confiance dans l'abus de la surprise dont les effets s'émoussent et s'annihilent [2]. C'est au durable du poème qu'il faut s'attacher, et ce durable est extraordinairement simple, comme il le montre dans la suite de cette page en termes émouvants, presque bergsoniens, bien peu fréquents dans son œuvre. De ce poème qu'on se répète, « il ne demeure... que ce qui résiste à la redite comme y résiste notre propre expression intérieure, ce avec quoi nous pouvons vivre, nos idéaux, nos vérités et nos expériences choisies, enfin tout ce que nous aimons de trouver en nous-mêmes, à l'état le plus intime, c'est-à-dire le plus durable. Il me semble que l'âme bien seule avec elle-même, et qui se parle, de temps à autre, entre deux silences *absolus*, n'emploie jamais qu'*un petit nombre de mots* et *aucun d'extraordinaire*. C'est à quoi l'on connaît *qu'il y a âme* en ce moment-là... » [3].

1. « *Cantiques spirituels* », in *Variété V*, p. 175.
2. C'est ce qu'il reproche aux modernes : « L'artiste va user et abuser des effets de surprise pour séduire et foudroyer le consommateur » (*Cours de poétique*, leçon 17). Voir encore *Degas. Danse. Dessin*, p. 135-137, *Mémoires d'un poème*, p. xlv. Or, « le temps... affaiblit nécessairement les effets de surprise et de nouveau » (*Au sujet de Berthe Morisot*, in *Vues*, p. 341). Valéry s'est défendu de ces abus : « Entre autres choses interdites, je n'ai pas voulu jouer sur la surprise systématique, ni sur l'emportement éperdu, car il me paraissait que c'était réduire les effets d'un poème à l'éblouissement de l'esprit sans atteindre et satisfaire sa profondeur » (*Réponse*, in *Commerce*, Été MCMXXXII, p. 13). Nous avons vu cependant que l'effet global et l'effet de beauté causaient une surprise. Oui, mais une surprise qui ne s'évanouit pas après le premier choc ; c'est une merveille qui dure et « se fait redemander ». Il y a donc deux espèces de surprise : « ... une très belle chose nous rend *muets* d'admiration. C'est là ce qu'il faut vouloir produire, et qu'il ne faut point confondre avec le mutisme de la stupeur. Celui-ci est la grande affaire des modernes. Il ne discerne point les espèces de la surprise. Il en est une, qui se renouvelle à chaque regard et se fait d'autant plus indéfinissable et sensible que l'on examine et que l'on se familiarise avec l'œuvre plus profondément. C'est la bonne surprise. Quant à l'autre, elle ne résulte que du choc qui rompt une convention ou une habitude, et se réduit à ce choc. Il suffit, pour *étaler* le choc, de se résoudre à changer de convention ou d'habitude » (*Degas. Danse. Dessin*, p. 153). Voir encore *Littérature*, in *Tel quel*, I, p. 165 : « ... on se trompe souvent sur la surprise qui est digne de l'art. Il n'y faut pas de surprises finies... ; mais des surprises infinies... » La formule définitive est dans *Mauvaises pensées et autres*, p. 200 : « Cet adorable poème, cette façade éblouissante, cette merveille suspendue qui cristallise le regard comme un lustre, c'est de la surprise stabilisée, saisie... de la surprise — *surprise.* »
3. « *Cantiques spirituels* ». in *Variété V*, p. 176. Il ne faut pas se dissimuler que le ton de ce passage est exceptionnel ; à lui seul, le mot *âme* y sonne de façon

Voilà à quoi aboutit l'ambitieux projet de réduire la poésie à une manœuvre scientifique de la sensibilité. « L'âme bien seule avec elle-même, et qui se parle, de temps à autre... », cette simplicité nue de la conscience écoutant sa mélodie sans souci de l'effet, Valéry s'est-il jamais approché de plus près que dans ce rare moment de parfaite humilité du secret de la création poétique ?

aussi peu valéryenne que possible ; peut-être, comme il avait gravement signifié à Pascal que de savants jésuites ne faisaient pas moins bien leur salut... (ce qui dans la bouche d'un mécréant est d'une saveur singulière), Valéry a-t-il cru devoir accommoder sa courtoisie à la piété de son héros. Sainte-Beuve recommandait au critique de tremper sa plume dans l'encrier de son modèle. Le mimétisme sérieux est très rare chez Valéry (il imite un peu Bossuet dans son parallèle entre Foch et Pétain). Au contraire, lorsqu'il voulait se représenter un grand homme, il se le rendait semblable (attitude dont il a fait la théorie).

TEXTES CITÉS DE PAUL VALÉRY

Ces textes sont classés ci-dessous alphabétiquement d'après leur titre définitif. Quand un titre primitif a changé, on donne la variante entre parenthèses après mention de l'éditeur ou du périodique et de la date. On a signalé, autant que possible, la publication originale et les reprises importantes. Beaucoup de ces textes ont été réunis en recueils ; pour ces derniers, on s'est référé de préférence aux éditions courantes ; ce n'est que lorsqu'il était indispensable qu'on a renvoyé à des éditions rares ou à l'édition dite des *Œuvres complètes* (désignée par *O. C.*, et le tome par t.). On a jugé superflu de faire figurer ici les quelques poèmes qu'on avait été amené à citer.

Allocution solennelle prononcée le 24 septembre 1939 au Théâtre-Français. — *Vues.*

Analecta. — La Haye, Stols, 1926 (*Analecta ex Mss. Pauli Ambr. Valerii.* Tomus I), — Gallimard, 1935, — *Tel quel*, II.

Aphorismes. — *Nouvelle Revue Française*, 1er septembre 1930.

Aphorismes. — *Hommes et Mondes*, octobre 1946.

Au Concert Lamoureux en 1893. — *Commerce*, XXVI, Hiver 1930 (Allocution), — *Pièces sur l'art.*

Au sujet d' « Adonis ». — *Revue de Paris*, 1er février 1921 et éd. d'*Adonis*, Devambez, 1921 (Préface), — *Variété.*

Au sujet d' « Eurêka ». — Éd. d'*Eurêka*, Helleu et Sergent, 1921 (Préface), — *Variété.*

Au sujet de Berthe Morisot. — Catalogue de l'Exposition, Musée de l'Orangerie, 1941, — *Vues.*

Au sujet du « Cimetière marin ». — *Nouvelle Revue Française*, 1er avril 1933, et *Essai d'explication du Cimetière marin*, de Gustave Cohen, Gallimard, 1933 (Préface), — *Variété III.*

Au temps de Marcel Prévost. — *Marcel Prévost et ses contemporains*, Éditions de France, 1943, 2 vol., — *Vues.*

Autour de Corot. — *Vingt estampes de Corot*, Éditions des Bibliothèques de France, 1932 (De Corot et du Paysage), — *Pièces sur l'art.*

Autres rhumbs. — Éditions de France, 1927, — Gallimard, 1934, — *Tel quel*, II.

Avant-propos. — *Connaissance de la Déesse*, de Lucien Fabre, Société Littéraire de France, 1920, — *Variété.*

Cahier B 1910. — Champion, 1924 (facsimilé du cahier manuscrit), — Gallimard, 1926, — *Tel quel*, I.

Calepin d'un poète. — *Poësie*, — *O. C.*, t. C.

« Cantiques spirituels ». — *Revue des Deux Mondes*, 15 mai 1941 (Un poète inconnu : le Père Cyprien), — *Variété V*.

Centenaire de la photographie (Allocution prononcée à l'occasion du centenaire de la photographie, le 7 janvier 1939, à la Sorbonne). — *Vues*.

Choses tues. — Lapina, 1930, — Gallimard, 1932, — *Tel quel*, I.

Comment travaillent les écrivains. — *Figaro*, 30 octobre 1937, — *Vues*.

Commentaires de Charmes. — *Charmes. Poèmes de Paul Valéry commentés par Alain*, Gallimard, 1929 (Préface), — *Variété III*.

Coup d'œil sur les lettres françaises. — *Regards sur le monde actuel et autres essais*.

Cours de poétique. — *Yggdrasill*, Bulletin mensuel de la poésie en France et à l'étranger. Notes sur dix-huit leçons publiées du 25 décembre 1937 au 25 février 1939.

De l'éminente dignité des arts du feu. — *Chez moi*, novembre 1930, — *Pièces sur l'art*.

De l'enseignement de la poétique au Collège de France. — *Introduction à la poétique*, Gallimard, 1938, — *Variété V*.

De la diction des vers. — Le Livre, 1926 (Discours de la diction des vers), et Stols, 1926, — *Pièces sur l'art*.

Degas. Danse. Dessin. — Gallimard, 1938.

Descartes. — *Revue de Métaphysique et de Morale*, octobre 1937 (Discours prononcé à la Sorbonne pour l'inauguration du 9e Congrès international de philosophie), — *Variété IV*.

Dialogue ou nouveau fragment relatif à Monsieur Teste. — *Monsieur Teste*, nouvelle édition augmentée de fragments inédits.

Discours aux chirurgiens. — Gallimard, 1938, — *Variété V*.

Discours de l'Histoire prononcé à la Distribution solennelle des prix du Lycée Janson-de-Sailly, le 13 juillet 1932, — Les Presses Modernes, 1932, — *Variété IV*.

Discours en l'honneur de Gœthe. — *Nouvelle Revue Française*, 1er juin 1932, — *Variété IV*.

Discours prononcé à la Maison d'Éducation de la Légion d'Honneur de Saint-Denis, le 11 juillet 1932. — Melun, Imprimerie administrative, 1933, — *Variété IV*.

Discours prononcé au Deuxième Congrès international d'Esthétique et de Science de l'Art. — *Deuxième Congrès...*, Paris, 1937, Alcan, 1937, 2 vol., — *Variété IV*.

Discours sur Bergson. — *Revue philosophique*, mars-août 1941 (Allocution à l'occasion du décès de M. Henri Bergson), — *Vues*.

Discours sur Verhaeren. — Bulletin municipal officiel de la Ville de Paris, 21 décembre 1927 (Inauguration du monument élevé à la mémoire d'Émile Verhaeren. Discours de M. Paul Valéry), — *Réponses*, — *O. C.*, t. E.

« Durtal ». — *Mercure de France*, XXV, mars 1898, — Champion, 1925, — *Maîtres et amis*.

Esquisse d'un éloge de la virtuosité. — Centenaire de Paganini, Nice, 1940, — *Vues.*

Eupalinos ou l'Architecte. — *Architectures*, 1921, — *Eupalinos ou l'Architecte précédé de l'Ame et la Danse.*

Eupalinos ou l'Architecte précédé de l'Ame et la Danse. — Gallimard, 1924, — Gallimard, 1944 (*Eupalinos, l'Ame et la Danse, Dialogue de l'Arbre*).

Existence du Symbolisme. — Stols, 1939, — *O. C.*, t. L.

Extraits du Log-Book de Monsieur Teste. — *Commerce*, VI, Hiver 1925 (Edmond Teste : Extraits de son Log-Book), — *Monsieur Teste.*

Fluctuations sur la Liberté. — *La France veut la liberté...*, Plon, 1938, — *Regards sur le monde actuel et autres essais.*

Fonction et mystère de l'Académie. — *Regards sur le monde actuel et autres essais.*

Fontaines de mémoire. — *Fontaines de mémoire*, d'Yvonne Weyher, Le Divan, 1935 (Préface), — *Pièces sur l'art*, éd. de 1936.

Fragments des Mémoires d'un poème. — *Revue de Paris*, 15 décembre 1937, et E. Noulet, *Paul Valéry suivi des Fragments des Mémoires d'un poème*, Grasset, 1938, — *Variété V.*

Gœthe. « On dit Gœthe comme on dit Orphée. » — *Conferencia*, 1er novembre 1933, — *Vues.*

Histoire d'Amphion. — *Conferencia*, 5 août 1932, — *Pièces sur l'art* et *Variété III.*

Histoires brisées. — Gallimard, 1950.

Hommage. — *Nouvelle Revue Française*, 1er janvier 1923, numéro d'hommage à Marcel Proust, — *Variété.*

Images de la France. — *La France, Architecture et Paysages*, Librairie des Arts Décoratifs, 1927 (Introduction), — *Regards sur le monde actuel et autres essais.*

Introduction à la méthode de Léonard de Vinci. — *La Nouvelle Revue*, 15 août 1895, — Gallimard, 1919, — *Variété*, — *Les Divers essais sur Léonard de Vinci.*

Introduction à la poétique. — Gallimard, 1938, — *Variété V* (De l'enseignement de la poétique au Collège de France, Leçon inaugurale du Cours de poétique).

Je disais quelquefois à Stéphane Mallarmé... — *Nouvelle Revue Française*, 1er mai 1932, — *Variété III.*

L'Amateur de poèmes. — *Anthologie des poètes français contemporains*, de G. Walch, 1904, tome III, — *Album de vers anciens*, — *Poésies.*

L'Ame et la Danse. — *Revue musicale*, 1er décembre 1921, numéro spécial sur le Ballet au XIXe siècle, — *Eupalinos ou l'Architecte précédé de l'Ame et la Danse.*

L'Homme et la Coquille. — *Nouvelle Revue Française*, 1er février 1937, — *Les Merveilles de la mer. Les coquillages*, Plon, 1938, — *Variété V.*

L'Idée fixe. — Les Laboratoires Martinet, 1932, — Gallimard, 1934.

« L'Infini esthétique ». — *Art et Médecine*, février 1934, — *Pièces sur l'art.*

L'Invention esthétique. — *L'Invention*. Exposés... Publications du Centre international de Synthèse, Alcan, 1938.

L'Œuvre écrite de Léonard de Vinci. — *Figaro*, 13 mai 1939, — *Vues*.

La Création artistique. — *Bulletin de la Société française de Philosophie*, janvier 1928, — *Vues*.

La Crise de l'esprit. — *Athæneum*, Londres, 11 avril et 2 mai 1919, — *Nouvelle Revue Française*, août 1919, — *Variété*.

La « Peur des morts ». — *La Peur des morts*, de Sir James Frazer (Préface), — *Variété III*.

La Poésie de La Fontaine. — *Dictionnaire des Lettres Françaises*, 1944, — *Vues*.

La Politique de l'esprit. — *Conferencia*, 15 février 1933, — *Variété III*.

La Soirée avec Monsieur Teste. — *Le Centaure*, tome II, 1896, — *Vers et Prose*, tome IV, décembre 1905-janvier 1906, — *Monsieur Teste*.

La Tentation de (saint) Flaubert. — *Figaro*, 22 septembre 1942, — *Variété V*.

Le Bilan de l'intelligence. — *Conferencia*, 1er novembre 1935, — *Variété III*.

Le Cas Servien. — Pius Servien, *Orient, suivi de Le Cas Servien*, Gallimard, 1942.

Leçon inaugurale du Cours de poétique au Collège de France. — *Introduction à la poétique*, Gallimard, 1938, — *Variété V*.

Le Coup de dés. — *Les Marges*, février 1920 (Lettre au Directeur des *Marges*). — *Fragments sur Mallarmé*, Davis, 1924, — *Variété II*, — *O. C.*, t. L.

Le Musée de Montpellier. — Catalogue de l'Exposition, Musée de l'Orangerie, — *Vues*.

Léonard de Vinci. — *Carnets de Léonard de Vinci*, traduits de l'italien par Louise Servicen, Gallimard, 1942, 2 vol. (Préface), — *Vues*.

Léonard et les Philosophes. — *Commerce*, XVIII, Hiver 1928 (Lettre à Léo Ferrero) et Léo Ferrero, *Léonard de Vinci ou l'œuvre d'art*, Kra, 1929 (Préface), — *Les Divers essais sur Léonard de Vinci*, — *Variété III*.

Le Physique du Livre. — *Paul Bonet*, par Paul Valéry, Paul Éluard..., Blaizot, 1945.

Le Prince et la Jeune Parque. — *Les Annales*, avril 1927 (Comment je revins à la Poésie), — *Poésie* (Retour à la Poésie), — *Variété V*.

Le Retour de Hollande. — *La Revue de France*, mars 1926, et Stols, 1926, — *Variété II*.

Les Deux vertus d'un livre. — *Notes sur le livre et le manuscrit*, Stols, 1926, et *Arts et métiers graphiques*, septembre 1927, — *Pièces sur l'art*.

Les Divers essais sur Léonard de Vinci de Paul Valéry, commentés et annotés par lui-même. — Éd. du Sagittaire, 1932, — *O. C.*, t. I.

Les Droits du poète sur la langue. — Lettre à M. Léon Clédat, *Revue de Philologie française et de littérature*, 1928, 1er fascicule, — *Pièces sur l'art.*

Les Fresques de Paul Véronèse. — *Les Fresques de Paul Véronèse et ses disciples*, par G. K. Loukomski, 1928 (Préface), — *Pièces sur l'art.*

Lettre à Madame C... — Les Amis des Cahiers verts, Grasset, 1928, — *Pièces sur l'art.*

Lettre à quelqu'un. — *Figaro*, 28 octobre 1939, — *Vues.*

Lettre d'un ami. — *Commerce*, I, Été 1924 (Lettre), — *Monsieur Teste.*

Lettre de Madame Émilie Teste. — *Commerce*, II, Automne 1924 (Émilie Teste : Lettre), — Davis, 1925 (*Madame Émilie Teste, Lettre à un ami*), — *Monsieur Teste.*

Lettre sur Mallarmé. — *Revue de Paris*, 1er avril 1927 et *Mallarmé*, de Jean Royère, Kra, 1927 (Préface), — *Variété II.*

Lettres et fragments de lettres de Paul Valéry à :

Henri Albert. — Voir Quatre lettres au sujet de Nietzsche.

Maurice Bémol. — Maurice Bémol, *Paul Valéry*, Les Belles Lettres, 1949.

René Bernard. — *Paul Valéry vivant, Cahiers du Sud*, 1946.

Albert Coste. — Lettres à Albert Coste, *Cahiers du Sud*, mai 1932, et *Paul Valéry vivant, Cahiers du Sud*, 1946.

André Fontainas. — Voir *Réponses.*

Abbé Genet (René Fernandat). — Voir *Réponses.*

André Gide. — Lettres, *L'Arche*, octobre 1945, et André Gide, *Paul Valéry*, Domat, 1947.

Aimé Lafont. — Aimé Lafont, *Paul Valéry, l'Homme et l'Œuvre*, Jean Vigneau, 1943.

Jean de Latour. — Jean de Latour, *Examen de Valéry*, Gallimard, 1935.

Fernand Lot. — Fernand Lot, Regard sur la prosodie de Paul Valéry, *Grande revue*, mars 1930.

Pierre Louys. — Henri Mondor, Le Vase brisé de Paul Valéry, *Paul Valéry. Essais et témoignages inédits recueillis par Marc Eigeldinger*. Paris, Oreste Zeluck, pour les éditions de La Baconnière, 1945. — Voir Quelques épîtres.

Stéphane Mallarmé. — Henri Mondor, *Vie de Mallarmé*, 2 vol., Gallimard, 1941-1942.

R. P. Émile Rideau. — Émile Rideau, *Introduction à la pensée de Paul Valéry*, Desclée de Brouwer, 1944 (Lettre-Préface).

Albert Thibaudet. — Deux lettres inédites à Albert Thibaudet sur Stéphane Mallarmé, *Fontaine*, n° 44, Été 1945.

Lettres à quelques-uns. — Gallimard, 1952.

Littérature. — *Commerce*, XX, Été 1929, — Gallimard, 1930, — *Tel quel*, I.

Maîtres et amis. — Beltrand, 1927.

Mallarmé. — *Le Point*, XXIX-XXX, février-avril 1944, — *Vues.*

Mauvaises pensées et autres. — Gallimard, 1942.

Mélange. — Gallimard, 1941.

Mémoires d'un poème. Voir Fragments des Mémoires d'un poème.

Mes théâtres. — *Les Dernières Nouvelles*, Alger, 19 septembre 1942. — *La Nef*, mai 1945, — *Vues*.

Méthodes. Éducation et Instruction des Troupes, IIe partie. « Paroles » selon Mikhael Ivanovitch, par Loukhiane Carlovitch, Berger-Levrault, 1897. — *Mercure de France*, XXIV, octobre 1897.

Méthodes. Michel Bréal : La Sémantique (Science des significations), Hachette. — *Mercure de France*, XXV, janvier 1898.

Méthodes. Le temps. — *Mercure de France*, XXX, mai 1899.

Mon buste. — *Pièces sur l'art*, éd. de 1936.

« *Mon Faust* » (*Ébauches*). — Gallimard, 1946.

« *Mon Faust* », fragments inédits. — Jean Ballard, Celui que j'ai connu, *Paul Valéry vivant*, *Cahiers du Sud*, 1946.

Monsieur Teste. — L'Intelligence, 1927. — Gallimard, 1929, — Gallimard, 1946 (nouvelle édition augmentée de fragments inédits).

Moralités. — *Commerce*, XXIV, Été 1930, — Gallimard, 1932, — *Tel quel*, I.

Note. Extrait d'une conférence donnée à l'Université de Zurich, le 15 novembre 1922. — *La Revue Universelle*, juillet 1924 (Caractères de l'Esprit européen), — *Variété*.

Note et digression (1919). — *Introduction à la méthode de Léonard de Vinci*, édition de 1919, Gallimard, — *Variété*, — *Les Divers essais sur Léonard de Vinci*.

Notes sur un tragique et une tragédie. — Lucien Fabre, *Dieu est innocent, tragédie précédée de notes sur un tragique et une tragédie*, Nagel, 1946.

Notion générale de l'art. — *Nouvelle Revue Française*, 1er novembre 1935, et *Arts et littératures dans la Société contemporaine*, tomes XVI et XVII de l'*Encyclopédie française*, 1935.

Œuvres, 12 vol. (édition dite des *Œuvres complètes*) :

   A. *L'Ame et la Danse, Eupalinos ou l'Architecte, Paradoxe sur l'Architecte*. Éd. du Sagittaire, 1931.

   B. *Monsieur Teste. La Soirée, le Log-Book, quelques épîtres*. 1931.

   C. *Album de vers anciens, la Jeune Parque, Charmes, le Calepin d'un poète*. Éd. de la Nouvelle Revue Française, 1933.

   D. *Variété, premier volume*. 1934.

   E. *Discours*. 1935.

   F. *L'Idée fixe ou deux hommes à la mer, Socrate et son médecin*. 1936.

   G. *Variété, deuxième volume*. 1937.

   H. *Pièces sur l'art, Degas, Danse, Dessin et divers écrits sur la peinture*. 1938.

   I. *Les divers essais sur Léonard de Vinci*. 1938.

   J. *Regards sur le Monde actuel*. 1938.

   K. *Conférences*. 1939.

   L. *Écrits divers sur Stéphane Mallarmé*. 1951.

Oraison funèbre d'une fable. — *Commerce*, X, Hiver 1926, et Havermans, 1926 (Préface à Jean de La Fontaine, *Daphnis et Alcidamure*), — *Variété II.*

Orientem versus. — *Verve*, n° 3, Été 1938, — *O. C.*, t. J.

Passage de Verlaine. — *Gaulois*, 27 janvier 1921 (Autour de Verlaine), — *Variété II.*

Pensée et art français. — *Conferencia*, 15 décembre 1939 (La Pensée et l'Art français), — *La France et la civilisation contemporaine*, Flammarion, 1941, — *Regards sur le monde actuel et autres essais.*

Petit discours aux peintres graveurs. — Société des peintres graveurs français, 1934, — *Pièces sur l'art.*

Pièces sur l'art. — Darantière, 1931, — Gallimard, 1934, — Gallimard, 1936 (édition augmentée).

Poèmes chinois. — *Commerce*, XXII, Hiver 1929 (Petite préface aux Poésies de T'Au Yuan Ming), et Lemarget, 1930 (Préface aux Poèmes de T'uo T'sien), — *Pièces sur l'art.*

Poësie. Essais sur la Poëtique et le Poëte. — Bertrand Guégan, 1928.

Poésie et pensée abstraite. — The Zaharoff lecture for 1939, at the Clarendon Press, Oxford, 1939, — *Variété V.*

Poésie pure. Notes pour une conférence. — *Poësie.* — *O. C.*, t. C.

Pontus de Tyard. — *La Muse française*, 1924, numéro consacré à la Pléiade, — *O. C.*, t. E.

Pour un portrait de Monsieur Teste. — *Monsieur Teste*, nouvelle édition augmentée de fragments inédits.

Préface aux Carnets inédits de Léonard de Vinci. — Voir Léonard de Vinci.

Préface, pour la deuxième traduction en anglais de la Soirée avec M. Teste. — *Commerce*, IV, Printemps 1925, — *Monsieur Teste.*

Préface aux Lettres persanes. — *Commerce*, VIII, Été 1926 (Au sujet des Lettres persanes), et éd. des *Lettres persanes*, Terquem, 1926 (Préface), — *Variété II.*

Propos et souvenirs. — *Revue de France*, 1er octobre 1925.

Propos me concernant. — Berne-Joffroy, *Présence de Valéry, précédé de Propos me concernant*, Plon, 1944.

Propos sur l'intelligence. — *Revue de France*, 15 juin 1925, — *O. C.* t. D.

Propos sur la poésie. — *Conferencia*, 5 novembre 1928, — Au Pigeonnier, 1930, — *O. C.*, t. K.

Propos sur le progrès. — *Lumière et Radio*, 10 décembre 1929, — *Pièces sur l'art* et *Regards sur le monde actuel.*

Propos de Valéry rapportés dans :

    Alain, Le Déjeuner chez Lapérouse, *Nouvelle Revue Française*, 1er août 1939.

    Alain, *Propos de Littérature*, Hartmann, 1934.

    Jean Ballard, Celui que j'ai connu, *Paul Valéry vivant, Cahiers du Sud*, 1946.

    René Berthelot, Lettres échangées avec Paul Valéry, *Revue de Métaphysique et de Morale*, janvier 1946.

    Xavier de Courville, Un souvenir de Paul Valéry, le Colloque sur Bajazet, *Revue de l'Alliance française*, juin 1945.

Charles Du Bos, *Journal* 1921-1923, Corrêa, 1946.

André Gide, *Journal*, Gallimard, 1939.

André Gide, Paul Valéry, *L'Arche*, octobre 1945, repris dans *Paul Valéry*, Domat, 1947.

Frédéric Lefèvre, *Entretiens avec Paul Valéry*, Le Livre, 1926.

Frédéric Lefèvre, Une heure avec Paul Valéry, *Les Nouvelles Littéraires*, 28 février 1931, repris dans *Une heure avec…*, 6e série, Flammarion, 1933.

André Maurois, Sons nouveaux 1900. Eux et nous. V. Paul. Valéry. « Monsieur Teste », *Conferencia*, 15 mars 1933.

Bulletin de la Société française de Philosophie, séance du 6 juin 1931 (intervention de Paul Valéry).

Cahiers de la quinzaine, 21e série, 2e cahier, 10e réunion au studio franco-russe, 25 novembre 1930 (réponse de Paul Valéry).

Quatre lettres de Paul Valéry au sujet de Nietzsche. — *Cahiers de la quinzaine*, 18e série, 2e cahier, 1927.

Quelques épîtres. — Lettre du temps de Charmes, A Paul Souday, Six lettres à Pierre Louÿs. — *O. C.*, t. B.

Quelques fragments des Marginalia, traduits et annotés par Paul Valéry. — *Commerce*, XIV, Hiver 1927.

Quelques pensées de Monsieur Teste. — *Monsieur Teste*, nouvelle édition augmentée de fragments inédits.

Questions de poésie. — *Nouvelle Revue Française*, 1er janvier 1935 et *Anthologie des poètes de la N. R. F.*, 1936, — *Variété III*.

Réflexions. — *Revue des Vivants*, mars 1929, et *Remarques extérieures*, éd. des *Cahiers libres*, 1929, — *Regards sur le monde actuel*, 1931 (Réflexions mêlées), — *O. C.*, t. J, — ne se trouve pas dans *Regards sur le monde actuel et autres essais*.

Réflexions sur l'acier. — *Acier*, revue trimestrielle publiée par l'office technique pour l'utilisation de l'acier, n° 1, 1938, — *Vues*.

Réflexions sur l'art. — *Bulletin de la Société française de Philosophie*, mars-avril 1935.

Regards sur le monde actuel. — Stock, 1931, — Gallimard, 1945 (*Regards sur le monde actuel et autres essais*, nouvelle édition revue et augmentée).

Remerciement à l'Académie française. — *Temps et Débats*, 24 juin 1927, et Gallimard, 1927 (Discours de réception à l'Académie française), — *Variété IV*.

Réponse. — *Commerce*, XXIX, Hiver 1932.

Réponse à une enquête sur la Chose littéraire et la Chose pratique. — *O. C.*, t. D.

Réponse au remerciement du Maréchal Pétain à l'Académie française. — *Temps*, 23 janvier 1931, et Gallimard, 1931 (*Discours de réception de M. le Maréchal Pétain à l'Académie française et Réponse de M. Paul Valéry*), — *Variété IV*.

Réponses. — Au Pigeonnier, 1928.

Rhumbs. — Le Divan, 1926 (*Rhumbs. Notes et autres*), — Gallimard, 1933, — *Tel quel*, II.

TABLE DES MATIÈRES

─────────

Imp. en France à l'Imp. WILLAUME-EGRET à Saint-Germain-lès-Corbeil en mars 1953.
O. P. I. A. C. L. 31.1152. — Dépôt légal effectué dans le 1er trimestre 1953.
Nᵒ d'ordre dans les travaux de la Librairie ARMAND COLIN : 1186.
Nᵒ d'ordre dans les travaux de l'Imprimerie WILLAUME-EGRET : 786.